El Frente Oriental

Una guía fascinante sobre la Unión Soviética en la Segunda Guerra Mundial, la guerra de invierno, el asedio de Leningrado, la operación Barbarroja y la batalla de Stalingrado

Tabla de contenido

Primera Parte: La Unión Soviética en la Segunda Guerra Mundial

Una guía fascinante de la vida en la Unión Soviética y acontecimientos como la batalla de Stalingrado, la batalla de Kursk y el asedio de Leningrado

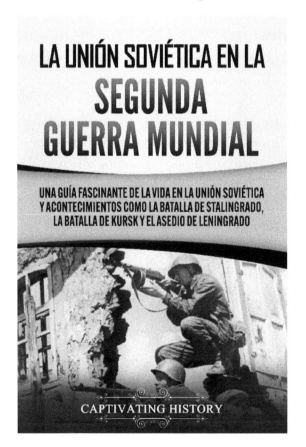

Introducción

Uno puede soportar cualquier cosa, la peste, el hambre y la muerte, pero no puede soportar a los alemanes. No se puede soportar a estos patanes de ojos saltones que resoplan con desprecio a todo lo que es ruso. No podemos vivir mientras estas babosas verdes grisáceo estén vivas. Hoy no hay libros, hoy no hay estrellas en el cielo, hoy solo hay un pensamiento: Matar a los alemanes. Matarlos a todos y enterrarlos en la tierra. Entonces podremos ir a dormir. Entonces podremos pensar de nuevo en la vida, y en los libros, y en las chicas, y en la felicidad. Los mataremos a todos. Pero debemos hacerlo rápido o profanarán toda Rusia y torturarán a millones de personas más.

-Extracto de un artículo del periódico soviético Estrella Roja (Krasnaya Zvezda) del escritor Ilya Ehrenburg.

Ninguna nación sufrió más pérdidas durante la Segunda Guerra Mundial que la Unión Soviética. La cifra que la mayoría de los historiadores reconocen como más o menos exacta es de veinte millones. La cifra exacta es imposible de contar por varias razones: registros destruidos, registros inexactos de preguerra, la politización soviética de las cifras de población antes y después de la guerra, y mucho más. No importa cuál haya sido el total exacto, lo que se sabe es que la población soviética solo recuperó sus pérdidas de la guerra a finales de la década de 1950.

Para aquellos que no estén familiarizados con la Segunda Guerra Mundial, las pérdidas combinadas sufridas por los Estados Unidos y Gran Bretaña fueron de poco más de 800.000 muertos. Los soviéticos perdieron esa cantidad de personas solo durante el asedio de Leningrado.

Esta es una introducción a la vida en la Unión Soviética justo antes y durante la guerra. Este libro electrónico es una breve visión general e introducción a la Segunda Guerra Mundial en el frente oriental. Al final del libro, encontrará una breve lista de algunos de los miles de libros y artículos disponibles sobre el tema, que le ayudarán a tener una comprensión mucho más profunda de este trágico, pero fascinante tema.

Capítulo 1 - Antes de la guerra

En 1917, los bolcheviques ("mayoría") del Partido Laboral Socialdemócrata Ruso llevaron a cabo una revolución que estableció el comunismo como sistema de gobierno en la capital, Petrogrado (más tarde se conoció como Leningrado de 1924 a 1991 y hoy se conoce como San Petersburgo). La revolución se extendió rápidamente a Moscú y en poco tiempo los bolcheviques (conocidos como los "Rojos" por sus banderas, que eran rojas por el color de la sangre de los trabajadores) y los Blancos (por el color de la realeza, ya que apoyaban el antiguo régimen aristocrático dirigido por el zar y su familia, los Romanov) se enfrentaron entre sí.

Entre 1918 y 1922, los ejércitos rojo y blanco lucharon en una sangrienta guerra civil, que costó millones de vidas. Durante el conflicto, los bolcheviques ejecutaron al zar y a su familia y finalmente salieron victoriosos. El mundo tuvo su primer gobierno comunista.

Liderando este nuevo gobierno estaba Vladimir Lenin, el organizador de la revolución y el teórico político detrás del Partido Comunista de la Unión Soviética (PCUS), que era en lo que los bolcheviques se habían convertido. Las ideas de Lenin se basaban en las lecturas y creencias del filósofo político alemán Carlos Marx

(1818-1883) y Friedrich Engels (1820-1895), los fundadores de la teoría comunista.

Para resumir brevemente, los comunistas del siglo XIX (cuando Marx y Engels escribían) creían que la sociedad evolucionaría de su actual forma capitalista al comunismo. Según la teoría marxista, el comunismo ocurriría de forma natural, ya que era una evolución política de la sociedad humana. Cuando lo hiciera, las clases económicas desaparecerían, así como la propiedad privada y la posesión de los medios de producción (fábricas, minas, etc.) Cuando se alcanzara el comunismo puro, todas las personas serían iguales en un estado obrero. Marx y Engels creían que el movimiento hacia el comunismo tendría lugar primero en Europa Occidental, que se había industrializado primero y había visto el mayor trastorno social. Ni Marx ni Engels hablaban mucho de los campesinos, que constituían la mayor parte de la población de la Unión Soviética y muchas de las naciones de Europa del Este.

Para muchos en Rusia y en otros lugares, la Revolución Industrial solo empeoró antiguas desigualdades. Y no era solo la antigua nobleza la que oprimía a los de abajo. También fue la creciente clase media, que consistía en propietarios industriales, ya que estaban ansiosos de establecerse en los adornos de la aristocracia (mansiones, pieles, joyas, etc.) explotando el trabajo de las clases trabajadoras.

Así que, para Lenin y sus camaradas, el comunismo no era algo que pudieran esperar. Para ellos, las clases trabajadoras (incluyendo la clase campesina en el vasto campo ruso) ya habían sufrido bastante, y en lugar de esperar a que la historia los guiara hacia el comunismo, tomarían la historia de la mano y la conducirían a un sistema de gobierno en el que no hubiera clases altas ni bajas, solo trabajadores en un estado obrero.

Lenin y sus compatriotas, entre los que se encontraban hombres como León Trotsky (que organizó el Ejército Rojo) y Josef Stalin, se dedicaron entonces a cambiar radicalmente la sociedad en lo que llamaron la Unión de Repúblicas Socialistas Soviéticas (la URSS).

En un corto período de tiempo, confiscaron prácticamente toda la propiedad privada, especialmente los grandes negocios y fábricas de las ciudades. Muchas de las grandes propiedades en el campo también fueron confiscadas. Muchos de los de las clases altas que no habían huido durante la guerra civil rusa lo hicieron ahora. Muchos miles que no lo hicieron fueron encarcelados o ejecutados por ser "enemigos del pueblo". A los que tuvieron "suerte" simplemente se les confiscaron sus propiedades y vivieron bajo sospecha como "enemigos de clase" durante la mayor parte de sus vidas.

Un cambio tan radical no se produjo sin consecuencias. Aunque la producción industrial creció al principio, pronto se estancó. Los agricultores escondieron sus cultivos en lugar de venderlos a precios controlados. La gente pasó hambre y comenzó a quejarse. En algunos casos, como entre los soldados y marineros de la base de Kronstadt en marzo de 1921, se produjeron rebeliones. Como resultado, Lenin retrocedió un poco y comenzó su Nueva Política Económica (NEP), que permitía a los propietarios privados de pequeños negocios y a los agricultores vender sus cosechas restantes (algunas tenían que ser entregadas al Estado) a precios de mercado. Lenin quiso que esta fuera una solución temporal hasta que se pudiera desarrollar una más organizada y socialista.

La NEP causó una división dentro del Partido Comunista, con algunos creyendo que era útil y otros que era una traición al verdadero comunismo. La cuestión se resolvió con la muerte de Lenin en 1924, que falleció tras una serie de apoplejías.

En el testamento de Lenin, dijo específicamente que Stalin debía ser removido de su alto cargo en el Partido Comunista. Lenin lo veía como demasiado tosco, calculador y brutal. Aunque tampoco estaba muy entusiasmado con Trotsky, Lenin lo prefería a él antes que a Stalin. Sin embargo, Stalin se las arregló para alterar la voluntad de Lenin, haciendo parecer que él era la primera opción de Lenin. Cuando la verdad salió a la luz en algún momento después de la muerte de Lenin, ya era demasiado tarde. Stalin había ocupado algunas de las posiciones menos conocidas, pero más importantes dentro del país y del Partido Comunista, y puso a sus propios hombres a cargo de la policía, la seguridad y otros departamentos en toda la nación.

Para 1929, Stalin había ganado su guerra por el poder sobre Trotsky y sus aliados. Trotsky huyó del país (solo para ser asesinado por orden de Stalin en 1940), y sus aliados juraron lealtad a Stalin o fueron, en el terrible lenguaje de la época, "liquidados".

Aunque Stalin era la principal potencia de la Unión Soviética a principios de los años 30, seguía teniendo rivales. Algunos de ellos eran viejos bolcheviques, los que habían participado en la Revolución rusa y eran amigos de Lenin. Entre estos hombres estaban Nikolai Bujarin, Lev Kamenev, y Grigori Zinoviev. Otras figuras poderosas eran hombres más jóvenes que habían surgido después de la revolución, el más notable de los cuales era Sergei Kirov (de quien toma el nombre el famoso Ballet Kirov).

En 1934, Stalin, celoso de la popularidad y el creciente poder de Kirov, hizo que lo asesinaran. Por supuesto, el asesinato fue hecho para que pareciera el trabajo de un antiguo miembro del partido descontento, que se decía que había culpado a Kirov de sus fracasos. La muerte de Kirov, que Stalin organizó a través de su policía secreta y para el cual era un portador del féretro aparentemente sorprendido, le dio a Stalin la oportunidad de solidificar su poder.

En 1934, comenzó la primera "Gran Purga", en la que cientos de miles de personas fueron arrestadas por ser "enemigos del pueblo". Miles más fueron ejecutados por estar vinculados a los rivales de Stalin o por oponerse a sus planes y políticas gubernamentales.

La purga de 1934 cimentó el lugar de Stalin en la cima, pero la mayoría de los arrestados, enviados al Gulag (el notorio sistema de campos de trabajo de Stalin), o asesinados eran en su mayoría funcionarios de nivel inferior, con algunas excepciones como Kirov. En 1937, Stalin comenzó oficialmente lo que se conoce en la historia como la Gran Purga o el Gran Terror.

En 1937, Bujarin, Kamenev y Zinoviev fueron juzgados. Estos fueron juicios publicitarios en los que los tres admitieron abiertamente que no solo trabajaban contra Stalin, sino que también habían sido agentes del capitalismo y/o conspiradores con Trotsky durante casi toda su vida. Estos hombres fueron amenazados con la muerte de sus familias, y fueron golpeados y torturados psicológicamente entre bastidores. Frente a la cámara y los micrófonos de radio en la corte, admitieron su "culpabilidad". Los tres fueron condenados y ejecutados.

También atrapado en la toma de poder y la paranoia de Stalin estaba el Mariscal Mikhail Tukhachevsky, un héroe militar de la Revolución rusa y la guerra civil rusa. Tenía la fuerza (fuerzas dentro del Ejército Rojo) y la popularidad para ser una verdadera amenaza para Stalin. Ninguna prueba ha vinculado a Tujachevsky con ningún complot contra Stalin, pero en su "juicio" de 1937, admitió haber tramado gobiernos capitalistas para derrocar a Stalin. Él también fue ejecutado.

Esto nos lleva a los acontecimientos que iban a tener consecuencias nefastas en la preparación y la capacidad de la Unión Soviética cuando Hitler invadió en 1941. Mientras Stalin eliminaba a sus enemigos políticos, comenzó a purgar el liderazgo de las fuerzas armadas, eliminando prácticamente todo el alto mando del Ejército Rojo (también conocido como Stavka).

De los 80.000 oficiales del Ejército Rojo, unos 35.000 fueron víctimas de Stalin. Muchos de ellos fueron asesinados. Otros fueron enviados al Gulag, donde muchos más murieron. Los afortunados se "retiraron" y vivieron en el exilio. Y esto no se limitó solo a los rangos de oficiales inferiores. Tres de los cinco mariscales de la Unión Soviética (los oficiales de mayor rango del país) fueron asesinados. Los 11 diputados del Comisario de Guerra, 75 de los 85 comandantes de cuerpo, 110 de los 195 comandantes de división y todos los rangos de bandera de la marina fueron asesinados. Los oficiales también fueron castigados. A veces se les disparaba, a veces se les encarcelaba y a veces se les retiraba por la fuerza.

Como resultado de la Gran Purga de 1937, Stalin mantuvo un completo poder militar y político. Nadie estaba dispuesto a tomar la iniciativa dentro de las fuerzas armadas, ya que podría desagradar a Stalin. Nadie quería "sobresalir"; un viejo adagio ruso dice, "El clavo que sobresale siempre se clava". Esto significa que cuando llegó la guerra, el Ejército Rojo estaba paralizado, tanto literal como psicológicamente.

Capítulo 2 - Estalinismo

En 1933, Adolfo Hitler llegó al poder, y en poco tiempo, comenzó a retroceder los términos del Tratado de Versalles, que puso fin a la Primera Guerra Mundial. Este tratado puso límites a la fuerza de las fuerzas armadas alemanas. Al principio, este esfuerzo fue secreto. Extrañamente, la nación que ayudó a Hitler a ocultar sus esfuerzos (especialmente en el área de desarrollo de aeronaves y entrenamiento de pilotos) fue la Unión Soviética.

A cambio de la experiencia alemana en otras áreas (como la fabricación y la elaboración de herramientas finas), los soviéticos abrieron bases aéreas secretas a los alemanes y vendieron cantidades masivas de productos agrícolas a Hitler. Sus diferencias ideológicas fueron pasadas por alto por el momento, pero esto puso al nazismo y al comunismo en un curso de colisión.

En 1935, Hitler anunció que Alemania reintroduciría la conscripción y ampliaría el ejército a 500.000 hombres del límite de 100.000 de Versalles. Aunque había gente en Occidente que estaba alarmada por el rearme de Alemania (sobre todo Winston Churchill), muchos creían que el Tratado de Versalles había sido demasiado duro para Alemania. Algunos también creían que las condiciones financieras impuestas a Alemania habían contribuido a la Gran Depresión.

Otra razón por la que muchos en Europa Occidental y los Estados Unidos hicieron un poco de la vista gorda al programa de rearme de Hitler fue que creían que Alemania podía ser utilizada como un baluarte contra la Unión Soviética. Después de todo, en los discursos de Hitler y en su libro "*Mi campamento*", él se opone al comunismo repetidamente y llama a Alemania a ganar *Lebensraum* ("espacio vital") en las vastas llanuras del oeste de la Unión Soviética.

Durante la década de 1930, Stalin se esforzó por hacer creer al mundo que la Unión Soviética era, en efecto, el "paraíso de los trabajadores" que los comunistas pretendían que fuera. La Internacional Comunista, o Comintern, era una organización de comunistas de países de todo el mundo que estaba comandada por Moscú. Tenían agentes en Europa Occidental, América y otros lugares que influían en los periódicos y otros medios de comunicación para que incluyeran información sobre los inauditos avances de la URSS en áreas como la industria, la agricultura y la igualdad de derechos. La propaganda soviética, tanto en el país como para el público extranjero, mostraba a trabajadores felices entregando toneladas de carbón, creando presas hidroeléctricas, disponiendo de los últimos bienes de consumo y estando a la vanguardia de la aviación (que, en ese momento, representaba la modernidad).

La verdad estaba en algún punto intermedio. Los periodistas y diplomáticos de la Unión Soviética estaban restringidos a Moscú y a las ciudades más grandes, como Leningrado. Cuando se les llevaba al campo, lo hacían en excursiones cuidadosamente dirigidas a las nuevas granjas-granjas colectivas, que estaban dirigidas por sóviets (consejos) estrechamente controlados y que habían abolido la propiedad privada y aumentado la producción en gran medida.

En varios proyectos de gran envergadura (especialmente presas, centrales eléctricas y puentes), los extranjeros vieron cómo los soviéticos avanzaban a pasos agigantados. Esto era cierto en gran medida, aunque cualquier mejora de lo que había existido bajo los zares se habría considerado "milagrosa". A pesar de su tamaño y recursos, Rusia era un país pobre en los años posteriores a la Revolución rusa.

Se construyeron nuevos bloques de viviendas en las ciudades, que incluían hoteles de lujo de estilo occidental que los extranjeros utilizaban cuando venían a visitarlos (*siempre* estaban vigilados por la policía secreta). Parecía que la población de las ciudades vivía, o estaba en camino de vivir, vidas muy parecidas a las de Europa Occidental, excepto que sin las cuestiones de "clase" y prejuicios.

Sin embargo, en muchos de esos bloques de viviendas, los trabajadores vivían en condiciones de hacinamiento y prácticamente no tenían privacidad. La policía secreta (en ese momento conocida como la NKVD) estaba en todas partes y tenía informantes en cada edificio y en todos los lugares de trabajo. Los vecinos delataban a los vecinos por cualquier cosa, ya fuera real o inventada, para vengarse de algún desaire o para obtener un ascenso. A lo largo de la década de 1930 (especialmente de los años 1936 a 1938), la gente era llevada en medio de la noche en coches negros con las ventanillas pintadas (algunos los llamaban "los cuervos" por el pájaro carroñero). A menudo no se les volvía a ver nunca más.

Su destino era más a menudo el Gulag, es decir, si sobrevivían al interrogatorio, que siempre pedía "nombres". Querían los nombres de las personas que denigraban a Stalin, otros altos funcionarios, el sistema y la revolución. Querían los que se quejaban de la escasez, el trabajo y las condiciones de vida.

Una historia entre millones transmitirá la realidad de vivir en la Unión Soviética de Stalin. Víctor Herman, un americano de ascendencia rusa, viajó con su padre, su madre y su hermana, junto con un contingente de trabajadores de Ford, para entrenar a los soviéticos en una nueva planta de automóviles en la URSS en 1931. El padre de Víctor, un socialista, había huido de Rusia antes de la revolución y estaba ansioso por volver a lo que creía que era ahora un "paraíso de los trabajadores". Solicitó la ciudadanía soviética para toda su familia, sin que su hijo lo supiera, que se hubiera opuesto. Víctor era un atleta nato y finalmente estableció el récord mundial de salto en paracaídas más alto en 1934. Cuando se le pidió que firmara un papel para autentificar su récord, notó que su ciudadanía era "soviética" y se negó a firmar. Pronto fue a la cárcel y luego se dirigió al Gulag (para *Glavine Upravlenie Lagerei*, o "Administración del Campo Principal"). El Gulag era el sistema de campos de trabajo/concentración de Stalin, que se extendían por centenares en toda la URSS, aunque estaban principalmente en el frío de Siberia. La existencia de Víctor fue una pesadilla de tortura, hambre y estar rodeado de muerte. En sus viajes, conoció a un hombre que había sido arrestado porque su vecino le había oído hablar en sueños contra Stalin. Había sido literalmente arrestado por tener un sueño contra Stalin. Víctor Herman nunca renunció a su sueño de regresar a los Estados Unidos, lo que finalmente hizo en 1977.

El Gulag proporcionó millones de trabajadores para proyectos en toda la Unión Soviética, principalmente en minas, bosques madereros y construcción de presas. La seguridad no era un problema a menos que realmente afectara a la producción. Los prisioneros estaban allí para trabajar y para morir. Nadie sabe el total exacto de muertes y ejecuciones que ocurrieron en el Gulag y en las prisiones de Stalin, pero incluso las estimaciones más bajas lo cifran en millones.

A los extranjeros se les mostró lo que Stalin quería que vieran. Cuando visitaban una granja colectiva, veían trabajadores felices y cosechas abundantes. Algunas de ellas eran reales, ya que el gobierno invirtió cantidades desmesuradas de recursos para hacerlas parecer exitosas, pero esto no era sostenible para toda la nación. Muchas veces, los cultivos se traían de otras granjas y se cargaban en camiones y mesas de clasificación para que los invitados los vieran. A los trabajadores se les decía que sonrieran y fueran "felices", aunque no necesitaban que se les dijera, ya que sabían lo que les esperaba si no lo hacían.

El movimiento hacia la agricultura colectiva no fue fácil. Por un lado, casi siempre eran mal manejados por equipos de estalinistas que no sabían nada de granjas. En muchas partes del país, los granjeros, especialmente los de "clase media", conocidos como *kulaks*, a los que se les había permitido mantener alguna propiedad privada bajo Lenin, se negaron a permitir que sus tierras y animales fueran confiscados y colectivizados. Cientos de miles de ellos fueron enviados al Gulag. Otros fueron dejados para mendigar en las calles. Se instó al público a verlos como "enemigos de clase" y se les animó a condenarlos al ostracismo y a denunciarlos por cualquier pequeña infracción. Decenas de miles fueron fusilados, pero no antes de que muchos de sus animales fueran asesinados a pesar de ello.

La supresión de los *kulaks* y la mala gestión de las granjas colectivas provocaron una hambruna en los años 1932 y 1933, especialmente en Ucrania. Esto fue causado en parte por Stalin, que quería aplastar el nacionalismo ucraniano, ya que era fuerte en muchas partes de Ucrania. Stalin también necesitaba alimentar a sus ciudades, por lo que los cultivos que crecían se llevaban a Moscú y a otras ciudades. Esto aseguró dos cosas: las ciudades no pasarían hambre y se rebelarían, y los extranjeros verían comida en los estantes.

Para empeorar las cosas, los recolectores de granos soviéticos eran responsables de recolectar cuotas de grano basadas en los antiguos registros. Iban a una zona y recogían hasta la última semilla y grano. Sin embargo, incluso después de hacer esto, los recolectores de grano todavía no tenían suficiente. Por lo tanto, falsificaron sus números. Esto sucedió de arriba a abajo, ya que nadie quería reportar malas noticias a la cima. Como resultado, Stalin llevó el grano a las principales ciudades, a menudo creyendo que había suficiente comida para todos. Cuando los informes llegaban afirmando que no había suficiente comida, el autor hacía un viaje de ida a Siberia. La hambruna, que tuvo lugar principalmente en Ucrania y en otras zonas como Kazajstán, provocó millones de muertes. Las estimaciones oscilan entre tres y doce millones, con la cifra real probablemente cerca de cinco millones.

Ilustración 1: Personas muertas y moribundas en Kharkiv (Kharkov), Ucrania, 1933 (Por Alexander Wienerberger - Archivo Diocesano de Viena (Diözesanarchiv Wien) /BA Innitzer, Dominio Público,
https://commons.wikimedia.org/w/index.php?curid=3120021)

A pesar de estos horrores, a finales de la década de 1930, la Unión Soviética se había hecho más rica y poderosa. Habían aparecido fábricas por todas partes (la mayoría de ellas en el oeste del país donde vivía la mayor parte de la población y que corría mayor riesgo de invasión). Las presas hidroeléctricas y las plantas de energía eléctrica esparcieron la electricidad a partes de la nación que nunca antes la habían tenido, permitiendo que el trabajo continuara más allá del atardecer. Y a finales de la década de 1930, la URSS era autosuficiente en alimentos, aunque apenas. Para mucha gente, la vida había mejorado. Mientras mantuvieras la cabeza baja y no te quejaras, estarías bien.

El impulso para cambiar radicalmente la cara de la nación significó que a finales de los años 1920 y principios de los 1930, el crecimiento y el desarrollo del Ejército Rojo quedaron relativamente en un segundo plano. Hasta finales de la década de 1930, Stalin no se enfrentó a ninguna amenaza extranjera realista a su gobierno. El Ejército Rojo era lo suficientemente grande como para mantener el orden y acabar con las insurrecciones, y aunque sus generales planificaron ofensivas masivas en caso de guerra, el riesgo para la URSS era mínimo durante la recuperación del mundo de la Primera Guerra Mundial y la Gran Depresión.

Los soviéticos siempre habían gastado un gran porcentaje de su presupuesto anual en las fuerzas armadas. La guerra civil rusa y la intervención militar de Gran Bretaña, Francia y los Estados Unidos en la zona cercana a Murmansk (llevada a cabo aparentemente para apoyar a los blancos; en realidad, de esta operación no surgió nada más que bajas y la eterna sospecha de todos los líderes soviéticos hasta Mijaíl Gorbachov) hizo que los soviéticos creyeran que solo un Estado bien armado evitaría que su sistema cayera en manos de los capitalistas. Obviamente, esta sospecha iba en ambos sentidos, pero la propaganda antisoviética en Occidente solo aumentó su cautela hacia el país comunista.

En la siguiente tabla, se puede ver el gasto soviético en las fuerzas armadas como un porcentaje de su presupuesto. Los años 1926 y 1929 a 1932, que fue el punto álgido de la Depresión, no están incluidos aquí, ya que los datos disponibles son solo parciales y esporádicos. Tampoco los datos de 1939, el año en que comenzó la Segunda Guerra Mundial.

1922	1923	1924	1925	1927	1928	1933	1934	1935	1936	1937	1938
15.6	14.5	12.3	3.4	9.1	11.1	16.1	16.5	18.7	25.6	32.6	43.4

Por el contrario, en 2019, las cifras para los EE. UU., China y Rusia son 3,4 por ciento, 2,0 por ciento y 3,9 por ciento, respectivamente. Se puede ver que la Unión Soviética estaba gastando cantidades extraordinarias de dinero en armas en los años anteriores a la guerra. Lo más probable es que se haya dado cuenta cuando la cantidad comenzó a aumentar: 1933, el año en que Hitler llegó al poder.

Capítulo 3: 1938 y 1939

Como sabrán, en 1938, Hitler estaba listo para poner en marcha sus planes para la dominación de Europa. Ya había remilitarizado la Renania (un área de Alemania que había sido ordenada por los Aliados al final de la Primera Guerra Mundial). Había ganado una elección especial en 1935 y restauró el Sarre (una de las principales zonas productoras de carbón de la nación, que había estado bajo control aliado desde el final de la Primera Guerra Mundial) a Alemania.

Cuando los Aliados no se enfrentaron a él mientras trasladaba sus fuerzas a Renania (y las fuerzas alemanas tenían órdenes de retirarse si lo hacían), Hitler estaba aún más seguro de que Francia y Gran Bretaña no se arriesgarían a otra guerra a menos que fueran atacadas directamente. La Primera Guerra Mundial y la Gran Depresión los había hecho tímidos.

En Moscú, Stalin vio el plan de Hitler desarrollándose, y notó la falta de respuesta occidental.

En la primavera de 1938, después de años de maquinaciones de los nazis austriacos bajo las órdenes de Berlín, Alemania anexó a Austria, algo que los políticos de Occidente habían dicho que harían cualquier cosa para evitar. No hicieron nada excepto condenar la maniobra "en el lenguaje más fuerte", como decían los diplomáticos.

Lo siguiente en la lista de Hitler era un área de la nueva nación de Checoslovaquia, que se había formado en 1918 después de la disolución del Imperio austrohúngaro tras la Primera Guerra Mundial. En el norte y oeste del país vivía una considerable población étnica alemana conocida como los alemanes de los Sudetes. Aunque los checos tenían algunos prejuicios contra esta gente, Hitler exageró mucho los problemas y amenazó con invadir la zona si no se resolvían. Durante un período de meses, Hitler y los nazis de los Sudetes hicieron todo lo posible para empeorar la situación, no para mejorarla. Las tropas nazis se concentraron en la frontera. Los británicos y los franceses estaban alarmados, y sus políticos tenían muchas opiniones sobre qué hacer, que es exactamente lo que Hitler esperaba. Cuantas más opiniones, menos probable es que algo suceda.

Los checos y los eslovacos son eslavos, al igual que los rusos y muchos otros en Europa del Este. Históricamente, Rusia fue vista por las naciones eslavas más pequeñas como una especie de "hermano mayor" en el que podían apoyarse cuando los tiempos eran difíciles. Era una posición que los zares e incluso Stalin disfrutaban, ya que les daba mayor influencia en Europa. Stalin dejó claro a los británicos y franceses que si garantizaban atacar a Alemania cuando Hitler invadiera Checoslovaquia, Rusia también entraría en guerra con Alemania. En retrospectiva, que siempre es 20/20, esto probablemente habría detenido a Hitler en su camino.

Sin embargo, con los recuerdos de la carnicería de la Primera Guerra Mundial aún en sus mentes y la Gran Depresión aún no terminada, los aliados occidentales buscaron "apaciguar" a Hitler. El Primer Ministro británico Neville Chamberlain y el Primer Ministro francés Édouard Daladier volaron a Munich. A Hitler se le unió su aliado fascista, Benito Mussolini, el líder de Italia. Stalin se quedó al margen. Ni un solo checoslovaco asistió a la

Conferencia de Munich, que tuvo lugar del 29 al 30 de septiembre de 1938.

Después de una serie de conversaciones apresuradas, se decidió que los checos debían ceder Sudetenland a Hitler. El ejército checo solo era lo suficientemente fuerte para detener a Hitler si la ayuda de los aliados llegaba. Como no fue así, los checos se quedaron solos y fueron traicionados. Sabiendo que era una causa perdida, cedieron a las demandas de Hitler y sacaron sus tropas de Sudetenland. En marzo de 1939, Hitler trasladó sus tropas al resto de Checoslovaquia. Nadie levantó un dedo para ayudar.

Neville Chamberlain volvió a casa y declaró que había logrado "la paz en nuestro tiempo". Winston Churchill, por otro lado, condenó el Acuerdo de Munich como una derrota. Hitler le dijo a Mussolini, "Hemos encontrado a nuestro enemigo y son gusanos". Stalin se dio cuenta de que no podía contar con Gran Bretaña y Francia en absoluto, así que decidió llegar a un acuerdo con Hitler.

Con creciente intensidad durante el resto de 1938 y hasta 1939, Hitler comenzó a quejarse de que la considerable minoría alemana en Polonia, especialmente en la "Ciudad Libre" de Danzig (la actual Gdansk, Polonia), estaba siendo maltratada y privada de sus derechos.

Polonia, al igual que Checoslovaquia, nació después de la Primera Guerra Mundial. Dentro de las fronteras del país, especialmente en el oeste, había una población alemana minoritaria. Además, al final de la Primera Guerra Mundial, los Aliados determinaron que el estado alemán de Prusia Oriental estaría separado del resto de Alemania por una franja de tierra que se conoció como el "Corredor Polaco". Esto se hizo para dar a Polonia acceso al mar Báltico. En realidad, era una situación peculiar, ya que Prusia era como una isla, separada de su tierra natal.

Hitler pidió la eliminación del Corredor Polaco y un mejor tratamiento de los alemanes dentro de Polonia. Si las cosas no cambiaban, invadiría Polonia. Para entonces, el Reino Unido y Francia se habían dado cuenta del grave error que habían cometido en Checoslovaquia, y prometieron a Polonia que, si Hitler invadía, irían a la guerra con Alemania.

Hitler no descartó totalmente esto, pero creía que, si podía derrotar a Polonia rápidamente, podría desplazar suficientes tropas hacia el oeste para evitar que los británicos y los franceses tomaran alguna medida significativa. La gran preocupación de Hitler era la Unión Soviética.

Aunque Polonia había sido restaurada recientemente en 1919 debido al Tratado de Versalles, tenía una historia antigua. Durante un tiempo en la Edad Media tardía, Polonia había sido una potencia mundial. Los polacos eran ferozmente independientes y eran enemigos jurados tanto de Alemania como de Rusia, dos de los tres países (el otro era Austria-Hungría) que habían conquistado Polonia. En total, estos tres países gobernaron sobre Polonia durante dos siglos combinados, comenzando a principios del 1700. Aunque los polacos acogieron con agrado las garantías de asistencia británica y francesa, probablemente habrían luchado contra Hitler sin ellas.

La frontera oriental de Polonia era la frontera occidental de Rusia. Aunque no era amigo de los polacos, Stalin hubiera preferido tener una Polonia débil en su frontera que una Alemania fuerte. Habiendo visto ya la falta de fuerza de voluntad de los británicos y franceses en la crisis checa, Stalin hizo una obertura sorpresa y secreta a Hitler.

El 23 de agosto de 1939, los gobiernos soviético y nazi anunciaron a un mundo conmocionado que acababan de firmar un pacto de no agresión de diez años. Con esta medida, todo el mundo sabía que a Hitler se le había dado carta blanca para tratar con Polonia, ya que no tenía que preocuparse por la interferencia soviética.

Por supuesto, había mucho más en el Pacto nazi-soviético (a veces llamado Pacto Molotov-Ribbentrop para los ministros de asuntos exteriores de la URSS y Alemania, respectivamente). Dentro del acuerdo había protocolos secretos. En estos acuerdos secretos, Stalin y Hitler acordaron dividir a Polonia entre ellos. Además, Stalin no tendría que preocuparse por la interferencia alemana si (que fue más bien cuando) invadía los estados bálticos de Lituania, Letonia y Estonia. Estas eran nuevas naciones creadas después de la Primera Guerra Mundial que anteriormente formaban parte del Imperio ruso. Besarabia y otras dos regiones de Rumania irían a Stalin. Hitler quería mucho de Polonia y Varsovia, y para ello, acordó no interferir en los diseños que Stalin tenía sobre Finlandia, que también había sido parte del Imperio ruso anterior a la Primera Guerra Mundial, así como un antiguo aliado alemán.

No solo los países del mundo estaban conmocionados, sino que los comunistas de todo el mundo también lo estaban. El 22 de agosto, denunciaron a Hitler y a los nazis como los mayores criminales de la historia. El 24 de agosto, recibieron directivas para cesar toda la propaganda antinazi.

Ilustración 2: La caricatura contemporánea muestra el Pacto nazi-soviético como un matrimonio que pronto sería problemático

Ilustración 3: Utilizando los mismos nombres que se habían llamado durante años, Hitler y Stalin se saludan sobre una Polonia caída

El Pacto nazi-soviético también pedía a los soviéticos que enviaran cantidades masivas de grano, materias primas y otros recursos naturales a Alemania a cambio de maquinaria, conocimientos técnicos e ingenieros alemanes. El día que los nazis atacaron a Stalin en 1941, pasaron trenes que iban en dirección contraria con grano con destino a Berlín.

Hitler invadió Polonia el 1 de septiembre de 1939. Francia y Gran Bretaña declararon la guerra a Alemania dos días después. El 17 de septiembre, el Ejército Rojo invadió el este de Polonia, y para el 27 de septiembre, el gobierno polaco se había rendido. Aunque la Unión Soviética sufrió el mayor número de muertos durante la Segunda Guerra Mundial, ninguna nación sufrió más que Polonia. Casi el 20 por ciento, lo que equivale a uno de cada cinco polacos, murió durante la guerra. Esta cifra incluye la población judía que también sufrió, que fue un asombroso 90 por ciento.

En junio de 1940, Stalin invadió los esencialmente indefensos estados bálticos. En todas las áreas tomadas por los soviéticos, comenzaron las mismas horribles purgas y el terror que se había apoderado de la URSS en la década de 1930. En el Báltico, las tácticas de Stalin más tarde condujeron a gran parte de la población a los brazos de Hitler, con horribles consecuencias para todos. En Polonia, el terror barrió la parte del país bajo el control de Stalin. En un solo caso, más de 20.000 oficiales del ejército polaco, políticos y personalidades prominentes fueron ejecutados por los soviéticos en Katyn, en el este de Polonia.

El 30 de noviembre de 1939, Stalin atacó a Finlandia. Durante meses, Stalin y su ministro de asuntos exteriores, Viacheslav Molotov, habían estado exigiendo que los finlandeses cedieran tierras a la URSS como protección contra un posible ataque de Hitler. También estaban preocupados de que los finlandeses, que eran algo amigos de Alemania, se unieran a Hitler en un ataque en el extremo norte de la Unión Soviética y en Leningrado. Para ser justos, Stalin ofreció a los finlandeses un trozo de territorio soviético más grande que el que les había pedido, pero el territorio que ofreció consistía en mucha nieve y hielo, mientras que la tierra que exigió a Finlandia era estratégicamente valiosa.

Los finlandeses se negaron. La corta guerra de invierno que siguió fue una vergüenza para el Ejército Rojo. En el istmo de Carelia, que se extiende hacia el norte entre el mar Báltico y el lago Ládoga, los soviéticos lanzaron olas de hombres mal preparados y mal equipados contra las fuertes defensas finlandesas. Como resultado, fueron acribillados. Al norte, en los bosques de pinos del centro de Finlandia, tropas de esquí finlandesas altamente entrenadas, motivadas y bien dirigidas desgarraron formaciones soviéticas masivas y menos móviles.

Sin embargo, para marzo, los soviéticos se habían reagrupado, reemplazado a muchos de sus líderes (lo que significaba que muchos fueron fusilados) y renovado su ofensiva. Los finlandeses se vieron obligados a aceptar los términos de Stalin. En este punto, Stalin estaba preocupado por la creciente posibilidad de un ataque alemán, a pesar de su pacto de no agresión con Hitler. Así que detuvo su ofensiva e hizo la paz con Finlandia.

La guerra de invierno fue una vergüenza para Stalin y el Ejército Rojo, a pesar de las mejoras implementadas al final del conflicto. Hitler y el resto del mundo vieron lo que creían que era un Ejército Rojo mal dirigido y poco motivado. Muchos creen que este fue el momento en que Hitler decidió atacar a la URSS cuando sintió que era el momento adecuado.

Europa no era el único lugar donde el Ejército Rojo estaba en combate. En el Lejano Oriente, grandes formaciones soviéticas (incluido un gran número de tanques) se enfrentaron a las tropas japonesas a lo largo de la frontera septentrional de China y a Mongolia a lo largo del río Jaljin Gol de mayo a septiembre de 1939.

Para resumir brevemente, en 1931, Japón había conquistado la región china semiautónoma y rica en recursos de Manchuria. En 1936, los japoneses comenzaron una invasión de la propia China. El Ejército Imperial Japonés (IJA) creía que el futuro de Japón estaba en el continente asiático con sus amplios espacios abiertos y sus recursos naturales (níquel, hierro, madera, etc.; en ese momento, los recursos petroleros de la zona eran relativamente desconocidos). La Armada Imperial Japonesa (IJN) sabía que el petróleo y el caucho eran las claves de la guerra moderna, y se preocupaba más por las fuerzas de Gran Bretaña y los Estados Unidos en el Pacífico que por las de China o los soviéticos. Así que la IJN abogó por la expansión en el Pacífico.

A finales de la década de 1930, el ejército japonés había ganado el control del gobierno japonés en gran medida, y elementos de la IJA en China operaban con un sorprendente grado de independencia arrogante. Como había sucedido en China, las tropas japonesas provocaron un incidente con las fuerzas mongolas/soviéticas, y en un corto período de tiempo, comenzó una batalla a gran escala.

Stalin envió al general Georgy Zhukov (que más tarde se convertiría en el líder militar preeminente de la guerra de la Unión Soviética con Alemania) para tratar con los japoneses, junto con considerables refuerzos. Zhukov era un comandante despiadado que no prestaba atención a las bajas. Sin embargo, también era un estudiante de la guerra y había estudiado los últimos libros y documentos de los ejércitos de Francia, Gran Bretaña y Alemania, que afirmaban que una armadura masiva y maniobrable sería el factor más importante de la próxima guerra terrestre.

La batalla resultante fue una victoria decisiva para los soviéticos y una humillación para los japoneses. La batalla de Jaljin Gol se alojó tan fuertemente en la memoria de Japón que fue uno de los factores principales en su decisión de atacar a través del Pacífico y en el sur de Asia en la guerra venidera. Pero, aunque los japoneses decidieron rápidamente que no volverían a provocar a los soviéticos, Stalin y los líderes del Ejército Rojo siguieron siendo cautelosos con Japón y dejaron fuerzas considerables en el Lejano Oriente soviético en lugar de desplegarlas en Europa.

Ilustración 4: Vladimir Putin y el presidente mongol Khaltmaagiin Battulga ven un cuadro de la batalla de Jaljin Gol en el octogésimo aniversario de la batalla en 2019

Capítulo 4: Interludio

Cuando Stalin aceptó el pacto de no agresión con Hitler en agosto de 1939, no se hizo ilusiones de que la Unión Soviética permanecería en paz con Alemania. Stalin y Hitler se habían enfrentado durante mucho tiempo y sus respectivas ideologías. Hay varias teorías sobre cuáles eran las verdaderas creencias de Stalin. Al final de este libro, encontrará una lista de recursos que le permitirán examinar esta interrogante más de cerca. Hay algunas teorías bastante poco realistas (como la de Ernst Topitsch, que afirma que el pacto de Stalin con Hitler fue parte de un bien pensado "plan maestro" para causar una guerra devastadora en Europa, con Stalin invadiendo después de que Europa se desangrara). Sin embargo, la mayoría de los historiadores están de acuerdo en que el propósito del pacto, al menos para Stalin, era ganar tiempo.

La Unión Soviética estaba en una posición peculiar cuando estalló la Segunda Guerra Mundial. Sus fuerzas armadas eran enormes, pero estaban mal dirigidas, desorganizadas y paralizadas por las purgas de Stalin a finales de la década de 1930. En 1940, los soviéticos comenzaron a producir dos tanques que eran mejores que cualquier cosa que los alemanes tuvieran en el campo en ese momento (el T-34 y el KV-1). La fuerza aérea soviética era gigantesca, pero anticuada. La industria soviética crecía a pasos agigantados a finales de la década de 1930, pero mucha gente todavía no tenía suficiente para comer. El Ejército Rojo estaba preocupado por Hitler, pero también se enfrentó a millones de tropas japonesas en China.

A todo esto (y más) se sumaba la paranoia de Stalin. A veces creía en sus servicios de inteligencia y espías, pero otras veces, sospechaba que eran incompetentes o incluso traidores. Había esperado formar una alianza anti-Hitler con Francia y Gran Bretaña antes de la crisis checa de 1938, pero luego se volvió en contra de ellos al hacer el pacto con Hitler. Cuando los informes de inteligencia de Churchill y otros en Occidente advirtieron a Stalin sobre la próxima invasión alemana, los vio con sospecha, creyendo que los "capitalistas" querían que él provocara una guerra con Hitler para que los dos enemigos de Occidente, el nazismo y el comunismo, se destruyeran mutuamente.

Es probable que Stalin creyera que una guerra con Hitler era inevitable, es decir, si no era derrotado por Francia y Gran Bretaña, como muchos creían que podría ser. Aunque tuvo cuidado de no provocar un incidente, Stalin abandonó la línea de defensas en el oeste de la Unión Soviética, conocida como la Línea de Stalin, y trasladó muchas de sus tropas al este de Polonia, al Báltico y a la frontera con Rumania (que se alió con Hitler en el verano de 1940). La producción de armas aumentó, como se vio en la tabla del capítulo anterior, se reclutaron más hombres, y el número de personas en las milicias locales aumentó.

Aun así, Stalin fue explícito en sus órdenes a sus comandantes: "no provoquen a los alemanes". En las semanas previas a la invasión alemana de 1941, los aviones de reconocimiento alemanes cruzaron descaradamente el espacio aéreo soviético. Stalin advirtió a sus comandantes que no tomaran ninguna acción contra ellos, y una advertencia de Stalin *no* era una sugerencia.

El 9 de abril de 1940, Hitler invadió Dinamarca y Noruega. Dinamarca cayó en horas. Noruega se rindió después de una intensa lucha en tierra y mar.

El 10 de mayo, Hitler lanzó su invasión a Europa Occidental, atacando a Francia, Bélgica y Holanda simultáneamente. Estos dos últimos países cayeron en días. Francia cayó en unas asombrosas seis semanas. La Fuerza Expedicionaria Británica se vio obligada a retirarse a Inglaterra desde Dunkerque y Calais. Incluso aquellos que habían predicho una victoria alemana se quedaron atónitos por la velocidad con la que las fuerzas de Hitler derrotaron a los aliados.

Stalin estaba igual de sorprendido, y cuando Francia cayó, sus órdenes de no provocar a los alemanes fueron enfatizadas.

Aparte de los protocolos secretos que dividían a Polonia y otras partes de Europa del Este, el Pacto nazi-soviético incluía términos muy favorables para ambas partes. Al comienzo de la guerra nazi-soviética, Hitler recibiría cerca de un millón de toneladas de petróleo, más de un millón y medio de toneladas de grano y 140.000 toneladas de manganeso, así como cantidades más pequeñas de otras materias primas.

A cambio, Stalin recibió esquemas técnicos de los últimos buques de guerra alemanes, cañones navales pesados, una amplia variedad de máquinas y herramientas mecánicas también, y expertos para formar a los ingenieros y trabajadores soviéticos. El pacto estaba sorprendentemente bien equilibrado, ya que ambas naciones obtuvieron lo que necesitaban. Pero a medida que se acercaba la fecha de la invasión planeada por Hitler (que originalmente estaba fijada para el 15 de mayo de 1941), los alemanes incumplieron gran parte del acuerdo. Stalin era plenamente consciente de ello, pero los trenes con grano y otros materiales soviéticos siguieron fluyendo hacia el oeste para no provocar a Hitler.

El problema era que Hitler no necesitaba una provocación.

Capítulo 5: Barbarroja

Durante muchos años, los historiadores y laicos interesados en la Segunda Guerra Mundial creyeron que la ofensiva planeada por Hitler, llamada "Barbarroja" (por el rey germánico medieval Friedrich Barbarroja), se retrasó debido a la abortiva invasión de Mussolini a Grecia.

Esta invasión comenzó sin el conocimiento de Hitler en 1940. Las fuerzas de Mussolini lucharon para someter a los griegos, y Hitler se vio obligado a prestar ayuda a los italianos. Para ello, las fuerzas alemanas tendrían que pasar por Yugoslavia, que había sido amiga de Alemania hasta marzo de 1941, cuando un golpe pro-aliado derrocó al príncipe regente Pablo y colocó al rey Pedro II en el trono. Con eso, Hitler se vio obligado a invadir tanto Yugoslavia como Grecia. Ambos países estuvieron en manos alemanas en un mes, a partir de abril de 1940. Sin embargo, ambos se convertirían en una espina en el costado de Hitler durante toda la guerra, en particular Yugoslavia, que alejó a cientos de miles de tropas nazis de otros frentes, especialmente en la Unión Soviética.

A pesar del "espectáculo paralelo" en los Balcanes, el verdadero problema (como han señalado el eminente historiador de la Segunda Guerra Mundial Antony Beevor y otros) era la logística. Los alemanes no podían conseguir las cantidades necesarias de petróleo y combustible para las tropas que se preparaban para invadir la URSS. También estaba el problema de que un gran número de camiones y tanques franceses (muchos de los cuales eran máquinas excelentes) se trasladaban al este. Se estima que cuando se produjo la invasión de la Unión Soviética, alrededor del 80 por ciento de sus vehículos eran franceses, ya que el ejército francés había descuidado destruirlos antes de su rendición en 1940.

Las fuerzas de Hitler estaban listas a finales de junio, y el 22 de junio comenzó la mayor operación militar que el mundo había visto jamás. Tres millones y medio de tropas alemanas, finlandesas, rumanas, húngaras e italianas cruzaron las fronteras de Polonia, los estados bálticos y el sur de Rusia y Ucrania, que era un frente que se extendía a lo largo de unos 2.900 kilómetros de norte a sur. Esta fuerza incluía unos 6.000 tanques y otros vehículos blindados, 7.000 piezas de artillería y 7.000 morteros. En cualquier lugar entre 3.500 y 5.000 aviones volaron múltiples salidas el primer día.

Frente a los nazis y sus aliados había entre 2,5 y 2,9 millones de tropas soviéticas, que tenían 11.000 tanques. La mayoría de estos vehículos eran anticuados, aunque un número considerable de T-34, KV-1 y KV-2 sorprendieron a los alemanes con su fuerza, diseño moderno y potencia de fuego. La fuerza aérea soviética contaba con cerca de 11.000 aviones, aunque la gran mayoría eran anticuados y obsoletos. Más de 30.000 piezas de artillería estaban en el frente o cerca de él. Desafortunadamente para los soviéticos, muchos de estos cañones carecían de vehículos o caballos para moverlos y resultaron ser inútiles en una guerra altamente maniobrable.

Solo horas antes de que la invasión comenzara, un sargento alemán con simpatías comunistas desertó a los soviéticos, advirtiéndoles que Hitler estaba a solo horas de atacar. Fue tratado con rudeza, y aunque muchos en el frente le creyeron, cuanto más atrás fue llevado, más y más fue tratado con sospecha e incredulidad.

La persona con mayor cantidad de negación era la que la mayoría de la gente pensaría que sospecharía más de Hitler. Josef Stalin, quizás el hombre más paranoico y desconfiado de la Tierra en ese momento fuera de un asilo, no podía entender el hecho de que había sido engañado. Después de que los primeros reportes del ataque alemán llegaran a Moscú, Stalin entró en un estado mental, que combinó shock, incredulidad y depresión, durante horas.

Stalin había sido advertido de los planes de Hitler por varias fuentes. Sus militares en el frente enviaron informes de movimientos masivos de tropas alemanas. Funcionarios diplomáticos y de inteligencia en Europa enviaron informes a Moscú con graves recelos. Sus espías en toda Europa y en Japón le dijeron que una invasión alemana era inminente. Incluso Winston Churchill envió a Stalin un telegrama advirtiéndole de las intenciones de Hitler. Todo esto fue recibido con incredulidad y duda, ya que Stalin sospechaba que un complot capitalista estaba en marcha para provocarle a atacar a Hitler, debilitando a ambos dictadores para que los "capitalistas" pudieran entrar. Después del 22 de junio, Stalin comenzó a creer en la mayoría de sus agentes de inteligencia y diplomáticos, pero su confianza en ellos llegó gradualmente.

Al pueblo de la Unión Soviética ni siquiera se le dijo que su nación había sido invadida hasta la tarde del 22. Cuando se transmitió la noticia, no fue Stalin, sino el Ministro de Relaciones Exteriores soviético Molotov quien les informó:

Todo nuestro pueblo debe estar ahora más sólido y unido que nunca... El gobierno los llama a ustedes, ciudadanos de la Unión Soviética, a unirse aún más estrechamente en torno a nuestro glorioso partido bolchevique, a nuestro gobierno soviético, a nuestro gran líder y camarada, Stalin. La nuestra es una causa justa. El enemigo será derrotado. La victoria será nuestra.

Stalin se retiró del Kremlin a su dacha (retiro de vacaciones) en el bosque. Stalin era conocido por su lenguaje áspero y vulgar, y al salir del Kremlin, se le oyó decir: "Todo está perdido. Me rindo. ¡Lenin fundó nuestro estado y lo hemos arruinado!". Dio órdenes vagas para que sus fuerzas atacaran y luego se retiró a sí mismo.

El liderazgo soviético dependía tanto de Stalin que, durante casi ocho días completos, el Ejército Rojo no tuvo ningún liderazgo real. Nadie quería arriesgar su cuello dando órdenes en lugar de Stalin. No fue hasta el 30 de junio que los otros miembros del Comité Central del Partido Comunista de la Unión Soviética, junto con Molotov y miembros del ejército, visitaron a Stalin en su casa.

Algunos creen que Stalin estaba poniendo a prueba su liderazgo. ¿En quién podía confiar? ¿Quién podría querer dar órdenes en su lugar? Otros dicen que Stalin estaba simplemente sufriendo de agotamiento nervioso. Lo que sí sabemos es que Stalin estaba asustado, tal vez por primera vez en años. Más tarde dijo que creía que Molotov y los otros estaban allí para arrestarlo. No fue así, porque el grupo le dijo a Stalin que creían que el esfuerzo de la guerra debía ser manejado por un solo hombre. El dictador les preguntó algo como "¿A quién tienes en mente?". Molotov respondió: "A usted, camarada Stalin". Con eso, "El Jefe", como lo llamaron muchos, volvió a la vida.

Casi dos semanas después de la invasión alemana, Stalin se dirigió al pueblo de la Unión Soviética en un largo discurso, evocando el espíritu de 1812, cuando Napoleón fue obligado a retirarse de Moscú, y recitando la historia de las relaciones de la URSS con Hitler. Por supuesto, pintó a la Unión Soviética bajo una luz inocente. Sin embargo, "El Jefe" pintó un cuadro terrible de las pérdidas territoriales soviéticas en su declaración inicial, junto con un par de grandes mentiras.

El traicionero ataque militar de Hitler y Alemania a nuestra madre patria, que fue lanzado el 22 de junio, continúa. A pesar de la heroica resistencia del Ejército Rojo y de que las mejores divisiones del enemigo y sus mejores unidades de la fuerza aérea ya han sido destruidas y han llegado a su fin en los campos de batalla, el enemigo sigue avanzando y lanza nuevas tropas a la batalla. Las fuerzas de Hitler han logrado conquistar Lituania, una parte considerable de Letonia, la parte occidental de Bielorrusia y parte del oeste de Ucrania. La fuerza aérea fascista amplía el alcance de sus bombarderos y somete a los bombardeos a Murmansk, Orsha, Mogilyow, Smolensk, Kiev, Odessa y Sevastopol. Un grave peligro se cierne sobre nuestra madre patria... ¡Camaradas! Nuestras fuerzas son ilimitadas. El arrogante enemigo pronto experimentará esto... ¡Todos nuestros esfuerzos en apoyo de nuestro heroico Ejército Rojo y nuestra ilustre Armada Roja! ¡Todos los esfuerzos de la población para la destrucción del enemigo! ¡Adelante, por nuestra victoria!

En los primeros días de la invasión, las fuerzas de seguridad de la NKVD se desbocaron. Miles de personas fueron arrestadas, y muchas fueron fusiladas por cargos que iban desde supuesto sabotaje hasta "derrotismo". Después de volver al poder, Stalin hizo fusilar a varios generales.

Después de la guerra de Finlandia, Stalin cambió la estructura del Ejército Rojo. Antes de la debacle en Finlandia, el NKVD y otros oficiales del Partido Comunista estaban al lado de los oficiales militares al mando de las formaciones hasta el nivel de compañía. Estos hombres necesitaban ser consultados para virtualmente cada decisión militar para ver si estaba en línea con el "pensamiento estalinista" o la "línea del partido", que eran una y la misma, y para verificar la lealtad del ejército. También casi paralizó la toma de decisiones. Cuando Stalin retiró a estos oficiales políticos, que en su mayoría no estaban entrenados, fue una decisión popular en el Ejército Rojo. Ahora, Stalin reinstauró el orden, lo que empeoró las cosas en el frente.

En todo el país, los trabajadores del Partido Comunista y los departamentos de propaganda trabajaron movilizando y organizando al pueblo. Se impusieron controles más estrictos en fábricas, granjas colectivas y otras instituciones. Se celebraron mítines y se organizaron voluntarios para el ejército y las milicias locales. Se reclutó a un gran número de hombres y para muchos, el tiempo entre su entrada en el ejército y su muerte en el frente era cuestión de días. El adiestramiento en algunas zonas cercanas al frente duraba días, a veces horas, y a veces no se realizaba nunca. Mucho de lo que hacían los soviéticos era necesario, pero con el tiempo, la intervención de los oficiales políticos en la toma de decisiones militares fue contraproducente, y se pusieron fin a los llamamientos para que la población actuara como comunistas en lugar de como patriotas. El discurso de Stalin declaró que la guerra con Hitler no era una guerra con el pueblo alemán, que, según Stalin, eran en su mayoría obreros y campesinos oprimidos por los nazis y los capitalistas.

Los llamados a la "solidaridad comunista" y al "fervor comunista" cayeron en oídos sordos. En un período relativamente corto de tiempo, Stalin y el gobierno soviético comenzaron a llamar al pueblo a recordar las victorias rusas del pasado. Aunque la URSS estaba formada por muchas nacionalidades y grupos étnicos, los rusos y los rusos blancos de Bielorrusia, estrechamente relacionados entre sí, eran mayoría e históricamente eran los más poderosos y dominantes. Se destacaron las victorias rusas contra los Caballeros Teutónicos Alemanes de la Edad Media y muchas otras "glorias" rusas, como puede verse en el cartel que figura a continuación:

Ilustración 5: Los espíritus de los héroes rusos Alexander Nevsky, el mariscal Mikhail Kutuzov y un soldado del Ejército Rojo de la Revolución rusa piden al Ejército Rojo que derrote a Hitler

Capítulo 6: Guerra de exterminación

La Segunda Guerra Mundial en el Frente Oriental, como se puede deducir de los totales de muertes que proporcionamos en la introducción, fue extraordinariamente brutal. Por supuesto, la guerra, por su propia naturaleza, es brutal, pero como muchas otras cosas en la vida, hay un continuo. Un piloto de combate de la Segunda Guerra Mundial que este escritor conocía sobrevivió a una colisión en el aire sobre la Línea Sigfrido en Alemania occidental en 1944. Mientras se lanzaba en paracaídas al suelo, notó un gran grupo de aldeanos reunidos abajo. Cuando aterrizó, estaba claro para él que, al menos, le darían una buena paliza, aunque probablemente sería algo peor. De todas las cosas, un oficial de las SS vino a su rescate. Lo llevaron a un campo de prisioneros de guerra, y aunque ser prisionero era difícil, me dijo dos cosas: "Me alegro de no haber estado en el Pacífico y haber sido hecho prisionero por los japoneses, y me alegro de no haber sido uno de los rusos que vi al otro lado del alambre en el campo".

Por supuesto, las SS eran conocidas por su brutalidad asesina, pero la guerra en el frente occidental y en el norte de África fue de años luz diferente a la guerra en la Unión Soviética o en el Pacífico.

En esos dos lugares, el ánimo racial y étnico combinado con la ideología creó un telón de fondo para el peor tipo de atrocidades.

La primera víctima del ataque de Hitler hacia el este fue la Polonia oriental controlada por los soviéticos. Los polacos no se hacían ilusiones sobre lo que les esperaba, pero cuando las tropas de Hitler entraron en la propia Unión Soviética, algunos soviéticos acogieron a los invasores. Esto fue especialmente cierto en Ucrania, donde el nacionalismo ucraniano todavía era fuerte. También fue allí donde Stalin había creado o al menos exacerbado una hambruna que mató a millones de personas, sin mencionar el Gran Terror, que mató a cientos de miles más.

Aunque hubo colaboradores ucranianos durante toda la época de Hitler en la región (muchos miles trabajaron en los campos de concentración/exterminio), la mayoría de la gente en Ucrania y en otros lugares pronto se dio cuenta de que el reinado de Hitler iba a ser aún peor que el de Stalin.

En la Unión Soviética de Stalin, los antiguos segmentos de clase alta y media de la población habían sufrido mucho en los años posteriores a la Revolución rusa y a la colectivización. Durante el Gran Terror, las personas que eran incluso sospechosas de haber cometido un delito eran enviadas al Gulag sin ser juzgadas, donde morían millones de personas. Pero en los años anteriores a la guerra, la URSS, aunque lejos de ser el paraíso que la propaganda soviética pintaba como tal, se había asentado en una rutina algo pacífica. En las ciudades, la gente recibía una educación y asistencia sanitaria gratuita. Los miembros de las clases trabajadoras tenían la oportunidad de subir la escala social en una escala nunca antes vista en la historia de Rusia. Las mujeres tenían más derechos que antes, y en muchos casos, estaban en posiciones de responsabilidad en la manufactura y, hasta cierto punto, en el gobierno.

Cuando Hitler invadió, todo eso cambió. La gente no fue juzgada por su lealtad, sino por su raza o, como a los nazis les gustaba decir, "sangre". Obviamente, apuntaban específicamente a la población judía, cuyo sufrimiento no tenía límites, pero el resto de la población eslava de la Unión Soviética estaba destinada a morir de hambre y a ser asesinada en masa, entre otros grupos minoritarios. Si Hitler había sido capaz de forzar a la Unión Soviética a rendirse, el plan alemán para la parte occidental de la URSS era alimentar a la población lo suficiente para mantenerla viva y esperar a que murieran los que no fueron asesinados. Cuando esto ocurriera, los "colonos" alemanes se moverían y reclamarían la tierra para el Reich.

En un mes o dos, muchos ciudadanos de la URSS sabían a lo que se enfrentaban. Los sobrevivientes de las áreas de primera línea llegaron a ciudades como Moscú y Leningrado con historias de atrocidades y destrucción alemana. En cierto modo, los alemanes eran su peor enemigo. Si hubieran tratado a la población con al menos un grado de respeto y no con terror masivo, podrían haber ganado millones de conversos para luchar contra Stalin. Pero obviamente, eso no es lo que el nazismo se trataba.

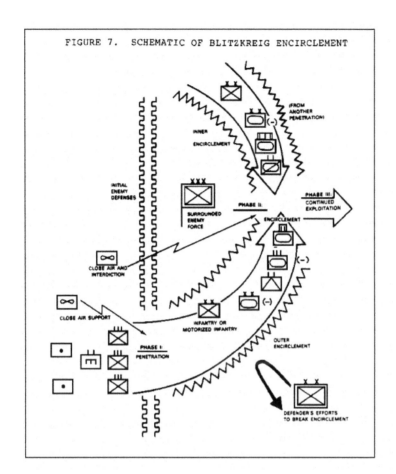

FIGURE 7. SCHEMATIC OF BLITZKREIG ENCIRCLEMENT

Ilustración 6: La guerra relámpago consistía en inmovilizar unidades enemigas con avances que eran explotados por grandes formaciones acorazadas, que perturbaban la retaguardia y las líneas de suministro del enemigo, para cortar las tropas de primera línea. Esto implicaba un alto grado de entrenamiento, liderazgo y coordinación

Cuando las fuerzas armadas alemanas atacaron, los soviéticos sabían lo que se avecinaba, al menos en cuanto a las tácticas que esperaban que el enemigo utilizara. Lo habían visto en Polonia, Europa Occidental y el norte de África. Sin embargo, saber lo que un enemigo va a hacer es una cosa; detenerlo es otra.

La doctrina militar de los soviéticos antes de la guerra exigía que un gran número de hombres y tanques pasaran a la ofensiva. Militarmente, se pensaba que la abrumadora superioridad del Ejército Rojo en hombres y tanques desgastaría al enemigo. Políticamente, los líderes soviéticos, desde Lenin y Trotsky hasta Stalin, creían que una estrategia ofensiva mostraría al pueblo el "dinamismo" del comunismo. Las tropas soviéticas también serían bienvenidas por los trabajadores de otros países como "libertadores". En secreto, la dirección creía que prepararse para una guerra defensiva sería contraproducente y alentaría a una población intranquila a rebelarse. En la última mitad de la guerra (del verano de 1943 a 1945), esto fue exactamente lo que hicieron los soviéticos, pero en 1941, una combinación de factores hizo imposible la ejecución efectiva de este plan.

Primero, ningún general soviético estaba preparado para tomar ninguna iniciativa. Las tácticas de la guerra relámpago se basan en la velocidad, por lo que había que dar un gran grado de autonomía a los comandantes de campo. Sin embargo, después de las purgas de Stalin, eso no iba a suceder.

Segundo, aunque algunas unidades habían recibido entrenamiento en tácticas militares modernas antes de la guerra, la gran mayoría no lo había hecho. Zhukov había llevado a cabo con éxito tácticas de tipo guerra relámpago contra los japoneses en Mongolia, pero eso fue a una escala relativamente pequeña con tropas entrenadas. A Zhukov también se le dio rienda suelta para tratar con los japoneses mientras tuviera éxito, lo que no ocurrió en la guerra nazi-soviética. Incluso las tropas con entrenamiento en tácticas modernas (y esto era especialmente cierto para las unidades blindadas y aéreas) no tenían la tecnología necesaria para llevarlas a cabo. Los comandantes de los tanques podían tener una radio en su vehículo, pero ninguno de los tanques subordinados la tenía, lo que llevó a un colapso en la comunicación. Lo mismo ocurría con los aviones, por lo que coordinar los ataques de tanques y aviones era casi imposible. Las banderas y las señales de mano no podían verse en la batalla, incluso si las tripulaciones de los tanques eran lo suficientemente tontas como para pararse en sus torretas para hacerlo, lo que muchos de ellos eran.

Tercero, aunque los comandantes soviéticos no estaban preparados para tomar ninguna iniciativa real, en los primeros días y semanas de la guerra, recibieron órdenes de "ATACAR". Es difícil de creer, pero casi no importaba dónde, cómo o con qué otras unidades. Cuando llegaron las órdenes de atacar a los alemanes, eso es lo que hicieron. Era mejor arriesgarse en el campo de batalla que desobedecer las órdenes y ser disparado por la NKVD.

Cuarto, la gran mayoría de las tropas soviéticas al principio de la guerra tenían poco entrenamiento. Debido a los rápidos movimientos de los alemanes, un gran número de tropas soviéticas fueron asesinadas o capturadas, junto con su equipo. La situación era tan grave que a los nuevos reclutas se les daba un uniforme (muchas veces sin botas, los afortunados tenían zapatos de casa) y se les decía que recogieran el arma de un hombre que había caído cerca de ellos. Esto no es una exageración.

La Unión Soviética occidental tiene dos características geográficas notables: vastos bosques (algunos del tamaño de los estados de EE. UU.) y llanuras que se extienden hasta el horizonte y más allá de cientos de kilómetros. En ese momento, muchos de esos bosques eran verdaderamente impenetrables, especialmente para los vehículos militares. También era difícil coordinar y mover grandes unidades de infantería dentro de ellos. La mayoría de estos bosques fueron desviados por los alemanes para ser barridos por los rezagados más tarde

En las llanuras, la guerra relámpago se desarrolló como en otras áreas de Europa. Los ataques de la infantería alemana, apoyados por la artillería, apuntarían a las formaciones rusas y las mantendrían en su lugar. Los puntos débiles de la línea serían explorados, y los ataques aéreos y de blindaje se realizarían en estrecha coordinación y con gran fuerza, conduciendo profundamente detrás de la línea principal del enemigo y luego reuniéndose para rodear al enemigo. Cuando los soviéticos pasaban a la ofensiva, sacaban a las tropas del Ejército Rojo de las posiciones defensivas, lo que jugaba a favor de los alemanes.

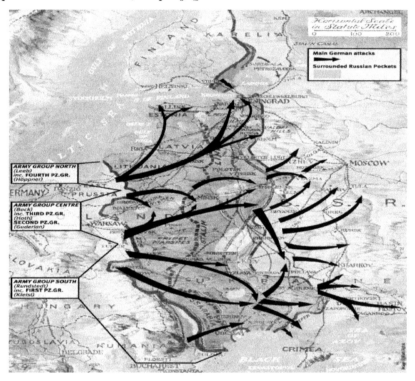

Ilustración 7: La Operación Barbarroja vio cómo se realizaban tácticas de guerra relámpago a escala masiva. Las áreas rosadas son donde cientos de miles de tropas soviéticas fueron rodeadas

Como se puede ver en el mapa de arriba, los soviéticos fueron superados en una gran escala. Las tropas alemanas y el liderazgo nazi hasta el Führer creían que era solo cuestión de tiempo antes de que los soviéticos colapsaran completamente o rogaran por los términos de la rendición.

En dirección al este, los soldados alemanes y sus aliados a veces se levantaban por la mañana y empezaban a marchar en un intento de alcanzar a sus camaradas motorizados, caminando de sol a sol. A veces, pasaban por delante de cientos de miles de tropas del

Ejército Rojo que se dirigían hacia el oeste a los campos de prisioneros de guerra.

Ilustración 8: Tropas soviéticas marchando hacia un destino incierto como prisioneros alemanes (cortesía del Museo Conmemorativo del Holocausto de los Estados Unidos)

Los soldados del Ejército Rojo que fueron hechos prisioneros estaban entre la espada y la pared. Más de cinco millones de soldados soviéticos murieron de hambre, enfermedad o exceso de trabajo en los campos de concentración alemanes. Muchos fueron fusilados en el acto. Las primeras víctimas del gas Zyklon-B, también conocido como cianuro de hidrógeno, fueron los soldados del Ejército Rojo en Auschwitz que fueron utilizados como conejillos de indias.

Los soldados soviéticos que lograron escapar a menudo fueron enviados al Gulag como traidores por haber sido capturados en primer lugar o como presuntos espías nazis. En muchas ocasiones, las familias de los prisioneros de guerra cayeron bajo sospecha y/o perdieron sus trabajos. Al final de la guerra, aquellos que habían sobrevivido al cautiverio alemán y regresaron a la URSS fueron enviados directamente al Gulag como traidores o para "reeducación". Muchos no sobrevivieron. La guerra en el Frente

Oriental fue terrible en más formas de las que la mayoría puede imaginar.

Por supuesto, los soldados alemanes que cayeron en manos soviéticas sufrieron un destino similar. Se disparó a tantos como fueron tomados prisioneros. Los que sobrevivieron a su captura inicial fueron enviados al Gulag, donde la mayoría murió. A principios de 1943, cuando la batalla de Stalingrado terminó en una victoria soviética, 91.000 soldados alemanes y aliados fueron hechos prisioneros. Solo 5.000 regresaron a casa.

Aunque los soviéticos lucharon duro en algunos lugares (a medida que los alemanes se adentraban en la URSS, la resistencia soviética se endureció considerablemente), los nazis tomaron trozos del país a la vez. Áreas muchas veces más grandes que el Reich alemán de 1938 cayeron en manos de Hitler. Mientras la lucha en el frente se movía hacia el este con gran rapidez, los soviéticos se encontraron en otra lucha. Necesitaban salvar las industrias del país, la gran mayoría de las cuales se encontraban en la parte occidental de la nación, y evacuar a tanta gente de las áreas de primera línea (o que pronto serían áreas de primera línea) como pudieran.

En lo que respecta a la población, los funcionarios estaban bajo la espada de doble filo de Stalin. Si empezaban a evacuar a las personas y las fábricas demasiado pronto, corrían el riesgo de ser tachados de "derrotistas" y posiblemente sufrirían graves castigos, incluso ser fusilados. Si no evacuaban a tiempo a las personas y las máquinas, podrían ser acusados de incompetencia o, peor aún, de trabajar para los alemanes.

Después de las primeras semanas, la situación se calmó un poco, ya que los de arriba se dieron cuenta de que los alemanes se movían mucho más rápido de lo que nadie había imaginado que podían. En muchos casos, la gente no esperó a que los funcionarios locales del Partido Comunista le dijeran que se fuera; simplemente huyeron en pánico cuando los nazis se acercaron. Sin embargo, en muchos casos, especialmente lejos de los principales empujones alemanes (como puede ver en la Ilustración 7), enormes áreas del país fueron inicialmente dejadas de lado por los alemanes en su intento de adentrarse profundamente en la URSS y envolver grandes formaciones soviéticas. Muchos pueblos, aldeas y ciudades más pequeñas fueron aislados, y se convirtieron en refugios para los ciudadanos que huían, ya que estaban tranquilos y aislados de las comunicaciones, al menos por el momento. Cuando las tropas alemanas de primera línea pasaron, los refuerzos y las tropas de ocupación entraron. Cada vez que los nazis llegaban, comenzaba un régimen duro. Inmediatamente, los alemanes se movilizaron para arrestar a cualquier líder local o regional que pudieran encontrar. Cualquiera que fuera encontrado como miembro del Partido Comunista era tomado, y en la mayoría de los casos, era ejecutado. En algunos lugares, especialmente en los estados bálticos (que habían sido libres desde 1919 hasta que Stalin los anexó en 1940), multitudes masivas se volvieron contra los soviéticos y comunistas locales que quedaban, a menudo golpeándolos hasta la muerte.

Desgraciadamente, el antisemitismo se propagó en el Báltico, así como en otras zonas ocupadas por los alemanes. Cuando los soviéticos se trasladaron a Letonia, Estonia y Lituania (especialmente a esta última), muchos judíos se dirigieron a ellos como salvadores relativos, haciendo caso a sus palabras de "hermandad universal de las clases trabajadoras e igualdad". Los judíos de estas zonas habían vivido con persecución de varios grados durante siglos, y muchos (pero no todos) se habían inclinado hacia el socialismo y el comunismo como esperanza de un futuro mejor. En algunos lugares, los comunistas judíos fueron puestos en posiciones de poder bajo el régimen de Stalin. Cuando los nazis entraron, el antisemitismo latente explotó a la vista, lo que fue alentado por los alemanes. Por supuesto, los alemanes, en la forma de los SS *Einsatzgruppen* ("Grupos de Acción Especial"), hicieron la mayoría de las matanzas. Debido a los antisemitas locales y a las SS, los países bálticos fueron las primeras naciones que las SS llamaron *Judenfrei* ("libres de judíos"). En otras partes de la Unión Soviética, especialmente en el oeste de Ucrania, ocurrieron cosas similares.

En las partes de la URSS que se encontraban bajo control alemán, comenzó la explotación planificada de la población, empezando por el suministro de alimentos, gran parte del cual comenzó a fluir de vuelta a Alemania. En algunos lugares, los alemanes encontraron fábricas, minas, ferrocarriles y otras infraestructuras intactas. En estos casos, los soviéticos no tuvieron tiempo de evacuar o destruir nada mientras se retiraban. En muchos otros pueblos y ciudades, la infraestructura fue destruida por batallas o por fuego de artillería y bombardeos aéreos.

Sin embargo, especialmente a medida que se adentraban en la Unión Soviética, los alemanes descubrieron que muchas de las fábricas simplemente habían sido derribadas y eliminadas. Aunque los historiadores están descubriendo que el número de fábricas e industrias soviéticas evacuadas fue menor de lo que se creía en un principio, la eliminación y el restablecimiento de las industrias soviéticas más al oeste, que estaban fuera del alcance de las tropas y bombarderos alemanes, puede considerarse un milagro moderno. Sin esas industrias, es muy probable que los soviéticos hubieran perdido la guerra.

Los soviéticos movieron 2.593 plantas fuera de peligro. Un buen trozo, alrededor de 1.523 de ellas, eran plantas grandes. De estas grandes plantas de tanques, aviones, armas y municiones, 226 fueron trasladadas a la región del Volga, 667 a los montes Urales, 244 a Siberia occidental, 78 a Siberia oriental y 308 a Kazajstán y a las demás repúblicas soviéticas de Asia Central. Algunas de las plantas que habían sido trasladadas a la región del Volga fueron reubicadas en la zona de Stalingrado, donde muchas continuaron produciendo mientras la batalla se libraba a su alrededor. Durante la ofensiva alemana del verano de 1942 en el sur de la Unión Soviética, hubo que trasladar más industrias, incluidas algunas que habían sido evacuadas anteriormente.

Como era de esperar, esto no salió sin problemas. A veces, los trabajadores de estas plantas terminaban a cientos de kilómetros de sus equipos. A veces, el equipo fue arrojado en el medio de la nada para cumplir con las cuotas y los requisitos de velocidad solo para ser encontrado más tarde. En algunos casos, esto era lo que se instruía, y un número considerable de fábricas reiniciaron la producción al aire libre, alimentadas por generadores diésel.

Algunas fábricas se pusieron en marcha muy rápidamente. Partes de la fábrica de tanques de Leningrado Kirov fueron evacuadas a principios de agosto y volvieron a producir tanques el 1 de septiembre en otra parte del país. De unas 1.500 plantas evacuadas durante la segunda mitad de 1941, unas 1.200 estaban en funcionamiento de nuevo en 1942.

La producción soviética fue asombrosa, aunque sus áreas más productivas y pobladas cayeron en manos de los alemanes. A pesar de eso, Stalin exigía constantemente más ayuda de los aliados occidentales. Esta ayuda había comenzado a muy pequeña escala antes de que los Estados Unidos se involucraran en la guerra, pero con la entrada de la mayor potencia industrial del mundo, la ayuda a la URSS aumentó año tras año e incluyó también productos agrícolas.

Aunque Estados Unidos y Gran Bretaña enviaron armas a los soviéticos, incluyendo tanques y aviones de combate, los rusos se volvieron relativamente autosuficientes en esos sectores a finales de 1942. Los tanques (que incluían el principal tanque de batalla estadounidense de antes de la guerra, el M3 Lee, y el posterior M4 Sherman, ambos inferiores a los tanques soviéticos) y los aviones (principalmente aviones de reconocimiento y los relativamente obsoletos P-39 Airacobras) no eran tan necesarios como las armas pequeñas y los cañones antiaéreos, el transporte y las materias primas, especialmente el caucho. Cientos de miles de camiones y jeeps estadounidenses ayudaron mucho a los soviéticos en el esfuerzo de la guerra.

Estos suministros llegaron a través de la frontera iraní en el sur (ese país fue ocupado conjuntamente por los soviéticos y los británicos en 1941 para asegurar la ruta de suministro), a Asia Central a través de la India, y, lo que es más famoso, a través de los convoyes de Murmansk en el Círculo Polar Ártico. Estos convoyes de mercaderes navegaban no solo por algunas de las condiciones meteorológicas más atroces de la Tierra, sino también por grandes concentraciones de submarinos alemanes, que a veces causaban tales estragos entre los mercaderes que los convoyes tenían que ser detenidos en ocasiones.

Ilustración 9: Las condiciones a las que se enfrentaron los barcos navales y mercantes de los convoyes de Murmansk fueron brutales durante gran parte del año

En lo que respecta a la población, las evacuaciones a veces estaban bien organizadas y eran oportunas, pero a menudo no lo eran. Dos de los ejemplos más trágicos fueron en Leningrado a finales del verano de 1941 y en Stalingrado en 1942. En ambos casos, cientos de miles de civiles fueron evacuados, pero ambas ciudades albergaban a millones de personas. Durante los dos años y medio de asedio a Leningrado, un millón de civiles murieron. En Stalingrado, la cifra fue de cientos de miles. Esto ocurrió en todo el país a menor escala.

Es sorprendente que a pesar de la pérdida de la mayoría de sus zonas más productivas y ricas en recursos y la muerte o captura de millones de personas, la producción soviética aumentó año tras año con la excepción de 1945, el último año de la guerra. A continuación, verá una tabla con las principales categorías de la producción de defensa soviética.

	1940	1941	1942	1943	1944	1945
Aviación	10,565	15,735	25,436	34,845	40,246	20,102
Tanques/armas autopropulsadas	2,794	6,590	24,446	24,089	28,963	15,419
Artillería/morteros (miles)	53.8	67.8	356.9	199.5	129.5	64.6
Fusiles/carabinas (millones, excepto 1945)	1.46	2.66	4.05	3.44	2.45	574.000

Capítulo 7 - Las grandes batallas

La guerra en el Frente Oriental involucró a millones de hombres de ambos lados de muchas nacionalidades, incluyendo a los rusos, alemanes, finlandeses, húngaros, rumanos, italianos y españoles, sin mencionar los muchos grupos étnicos que conformaban la Unión Soviética. Decenas de miles de batallas se libraron entre 1941 y 1945, la mayoría de ellas solo recordadas por historiadores especializados en el tema y por los propios veteranos de las batallas.

Sin embargo, varias de las batallas libradas en el Frente Oriental fueron monumentales y conmovedoras: la invasión inicial de la Operación Barbarroja, que los alemanes ejecutaron con una velocidad asombrosa, Leningrado, Moscú, Stalingrado, Kursk, la Operación Bagration y Berlín.

Barbarroja

En los primeros meses de la guerra, tuvo lugar una serie de enormes batallas, la mayoría de ellas resultando en tremendas derrotas soviéticas y pérdidas de mano de obra. Como se ha leído en un capítulo anterior, los alemanes usaron sus tácticas de guerra relámpago con gran efecto a lo largo de todo el frente, atravesando las líneas del frente soviético y conduciendo profundamente detrás de las masas de tropas soviéticas antes de que pudieran reaccionar, cortándoles los refuerzos y suministros.

Los alemanes rodearon y eliminaron a cientos de miles de tropas del Ejército Rojo en lugares como Bialystok, Polonia, cerca de Minsk en RSS de Bielorrusia (actual Bielorrusia), cerca de Uman y Kiev (a menudo escrito como Kyiv hoy en día) en Ucrania, y en Briansk, Smolensk y Vyazma en su camino hacia Moscú. Eso no quiere decir que la lucha fuera fácil. Los alemanes sufrieron tremendas bajas, y fueron menos capaces de mantenerlas que el Ejército Rojo.

Durante la Operación Barbarroja, que comenzó el 22 de junio de 1941, el número de muertos alemanes se acercó a los 200.000 en diciembre de 1941, con otros 40.000 desaparecidos en acción y casi 700.000 heridos. Un gran número de tanques y aviones fueron destruidos, casi 3.000 de cada uno. Sus aliados sufrieron 150.000 muertos, heridos o desaparecidos.

A pesar de la gran cantidad de muertos, las pérdidas infligidas al Ejército Rojo los empequeñecieron. Casi 600.000 soldados soviéticos murieron, casi 300.000 murieron de enfermedad, hambre, frío o ejecución (los soviéticos ejecutaron a los soldados por deserción, y los alemanes también fueron responsables de las atrocidades cometidas contra los soviéticos en el campo de batalla o cerca de él). Cerca de un millón y medio de hombres fueron heridos, y tres millones de soldados soviéticos fueron capturados (alrededor de un cuarto de ellos eran reservistas que fueron capturados antes de que pudieran entrar en batalla). Las pérdidas soviéticas en tanques y aviones fueron asombrosas: más de 20.000 cada uno. La mayoría de los aviones soviéticos fueron destruidos en tierra en los primeros días de la guerra.

Si los soviéticos superaban a los alemanes en número de hombres y material, ¿cómo y por qué los alemanes ganaron batalla tras batalla en los primeros meses de la guerra? Algunas de las razones ya han sido discutidas: La depresión de Stalin y las órdenes de simplemente atacar, que jugaron a favor de los alemanes; la falta de iniciativa de los soviéticos combinada con la falta de experiencia tanto en el mando como en el campo de batalla; y oficiales y tropas alemanas altamente experimentados con una moral extremadamente alta y una teoría del campo de batalla probada y comprobada que fue ejecutada casi sin problemas.

Aun así, a partir de finales de agosto o principios de septiembre de 1941, desde Hitler hasta el soldado alemán más bajo en el campo de batalla, los nazis comenzaron a rascarse la cabeza y a hacerse una serie de preguntas: "¿Cómo pueden los rojos seguir luchando?" "¿De dónde vienen todos estos hombres?" "¿Por qué nadie sabía que la mayoría de los tanques soviéticos eran mejores que los nuestros?". A medida que los alemanes se acercaban a la capital de Moscú y a la "segunda ciudad" de la URSS, Leningrado, también vieron un endurecimiento de la determinación soviética. Aunque grandes cantidades de tropas soviéticas seguían rindiéndose, esas cantidades se reducían, ya que los soldados soviéticos luchaban con más fuerza y habilidad.

También afectaron a la moral alemana las vastas extensiones de la URSS. Alemania es un país pequeño, del tamaño de los estados de Washington y Oregón juntos. Muchos alemanes en ese momento nunca habían estado fuera de su estado o región de origen, y ahora, se enfrentaban a kilómetros y kilómetros de llanuras ilimitadas sin prácticamente ningún punto de referencia.

En el verano, Alemania era calurosa y polvorienta. A partir de finales de septiembre o principios de octubre, empezó a llover. Rusia tiene dos estaciones de lluvias: otoño y primavera. En cada caso, especialmente en los años de guerra y antes de que las carreteras pavimentadas se convirtieran en algo común en el país, la lluvia lo convirtió todo en barro pantanoso. Los rusos tienen un nombre para la temporada de lluvias: *Rasputitsa*, que significa "El mar de barro" o "El tiempo de barro". Empantanó los tanques y los caballos, que impulsaban al ejército alemán en mayor medida que el transporte motorizado, frenando el avance alemán sobre Moscú.

Ilustración 10: Tropas alemanas arrastrando un coche de mando por el barro ruso. La bandera nazi está en el capó del coche para identificarlo ante los aviones alemanes y evitar el fuego amigo (cortesía del Bundesarchiv)

A finales de octubre, los alemanes estaban desgastados por el barro y la lluvia, la cada vez más feroz resistencia soviética y los problemas logísticos, que incluían la avería de muchos de sus tanques y vehículos y la falta de piezas de repuesto. Incluso Hitler se dio cuenta de que la probabilidad de que sus hombres tomaran Moscú en 1941 era mínima o nula, pero decidió seguir adelante antes de que llegara el invierno.

Sin embargo, saber cómo es el invierno ruso a partir de la lectura de un libro o de un informe de inteligencia es muy diferente de experimentarlo. Los oficiales y hombres alemanes más conscientes sabían que estaban mal preparados para el frío que se avecinaba, pero no fue hasta después de que se estableció que Hitler y los nazis se dieron cuenta de lo mal equipadas que estaban sus tropas. En ese momento, la desesperación echó raíces y Alemania organizó una campaña nacional para animar a los hombres y mujeres alemanes a donar ropa de invierno. No era un espectáculo inusual ver a las tropas alemanas endurecidas por la batalla usando estolas de piel de mujer y visones en el frente.

Sin embargo, la mayoría de lo que se recogió llegó demasiado tarde para ayudar a las tropas frente a Moscú.

Ilustración 11: Aparte de los cascos blanqueados, estas tropas alemanas, como la mayoría, estaban mal preparadas para el invierno ruso. Obsérvese la ropa, que era más adecuada para el otoño que las temperaturas de -29ºC

Ilustración 12: Por el contrario, muchas tropas soviéticas estaban mejor preparadas para el clima, especialmente las traídas al oeste de Siberia

La responsabilidad de la defensa de Moscú se le dio al general (más tarde Mariscal) Georgy Zhukov, con el general Iván Konev, otro futuro Héroe de la Unión Soviética, como su segundo al mando. Zhukov había sido responsable de la victoria soviética sobre los japoneses en Jaljin Gol y había organizado la defensa de Leningrado en otoño, evitando que los alemanes tomaran esa importante ciudad.

Stalin y los líderes soviéticos habían debatido sobre si abandonar Moscú en octubre. Al final, se decidió que, si se iban, la moral soviética podría recibir un golpe fatal. Así que decidieron quedarse, coordinando a cientos de miles de ciudadanos en la preparación de las defensas alrededor de la ciudad.

El 7 de noviembre, Stalin ordenó un desfile militar en la Plaza Roja. Hasta el día de hoy, el desfile del 7 de noviembre es recordado por mostrar al mundo que los soviéticos querían luchar. Las tropas que participaron en el desfile marcharon directamente al frente.

A pesar de las dificultades, los alemanes intentaron un último empujón en Moscú antes de que el clima lo hiciera imposible. El 15 de noviembre, comenzaron una ofensiva al sur de la ciudad, con el objetivo de conducir detrás de la capital y aislarla del resto del país. Avanzaron a pesar del tiempo y de los repetidos contraataques soviéticos, que fueron instados por Stalin, pero desaprobados por Zhukov, ya que fueron derrochadores en extremo. En un momento dado, algunas tropas alemanas informaron haber visto las agujas de la catedral de San Basilio en el Kremlin a lo lejos. Fue lo más lejos que llegaron.

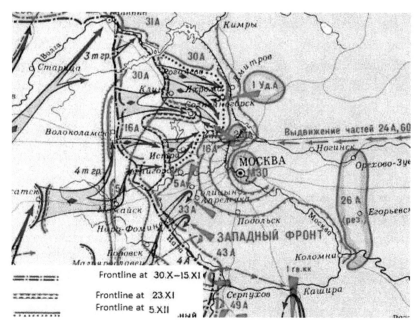

Frontline at 30.X–15.XI
Frontline at 23.XI
Frontline at 5.XII

Ilustración 13: Un mapa raramente transmite la intensidad de una batalla, pero este se acerca. Arriba hay un mapa soviético que muestra los repetidos ataques alemanes a Moscú y los anillos de las defensas soviéticas junto con los contraataques del Ejército Rojo hasta el 5 de diciembre de 1941

En la primavera de 1941, el espía soviético Richard Sorge, que trabajaba en Tokio de forma encubierta como periodista, había advertido a Stalin de la próxima invasión alemana. Stalin no le creyó. A finales de 1941, la información de Sorge y otros en Japón informó que los planes de guerra japoneses no incluían un ataque a la URSS. Esta vez, Stalin confió en la información, y ordenó a la mayoría de sus tropas del Lejano Oriente hacia el oeste. Dieciocho divisiones soviéticas, muchas de ellas bien entrenadas, experimentadas y bien equipadas para el invierno, se movieron rápidamente hacia el oeste.

Entre estas 18 divisiones había varias divisiones blindadas, que sumaban un total de 1.700 tanques. Mil quinientos aviones también hicieron el viaje de un lado a otro de la nación.

Los generales y los departamentos de inteligencia de Hitler informaron de que sus tropas cerca de Moscú estaban agotadas, habiendo sido detenidas por la logística, el clima y los soviéticos. Esto era cierto, pero también le dijeron al Führer que los soviéticos estaban en el mismo estado. En consecuencia, Hitler estaba más preocupado con sus planes para la primavera y otros frentes cuando el Ejército Rojo le dio una sorpresa realmente desagradable en la primera semana de diciembre.

El 4 de diciembre, el Cuarto Ejército de Choque soviético (los ejércitos de "choque" soviéticos fueron a menudo puestos en la vanguardia de las ofensivas soviéticas y se les dio significativamente más tanques y artillería que a otros ejércitos soviéticos) y el Vigésimo Ejército atacaron a los alemanes al norte de la capital. El 6 de diciembre, el Décimo Ejército Soviético atacó el sur de la ciudad. Detrás de ellos había cientos de miles de soldados del Ejército Rojo.

En total, el contraataque soviético incluyó más de un millón de hombres, y aunque esto sorprendió completamente a los alemanes, los alemanes tenían un número similar de tropas en el área. Sin embargo, las fuerzas ofensivas eligen el punto de ataque y las fuerzas que son enviadas allí, y en este caso, los soviéticos abrumaron muchas de las defensas alemanas con grandes cantidades. Además, estaban bien descansados y mejor equipados para el invierno, y por primera vez, tenían cantidades verdaderamente considerables del nuevo tanque T-34 a su disposición.

El T-34 es a menudo llamado "el mejor tanque de la Segunda Guerra Mundial". Mientras que algunos tanques alemanes más tarde en la guerra, como el Pantera y el Tigre, eran cualitativamente mejores en muchos aspectos, también tenían serios defectos que el T-34 no tenía. Por ejemplo, los Panteras y Tigres tenían una ingeniería excesiva y tardaron demasiado tiempo en producirse, y las piezas de repuesto eran intrincadas y difíciles de fabricar. Ambos tanques alemanes, especialmente al principio, estaban sujetos a averías mecánicas. Por el contrario, el T-34 era fácil y rápido de construir, fiable, fácil de manejar y lo suficientemente potente como para desafiar a la mayoría de los tanques alemanes, especialmente con los números de su lado.

Los alemanes fueron conducidos de vuelta entre 145 y 400 kilómetros en diferentes lugares antes de que llegaran refuerzos de otros frentes, lo que permitió que sus defensas se endurecieran. La ofensiva soviética en Moscú, aunque no era un punto de inflexión estratégico como lo sería Stalingrado al año siguiente, demostró a los alemanes, a los aliados occidentales y al pueblo soviético que el Ejército Rojo tenía la capacidad de derrotar a los nazis en el campo de batalla, algo que no habían podido hacer eficazmente hasta entonces.

Para empeorar aún más las cosas para los alemanes, Hitler decidió honrar su alianza con Japón y le declaró la guerra a los Estados Unidos de América el 11 de diciembre, solo unos días después del ataque japonés a Pearl Harbor.

Leningrado

Leningrado (hoy San Petersburgo) era la "segunda ciudad" de la URSS y había sido la capital del Imperio ruso desde 1732 hasta 1918, después de lo cual Moscú fue nombrada nuevamente como la capital. Leningrado fue el hogar de la Revolución Bolchevique y era conocida como el centro de la cultura y las bellas artes en Rusia. Es una de las ciudades más bellas del mundo, y a menudo se la llama la "Venecia del Norte" por sus muchos canales. Hitler tenía un odio especial por Leningrado por todas estas razones, y decidió que no solo la ciudad sería uno de los principales objetivos de su invasión, sino que también sería borrada de la faz de la tierra y del suelo entregado a sus aliados, los finlandeses.

El Grupo del Ejército Alemán del Norte fue responsable del ataque a Leningrado, y había estado abriéndose camino constantemente hacia la ciudad desde que comenzó la invasión de la URSS, atravesando el norte de Polonia y las naciones bálticas para hacerlo. Para consternación de Hitler, los finlandeses se negaron a unirse al ataque a la ciudad, lo que podría haberle costado a Hitler su victoria allí. Los finlandeses le habían dicho a Hitler que solo harían la guerra a los soviéticos para recuperar la tierra que les había sido arrebatada por Stalin en la guerra de invierno de 1939/40. Como Finlandia nunca había incluido a Leningrado, se negaron a ayudar, manteniéndose fieles a su palabra.

Para el 15 de septiembre, los alemanes habían cortado la ciudad del resto del país. Los proyectiles alemanes ya habían empezado a caer sobre la ciudad el 4 de septiembre. Leningrado era una ciudad de casi tres millones de habitantes cuando empezó la guerra, y los anteriores ataques alemanes habían expulsado a los refugiados de los alrededores a la ciudad, empeorando la situación. Cuatrocientos mil civiles fueron evacuados de la zona antes de la llegada de los alemanes, pero eso dejó a millones de personas atrapadas.

Los alemanes comenzaron a bombardear la ciudad poco después de que comenzara la Operación Barbarroja, pero a mediados de septiembre comenzaron a enviar cientos de bombarderos a la vez. El día 23, cientos de bombarderos alemanes destruyeron la mayoría de los almacenes de alimentos de la ciudad, además de dañar gravemente los hospitales y otras instituciones vitales. Esto solo se sumaría a la tragedia que se vendría.

Aunque los soviéticos comenzaron a construir defensas antitanques y antiaéreas alrededor de la ciudad a finales del verano, no habían almacenado suficiente comida. Lo que empeoró las cosas fue la reticencia de los oficiales soviéticos a informar de las malas noticias a Stalin. Como resultado, el Alto Mando Soviético no era consciente de la escasez de alimentos, un problema que solo se agravó por la destrucción de los almacenes de alimentos. Cuando los alemanes rodearon la ciudad, Leningrado solo tenía suficientes alimentos para unas pocas semanas. Los suministros de combustible también eran limitados, y las principales plantas eléctricas no solo fueron dañadas por los bombardeos alemanes, sino que también necesitaban petróleo para sus generadores.

Leningrado necesitaba unas 600 toneladas de comida al día, y apenas entraba comida en la ciudad después de que los alemanes la rodearan. La única ruta abierta a los soviéticos era a través del lago Ládoga en el lado norte del istmo de Karelia. Cuando comenzó el asedio de la ciudad, solo había un pequeño número de barcos disponibles. Estos tuvieron que afrontar los intensos ataques aéreos alemanes. La única esperanza para la ciudad era que el lago se congelara, lo que permitiría al Ejército Rojo llevar suministros a través del hielo. Esto finalmente sucedió, pero no antes de que cientos de miles de personas murieran de hambre. En realidad, el número de muertos en Leningrado fue de más de un millón. El asedio es a menudo llamado "los 900 días", aunque se detuvo poco después de eso.

El primer invierno del asedio fue el peor, pero la gente siguió muriendo hasta que el anillo alemán se rompió a finales de enero de 1944. La ración de comida bajó a 125 gramos de pan al día para un adulto. Los trabajadores y los soldados recibían un poco más, pero aun así no era suficiente. En pocas semanas, todos los perros y gatos de Leningrado fueron asesinados y comidos. La corteza de los árboles y el cuero fueron hervidos para hacer "sopa". El aserrín y otros ingredientes prácticamente incomestibles fueron añadidos al "pan" para estirar el suministro. Cualquier cosa de madera se quemaba para calentarla; a veces, la temperatura bajaba hasta los -40ºC durante largos períodos.

Lo peor de todo, a medida que pasaba el invierno de 1941, se informaba de canibalismo. Esto fue negado durante años por las autoridades soviéticas, pero fue probado de manera concluyente por el escritor americano y experto ruso Harrison Salisbury a principios de la década de 1970. Cuando la URSS cayó en 1991, los registros que finalmente se abrieron al público confirmaron muchos casos de canibalismo en Leningrado. En la mayoría de los casos se trataba de personas que devoraban a las que ya estaban muertas, pero también hubo un número mayor de lo previsto de casos de personas que fueron asesinadas por la noche y posteriormente vendidas en el mercado negro como "carne de cerdo" o "pasteles de carne". Las personas que eran sorprendidas comiendo un cadáver recibían largas condenas de prisión. Aquellos condenados por matar gente para comer fueron fusilados en el acto, cerca de cien personas fueron asesinadas por este crimen durante el asedio.

Cuando el lago Ládoga se congeló, los soviéticos comenzaron lentamente a traer camiones cargados de suministros sobre el hielo. En ese primer invierno, no se trajeron suficientes suministros, pero a finales de la primavera, cuando el hielo empezó a derretirse, la cantidad de comida, combustible y otras necesidades aumentó. Varios camiones cayeron a través del hielo, a veces llevándose a sus tripulantes con ellos. A pesar de esto, para el invierno de 1944, el "Camino de Hielo" o "Camino de la Esperanza" estaba trayendo lo suficiente para sostener la población de la ciudad. La operación en sí misma fue una increíble hazaña de ingeniería y determinación. Incluso se construyó un ferrocarril a través del hielo. También se construyeron estaciones de calentamiento, hospitales, cuarteles, defensas antiaéreas y más en el lago Ládoga, cuyo hielo podía tener un grosor de aproximadamente dos metros en invierno.

Los aspectos militares del asedio fueron bastante mundanos en el gran alcance del Frente Oriental. Durante dos años y medio, los alemanes bombardearon la ciudad, tratando de destruir la moral y la infraestructura de la ciudad. Antes de la guerra, Leningrado producía alrededor del 10% de los productos manufacturados de la URSS. Durante la guerra, las fábricas continuaron produciendo con suministros traídos del exterior, a veces haciéndolo en edificios sin calefacción o incluso azoteas. Los tanques que se habían construido en la ciudad se desplegaron en el campo de batalla sin pintura; así de mal se necesitaban.

A principios de 1944, los alemanes estaban siendo empujados hacia atrás a lo largo de todo el frente por el Ejército Rojo, pero se aferraron tenazmente a su control alrededor de Leningrado hasta que la Operación Soviética Iskra ("Chispa") rompió el asedio.

Stalingrado

Los alemanes eran todavía inmensamente fuertes después de su intento fallido de tomar Moscú. Tenían grandes áreas de la Unión Soviética occidental y la mayor parte de Europa, pero no eran el poder que habían sido en junio de 1941. Hitler se había jugado todo por destruir la URSS en pocas semanas o meses, y en lugar de debilitarse, parecía que los soviéticos se estaban haciendo más fuertes. Ayudando a los soviéticos en esta situación estaban Gran Bretaña y los Estados Unidos, particularmente en el área de materias primas, cañones antiaéreos, ametralladoras de mediano y gran calibre, camiones y todoterrenos.

A pesar de esta ayuda, los soviéticos seguían atrasados. Habían sufrido grandes pérdidas de hombres, material y recursos. Sus soldados aún carecían de la formación necesaria para derrotar a los alemanes en batallas abiertas. Sin embargo, los generales soviéticos estaban empezando a entender sus propios errores. Aquellos que no aprendían acababan muertos en el campo de batalla o, en el caso de muchos oficiales de alto rango, delante de un pelotón de fusilamiento. Algunos fueron enviados a zonas alejadas del frente cuando mostraban talento en otras áreas, como el entrenamiento o la logística. Stalin era un maestro de tareas duras, pero esta era una guerra por la supervivencia no solo de la URSS, sino también de la gente que la habitaba.

El año 1942 resultó ser el año crucial. Este fue el año en que la guerra dio un giro lento para los soviéticos, así como para los aliados occidentales, con un énfasis en "lentamente".

A finales del invierno de 1942, Hitler y sus generales comenzaron a planear su ofensiva de primavera. Algunos de los generales de Hitler le animaron a detener las operaciones ofensivas en la Unión Soviética y en su lugar construyeron fuertes defensas, retirándose a mejores posiciones para hacerlo si era necesario. Por supuesto, incluso aquellos con un conocimiento limitado de la guerra y el Führer saben que esto no sucedió. Hitler, junto con un grupo considerable de partidarios tanto del Partido Nazi como del ejército, creía que la victoria aún estaba a la vista, a pesar de los reveses cerca de Moscú.

Lo que estaba claro incluso para Hitler era que sus ejércitos en Rusia no eran ni de lejos tan fuertes como lo habían sido, y sin debilitar considerablemente sus fuerzas en otras partes de Europa, era probable que se mantuvieran así. El número de hombres alemanes elegibles estaba disminuyendo hasta el punto de que no podían ser reemplazados. A medida que pasaba el tiempo, los límites de edad para el ejército alemán disminuían y aumentaban, lo que aumentaba el número, pero apenas la eficacia.

Aun así, las fuerzas alemanas en la URSS seguían siendo poderosas, y Hitler determinó que 1942 sería el año de la victoria final. La mayoría de sus generales y enemigos esperaban que Hitler ordenara un gran empujón a Moscú cuando el clima mejorara, pero Moscú ya no era tan importante para los alemanes como lo había sido.

Dos cosas eran más importantes para Hitler en su planificación para 1942: 1) la toma de los campos de petróleo soviéticos en el Cáucaso, junto con otras áreas ricas en recursos en el sur de Rusia y Ucrania, y 2) el corte de esos suministros y recursos a los soviéticos. Para ello, Hitler y sus comandantes desarrollaron *Fall Blau* ("Operación Azul").

El Operación Azul tenía dos componentes. El primero era que los alemanes se dirigieran hacia el sur del Cáucaso, presionando para capturar sus ricos campos de petróleo, lo que culminó en los campos de Bakú en el extremo sudeste de la península. El segundo fue moverse directamente hacia el este a la ciudad de Stalingrado en el río Volga, el río más largo de Europa. Stalingrado era un importante centro industrial, que producía más del 10 por ciento de la maquinaria pesada y productos de acero de la URSS. En tiempos de guerra, eso significaba tanques, junto con otras armas. Tomar Stalingrado también cortaría los suministros que se movían hacia el norte por el río Volga. El éxito de cualquiera de las dos opciones supondría un duro golpe para los soviéticos, y tomar ambas podría terminar la guerra.

Ilustración 11: Los planes alemanes provisionales para la primavera de 1942, incluyendo un posible viaje detrás de Moscú si la primera etapa tiene éxito

Para lograrlo, el Grupo Sur del Ejército Alemán se dividió en dos comandos: Grupo de Ejército A y Grupo de Ejército B.

El Grupo de Ejército A tenía la tarea de tomar el Cáucaso, y era el "más débil" de los dos grupos. Estaba comandado por el Mariscal de Campo Wilhelm List e incluía el Primer Ejército Panzer alemán, el Onceavo Ejército, el Decimoséptimo Ejército, y el Tercer Ejército rumano.

El Grupo de Ejército B estaba comandado por el general Friedrich Paulus e incluía el Cuarto Ejército Panzer alemán, el Segundo Ejército y el Sexto Ejército (el más grande de Hitler). Al Grupo de Ejército B se unieron el Octavo Ejército italiano, el Cuarto Ejército rumano y el Segundo Ejército húngaro. El Grupo de Ejército B era más fuerte que su contraparte, pero tenía una debilidad fatal. Los ejércitos italiano, húngaro y rumano estaban mal equipados y poco motivados. Cuando llegó el momento, esto demostró ser crucial.

Las fuerzas alemanas sumaban aproximadamente 1,5 millones de hombres, cerca de 2.000 vehículos blindados y unos 2.000 aviones de diversos tipos. Las fuerzas soviéticas en la zona llegaron a ser aproximadamente 1,7 millones de hombres, entre 3.000 y 3.800 tanques, entre 1.500 y 2.000 aviones, incluidos los de combate y los que no lo son, y más de 16.000 cañones. Otro millón estimado estaba siendo entrenado y en reserva.

Como lo habían hecho en junio de 1941, Stalin y el Stavka fueron engañados en la primavera de 1942. Creyeron que el principal impulso alemán sería hacia Moscú, así que planearon en consecuencia. Muchas de las fuerzas mencionadas se desplegaron inicialmente cerca de la capital y tuvieron que ser llevadas al sur. Los alemanes llevaron a cabo una operación de engaño masiva para hacer creer a los soviéticos que Moscú era el objetivo, que incluía mensajes de radio falsos, movimientos de tropas falsos y "planes secretos" que cayeron en manos del Ejército Rojo.

El Operación Azul comenzó a finales de junio después de haber sido desviada de su calendario por una ofensiva soviética mal planificada que fue diseñada para alejar a los alemanes de Moscú. El Sexto Ejército Alemán derrotó este ataque con relativa facilidad y comenzó su propio impulso hacia el este después de reabastecerse.

Los alemanes comenzaron en etapas entre el 24 y el 28 de junio. Como había sucedido el verano anterior, hicieron retroceder a los soviéticos, atrapándolos relativamente desprevenidos. Aunque un gran número de soldados soviéticos fueron hechos prisioneros, el Ejército Rojo generalmente se retiró en buen estado, con menos hombres rindiéndose o quedando aislados que en 1941. Ambas ramas del ataque alemán se movieron con gran velocidad en las etapas iniciales del ataque.

El terreno del Cáucaso es muy diferente al de la zona cercana a Stalingrado. Es más escarpado, estaba menos desarrollado en ese momento, y las muy difíciles y altas montañas del Cáucaso dividen la región por la mitad. Esto significaba que los soviéticos podían desplegar menos hombres en la zona, ya que podían contar con el terreno y las fuertes defensas cerca de los campos de petróleo para detener a los alemanes.

Hacia finales de agosto, quedó claro para ambos bandos que la batalla de Stalingrado iba a ser el centro de los esfuerzos bélicos alemanes y soviéticos en el futuro inmediato. Se libraron grandes batallas en los kilómetros que conducían a la ciudad, especialmente cuando los alemanes intentaron cruzar el ancho río Don. El Don era el último obstáculo natural serio en el camino a Stalingrado.

En julio, después de que los alemanes cortaran el ferrocarril principal que une Stalingrado y el Cáucaso, Stalin tomó el asunto en sus propias manos. Escribió personalmente la famosa Orden No. 227, más conocida como la orden "Ni un paso atrás". En su lenguaje áspero, Stalin decretó que los que se retiraran sin órdenes serían fusilados o enviados a batallones penales y se les darían las tareas más duras, como desactivar minas bajo fuego alemán. Los oficiales que dieran órdenes de retirada sin autorización serían fusilados. Detrás de las unidades soviéticas de primera línea, se estacionarían "unidades de bloqueo" del NKVD, con órdenes de matar a cualquier hombre que atraparan huyendo del campo de batalla. La orden nunca se difundió por escrito. En su lugar, fue transmitida por radio y altavoces repetidamente para que el

Ejército Rojo la escuchara. Algunos dicen que la Orden N° 227 ayudó a la defensa soviética a fortalecerse. Otros, incluyendo a los veteranos, dicen que, a finales de 1942, la mayoría de los soldados soviéticos se dieron cuenta de lo peligrosa que era la situación y lo brutales que eran los alemanes, es decir, que no necesitaban que Stalin se los dijera. Sin embargo, ambos puntos de vista muestran lo desesperada que se había vuelto la situación.

A finales de septiembre, el impulso alemán en el Cáucaso había comenzado a disminuir. Fue obstaculizado por el Ejército Rojo, el terreno y la inmensa distancia que tuvieron que recorrer los suministros para llegar a ellos. Los campos de petróleo que los alemanes capturaron fueron completamente destruidos por los soviéticos en retirada, y probablemente permanecerían inútiles durante un año o más incluso si los alemanes hubieran tenido éxito en hacer retroceder a los soviéticos de Stalingrado.

En consecuencia, las tropas alemanas fueron desplazadas hacia el norte para ayudar en la captura de Stalingrado. Por razones de orgullo personal y honor nacional, ambos bandos estaban decididos a tomar o defender la ciudad que llevaba el nombre del dictador soviético.

El 23 de agosto de 1942, la *Luftwaffe* (la fuerza aérea nazi) lanzó un ataque masivo a Stalingrado. Miles de civiles fueron asesinados, y gran parte del centro de la ciudad y las zonas residenciales fueron arrasadas. Las principales zonas industriales del norte y el sur de la ciudad resultaron dañadas, pero siguieron produciendo artículos mientras la batalla se libraba a su alrededor en septiembre.

Las tropas alemanas, a kilómetros de distancia, vieron cómo el humo se elevaba a unos cinco kilómetros sobre las llanuras y la ciudad. Los informes de los pilotos hacían parecer que Stalingrado había sido destruida, y muchos alemanes creían que la ciudad caería ante ellos con bastante facilidad. No podían estar más equivocados. Por un lado, el bombardeo de la ciudad había beneficiado a los defensores. Las cantidades masivas de escombros crearon puntos de estrangulamiento y defensas "naturales". No les tomaría mucho tiempo a los rusos crear túneles y trincheras debajo y a través de la ciudad, permitiéndoles saltar sobre los alemanes por detrás sin ser observados.

Mientras los alemanes se trasladaban a la ciudad, un nuevo comandante soviético se hizo cargo del Sexagésimo Segundo Ejército Soviético: El general (más tarde Mariscal) Vasily Chuikov. Chuikov se había unido al Ejército Rojo cuando era un adolescente durante la guerra civil rusa y había sido herido varias veces. También fue uno de los pocos comandantes soviéticos exitosos en Finlandia y había comandado tropas en la invasión soviética de Polonia.

A principios de noviembre, los alemanes estaban en posesión de alrededor del 90 por ciento de la ciudad, pero la lucha fue más que dura, fue brutal. Una razón es que ambos lados comenzaron a tener la sensación de que esta batalla podría decidir el resultado de la guerra en Rusia y lucharon en consecuencia. Otra es que Chuikov y sus oficiales subalternos ordenaron a sus hombres "abrazar al enemigo". Esto se hizo en respuesta a la inicial superioridad alemana en tanques, armas y aviones. Al acercarse al enemigo, los soviéticos esperaban mitigar estas fortalezas alemanas, con la esperanza de que los nazis no pudieran bombardearlos sin golpear a sus propios hombres. En muchos casos, esto funcionó de maravilla.

Sin embargo, a finales de noviembre, los soviéticos se vieron reducidos a mantener una pequeña zona en la orilla occidental del río Volga, lo que permitió que entraran hombres y suministros a la ciudad. Esta fue una estrategia soviética muy arriesgada. A principios de noviembre, se dieron cuenta de dos cosas principales: 1) los alemanes estaban cansados, enfermos y desnutridos, y 2) los nazis seguían enviando refuerzos a la ciudad, pero descuidaban sus flancos. El grueso de las tropas del Eje al norte y al sur de la ciudad eran húngaras, italianas y rumanas, todas ellas sustancialmente más débiles que sus camaradas alemanes. Así que, mientras los alemanes seguían enviando más hombres a la ciudad para, con suerte, tomarla antes de que llegara el mal tiempo (para el que todavía estaban mal preparados, a pesar de su experiencia del año anterior), los soviéticos se retiraron, colocando suficientes hombres en el pie del Volga para sostenerla.

Eso no quiere decir que " dejaron" a los alemanes tener la ciudad. Luchas feroces y brutales tuvieron lugar en y debajo de la ciudad en las alcantarillas. Los francotiradores cazaban a los oficiales, a los radiotelegrafistas y entre ellos. Los alemanes y los rusos a veces tenían partes del mismo edificio, luchando de piso a piso con granadas, cuchillos, palas, palos improvisados, pistolas y sus propias manos. Cuando la lucha por Stalingrado terminó, más de un millón de hombres (tanto del Eje como soviéticos) habían sido asesinados o habían muerto de congelación, enfermedad o inanición.

A principios de octubre, los soviéticos comenzaron el plan de contraataque. Para ello, no desperdiciarían hombres tratando de desalojar a los alemanes de la ciudad. No, atacarían los flancos más débiles, conducirían profundamente detrás de las líneas alemanas desde el norte y el sur de la ciudad, y envolverían no solo a las fuerzas en Stalingrado, sino también a las que están detrás de ella. Al darse cuenta de que los alemanes habían puesto prácticamente todas sus esperanzas en una victoria, el Ejército Rojo fue capaz de eliminar un número considerable de hombres de otras áreas del frente. Lo hicieron en secreto, empleando algunas de las mismas tácticas que los alemanes tenían antes de la batalla. Cuando las tropas soviéticas se acercaron a la ciudad, se les ordenó moverse solo de noche. La seguridad era muy, muy estricta.

El 19 de noviembre, los soviéticos lanzaron la Operación Urano, que fue una ofensiva masiva al norte de la ciudad. Al día siguiente, mientras los alemanes estaban ocupados tratando de entender la situación en el norte, el Ejército Rojo lanzó su ataque en el sur.

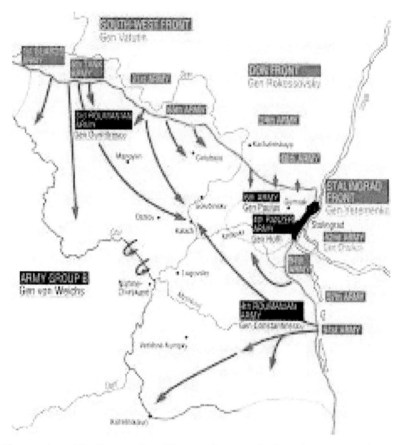

Ilustración 12: Operación Urano. Los soviéticos intentaron ir más al oeste, al río Don, pero fueron detenidos. A pesar de ello, rodearon cerca de 300.000 fuerzas alemanas y del Eje en Stalingrado y sus alrededores

Para el 22 de noviembre, las pinzas soviéticas se habían unido, encerrando a los alemanes y sus aliados en lo que se convertiría en un bolsillo cada vez más pequeño. En el cuartel general de Hitler, casi cunde el pánico. Durante días se debatió si el Sexto Ejército Alemán, que se encontraba en la ciudad, debía recibir órdenes de intentar romper las líneas alemanas o si los generales Erich von Manstein y Hermann Hoth debían irrumpir en la ciudad. Incluso debatieron si ambas cosas debían ocurrir, ya que permitiría a los hombres del *Kessel* (el término militar alemán que significa "erizo") retirarse al oeste. Los días pasaron. A principios de diciembre,

Manstein lanzó una gran ofensiva de tanques en la parte suroeste del bolsillo, y durante el primer día y medio, hizo un progreso decente, pero el -40ºC el clima, la pobre moral alemana y los masivos contraataques soviéticos detuvieron el intento de rescate a muchos kilómetros de la línea alemana.

El fracaso del intento de rescate de Manstein significó que los hombres de Stalingrado estaban condenados. La mayoría de ellos, incluyendo al general Paulus (que fue nombrado mariscal de campo con la esperanza de que se diera cuenta de que un mariscal de campo alemán nunca se había rendido o había sido capturado vivo), se rindió a finales de enero. Otro grupo en el norte de la ciudad se rindió en la primera semana de febrero de 1943. Noventa y un mil tropas alemanas y del Eje fueron al cautiverio soviético, y solo cinco mil regresaron a casa.

Durante décadas, la batalla de Stalingrado fue considerada como *el* punto de inflexión de la guerra, no solo para los soviéticos, sino también para los aliados. Las pérdidas sufridas por los alemanes en Stalingrado eran irremplazables, y los alemanes más conscientes sabían que este era el principio del fin. Aun así, el verano siguiente, Hitler intentó una vez más ir a la ofensiva en Rusia.

Kursk

La mayor batalla de tanques de la historia comenzó el 5 de julio de 1943, cerca de la ciudad soviética central de Kursk en Ucrania. Fue la última vez que los alemanes pudieron lanzar un ataque de importancia en el frente oriental. Su nombre en clave era Operación Ciudadela.

Humillado por la derrota en Stalingrado, Hitler decidió concentrar un enorme "puño" blindado (como lo llamó) a ambos lados de una protuberancia soviética en las líneas alemanas cerca de Kursk. Esto incluiría cientos de los nuevos tanques Pantera y Tigre (el primero de los cuales era relativamente nuevo y todavía estaba lleno de fallos mecánicos, sobre todo en su complicada transmisión), junto con cientos de avanzados tanques alemanes Mk IV, destructores de tanques y cañones autopropulsados.

Muchos de estos tanques y vehículos blindados pertenecían a las unidades Waffen-SS, la porción armada de la organización genocida de Heinrich Himmler. Comenzando como un batallón central de combatientes fanáticos, pero relativamente inexpertos, para 1943, la Waffen-SS contaba con casi 900.000 hombres y era una fuerza altamente capacitada y motivada. Cuando comenzó la batalla de Kursk, y durante el resto de la guerra, las unidades de las Waffen-SS se utilizaron como "bomberos", es decir, se lanzaron al frente, donde la situación era más grave. La mayoría de las veces, salían victoriosos. Cuando no lo eran, infligían fuertes bajas al enemigo.

A esta altura de la guerra, la inteligencia soviética había mejorado mucho en la conjetura de los movimientos alemanes. También habían cultivado importantes espías y redes de espionaje dentro de Alemania y el ejército alemán. Los soviéticos fueron ayudados por los esfuerzos de los aliados occidentales para romper el código, que pudieron informar a Stalin sobre muchos planes alemanes (aunque los aliados nunca les dijeron cómo los descubrieron). Las fuerzas de reconocimiento soviéticas también habían mejorado mucho, y las fuerzas partisanas habían crecido hasta casi un millón. Mucha información llegó al Ejército Rojo desde detrás de las líneas alemanas.

Sin que Hitler lo supiera, los soviéticos conocieron sus planes para Kursk casi tan pronto como los ordenó. En junio de 1943, comenzaron a crear una serie de cinturones defensivos en el área, cada uno más formidable que el anterior. Se sembraron millones de minas, se construyeron miles de búnkeres y se cavaron miles de kilómetros de trincheras en el bolsillo del Kursk, que abarcaba unos ciento sesenta kilómetros de norte a sur y unos ciento veinte kilómetros de este a oeste.

Hitler movió alrededor del 70 por ciento de sus tanques y el 60 por ciento de sus aviones en el Frente Oriental a la zona de Kursk. Las fuerzas alemanas eran entre 800.000 y 900.000 hombres. Tenían casi 3.000 tanques y cañones de asalto, 1.800 aviones y alrededor de 10.000 cañones y morteros.

Además del increíble número de minas, trincheras y otras defensas que los soviéticos prepararon, tenían entre 1,5 y 1,9 millones de hombres, 5.000 tanques, 25.000 cañones y morteros, y entre 2.700 y 3.500 aviones. Cuando contraatacaron, estas cifras aumentaron significativamente.

Los soviéticos no sabían exactamente dónde atacarían los alemanes en el abultamiento de Kursk, pero tenían una idea bastante buena. En el norte, los alemanes planeaban atacar al sur de la ciudad de Orel. En el sur, atacarían al norte de Belgorod, esperando que las dos pinzas se unieran detrás de los soviéticos en el extremo occidental de la protuberancia y los cortaran, como en los viejos tiempos de 1941.

Esto no iba a ser así. Los soviéticos sabían casi exactamente cuándo iba a comenzar el ataque alemán. Para despistar a los nazis, el Ejército Rojo comenzó su propio bombardeo masivo de artillería justo antes de que los alemanes comenzaran el suyo. Fue un mal presagio para las tropas alemanas, y tomó horas para que los hombres se organizaran lo suficiente para avanzar. Al mando del esfuerzo soviético en Kursk estaba nada menos que el Mariscal Georgy Zhukov, el arquitecto de la defensa de Leningrado, Moscú y la Operación Urano.

Sin embargo, cuando los alemanes atacaron, inicialmente hicieron un buen progreso, especialmente en el sur. Pero a diferencia de las batallas pasadas, donde los ataques iniciales de los alemanes podían progresar durante semanas o incluso un mes, esta no duró una semana. Aunque los tanques Tigre y Pantera alemanes eran superiores al T-34 soviético, ese tanque había sido armado, y los soviéticos tenían un número mucho mayor. En muchas ocasiones, los tanques soviéticos no disparaban contra los

Tigres Alemanes, porque incluso sus tanques mejor armados no hacían mella en los monstruos alemanes a distancia. En su lugar, uno o más T-34 embestirían a los Tigres, con la esperanza de dañarlos e inmovilizarlos. Y en muchas ocasiones, funcionó.

Aun así, durante gran parte de la batalla, los experimentados tanqueros alemanes hicieron una mella mucho mayor en los soviéticos, pero los rojos podían permitirse las pérdidas. Los alemanes no podían. Además de luchar contra los tanques soviéticos, los alemanes tenían que desactivar o negociar campos de minas y grupos masivos de cañones antitanque soviéticos. Estos cañones, especialmente cuando se enfrentaban a los Tigres, disparaban a un tanque, lo destruían y luego pasaban al siguiente.

Para el 10 de julio, la ofensiva alemana en el norte se había estancado. Hitler ordenó que el ataque en el sur fuera reforzado y redoblado. El 12 de julio, una batalla tuvo lugar cerca del pueblo de Prokhorovka. Aquí fue donde tuvo lugar la mayor batalla de tanques de la historia.

Ilustración 13: Representación artística de la batalla cerca de Prokhorovka, 12 de julio de 1943

En Prokhorovka, la tierra literalmente tembló por kilómetros cuando los tanques alemanes y soviéticos tomaron el campo. En el área había unos 1.400 tanques alemanes y soviéticos. En el campo de Prokhorovka, 600 vehículos blindados soviéticos y casi 300 alemanes se enfrentaron entre sí. Estaban acompañados por infantería y aviones de apoyo. Los hombres fueron destrozados, atropellados, quemados vivos, acribillados a balazos y murieron por inhalación de humo.

Cuando la batalla terminó, los soviéticos habían perdido más hombres y tanques, pero como porcentaje de sus fuerzas, los alemanes habían sufrido más, ya que no podían reemplazar sus pérdidas. Hitler canceló la ofensiva por esta razón. Además, en el momento más álgido de la batalla, se había enterado de que los aliados occidentales habían invadido Sicilia, lo que significaba que se necesitaban tanques y hombres allí. No habría importado si se quedaban. Los alemanes estaban acabados en el frente oriental. Para ellos, no había nada más que la larga marcha de regreso a Berlín.

Bagration

Bagration no fue una batalla: fue una operación que abarcó cientos de ellas. La Operación Bagration recibió el nombre de un oficial ruso del siglo XIX del Ejército Imperial Ruso que se convirtió en un héroe nacional durante las guerras napoleónicas. En realidad, no era ruso, sino georgiano, como Josef Vissarionovich Dzhugashvili, más conocido en la historia como Stalin. Esto no fue una coincidencia.

La Operación Bagration fue la mayor ofensiva emprendida por el Ejército Rojo durante la Segunda Guerra Mundial, tanto en alcance como en tamaño. Comenzó unas tres semanas después de que los aliados occidentales desembarcaron en Francia y fue, en parte, para alejar a las tropas alemanas de la dura lucha en Normandía.

Bagration comenzó el 23 de junio de 1944. Más de un millón y medio de tropas soviéticas desde Leningrado hasta las fronteras del sur de Bielorrusia atacaron a los alemanes a lo largo de un frente que se extendía casi 1.127 kilómetros. Los acompañaban 5.800 tanques y cañones de asalto; más de 30.000 cañones, lanzacohetes y morteros; y casi 8.000 aviones. A modo de comparación, el asalto alemán de 1941 tuvo lugar en un frente de 1900 kilómetros e incluyó la mitad del número de tanques que los soviéticos utilizaron para la Operación Bagration.

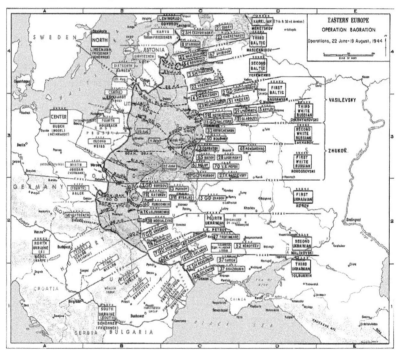

Ilustración 14: La Operación Bagration fue irreal en su alcance y tamaño. (Dominio público,
https://commons.wikimedia.org/w/index.php?curid=193193)

Los alemanes se enfrentaron a la ola soviética con solo medio millón de personal de combate. Las fuerzas de apoyo eran otras 700.000, y estas fueron escogidas para reforzar las líneas del frente (es decir, tropas con poca o ninguna experiencia de combate). Solo podían reunir 200 tanques funcionales, 500 cañones de asalto y destructores de tanques, 3.300 cañones y poco menos de 1.000 aviones.

Los soviéticos atacaron en seis lugares en cuatro frentes principales del ejército. A pesar de que sufrieron muchas bajas debido a las habilidades defensivas de los alemanes, los soviéticos los hicieron retroceder casi 644 kilómetros a finales de agosto. Cuando terminó la Operación Bagration (junto con las ofensivas soviéticas simultáneas en el sur hacia Rumania), no quedaban tropas alemanas en la Unión Soviética. Los propios soviéticos habían penetrado en la propia Alemania, ya que se habían adentrado en Prusia Oriental y estaban a las puertas de Varsovia, la capital polaca.

Esta presencia soviética en las afueras de Varsovia fue un episodio perturbador y tuvo consecuencias en la relación entre la Unión Soviética y los aliados occidentales durante los años siguientes. Este no es el lugar para un análisis detallado de lo que ocurrió en Polonia en el verano de 1944, pero, en resumen, las fuerzas rebeldes clandestinas de Varsovia, la mayoría de ellas anticomunistas, se levantaron contra los nazis cuando los soviéticos se acercaron. Esperaban que la liberación de su capital sin ayuda soviética o antes de que los soviéticos pudieran entrar en la ciudad les daría más influencia en las conversaciones de posguerra sobre la naturaleza del futuro gobierno polaco.

Las fuerzas polacas estaban divididas. Desafiando las increíbles probabilidades, un número considerable se había abierto camino hacia Inglaterra y Francia cuando su país cayó ante Hitler. Muchos se unieron a las nuevas "Fuerzas Armadas Polacas en el Oeste" y a la Real Fuerza Aérea, y lucharon con distinción y gran valentía en prácticamente todos los teatros del Frente Occidental. El gobierno polaco de antes de la guerra se exilió en Londres y se vio a sí mismo como el único gobierno polaco legítimo.

Muchos otros polacos, algunos por elección, otros por necesidad, huyeron a la Unión Soviética cuando los alemanes invadieron en 1941. Al principio, estos polacos fueron tratados con gran sospecha y dureza por Stalin, pero cuando la guerra se volvió en su contra, muchos polacos fueron reclutados en unidades polacas del Ejército Rojo. Muchos también se ofrecieron como voluntarios. Ellos también lucharon con valentía. Muchos de ellos no eran comunistas, pero muchos lo eran, y sus líderes ciertamente lo eran. Tenían la intención de dominar la Polonia de la posguerra después de la guerra.

Stalin ordenó a sus tropas detener su avance en el río Vístula, justo al otro lado de Varsovia. La verdad es que muchas unidades del Ejército Rojo estaban agotadas y mermadas. Sin embargo, había más que suficientes unidades para llevar la lucha a Varsovia para ayudar a los polacos. Además, nada impedía que la fuerza aérea soviética dejara caer suministros en Varsovia y bombardeara a los alemanes. Pero no pasó nada. Gran Bretaña y los Estados Unidos le rogaron a Stalin que ayudara a los polacos o que les permitiera traer suministros por avión, lo que podrían haber hecho fácilmente. Sin embargo, Stalin les negó los derechos de aterrizaje en las zonas bajo control soviético, que muchos de ellos habrían necesitado.

Así que el Ejército Rojo vio como los nazis destruían el levantamiento polaco de 1944. Varsovia fue aplastada; literalmente el 90 por ciento de los edificios de la capital fueron arrasados. Miles de polacos anticomunistas fueron asesinados, que era justo lo que Stalin quería. No fue hasta enero de 1945, cuando los soviéticos comenzaron su última ofensiva, que entraron en la ciudad. En Yalta, tanto Winston Churchill como Franklin D. Roosevelt tuvieron que enfrentarse a los hechos y darse cuenta de que nada iba a sacar a Stalin de Polonia.

Berlín

La batalla de Berlín, como las otras batallas descritas aquí, merece su propio libro. Ya se han escrito miles sobre el tema, pero les daremos un breve resumen de la batalla que terminó la Segunda Guerra Mundial en Europa para nuestros propósitos aquí.

La batalla por la capital nazi comenzó el 16 de abril de 1945, cuatro días antes del 56 cumpleaños de Hitler. Para entonces, Hitler era un drogadicto y loco parecido al hombre que era cuando la guerra comenzó. Vivía en un búnker muy por debajo del centro de la ciudad con una camarilla de líderes del Partido Nazi, en particular el Ministro de Propaganda Joseph Goebbels y su familia y el secretario del Partido Martin Bormann. Junto a él estaba la novia de Hitler, Eva Braun, con quien se casó el 29 de abril.

Los soviéticos probablemente podrían haber comenzado la batalla por la capital en febrero, pero la Conferencia de Yalta se celebró del 4 al 11 de febrero. Esta conferencia fue una reunión entre Stalin, Roosevelt y Churchill en la ciudad de Crimea del mismo nombre, que había sido convocada para discutir la Europa de la posguerra y el mundo. Muchas preguntas problemáticas debían ser respondidas antes de que las etapas finales de la guerra comenzaran en la primavera, y una de ellas era quién iba a tomar Berlín.

Aunque hubo un debate sobre si los aliados occidentales podrían haber llegado a la capital alemana, en Yalta quedó claro que el honor recaería en los soviéticos. De las tres grandes potencias, eran el único país que había sido invadido por Hitler. Un asombroso 90 por ciento de todas las bajas militares alemanas tuvieron lugar en la lucha contra el Ejército Rojo. Por otro lado, más de veinte millones de soviéticos habían muerto o fueron asesinados debido a la invasión nazi.

Mucha gente no lo sabe, pero las unidades del Ejército Rojo lucharon entre sí por el derecho a ser las primeras tropas en el Reichstag (el parlamento alemán). Imagine lo que podría haber pasado si las tropas británicas o americanas hubieran estado allí.

El 25 de abril, la ciudad fue rodeada. Berlín había sido básicamente arrasada por las campañas de bombardeo americanas y británicas, pero los soviéticos iban a asegurarse de que los alemanes no solo fueran derrotados, sino que también probaran su propia medicina. Se estima que alrededor de la ciudad de Berlín, que no era una ciudad pequeña en absoluto, los soviéticos tenían cerca de 30.000 piezas de artillería y morteros, una cada diez yardas alrededor de la ciudad, que se encontraban en filas de profundidad. Cuando comenzó el bombardeo final, la artillería soviética habría sido vista desde el espacio.

Dentro de Berlín, las SS, las fanáticas tropas de choque del movimiento nazi, comenzaron una campaña de terror contra cualquiera que creyeran que había eludido su deber o había desertado. Cientos, si no miles, de alemanes fueron fusilados. Muchos fueron colgados de árboles, postes de luz, o de horcas improvisadas, con sus cuerpos dejados a pudrirse con señales alrededor de sus cuellos que decían cosas como, "¡Soy un sucio traidor y he traicionado al Führer y a la Patria!". Algunas de estas víctimas eran adolescentes y mujeres.

La rama juvenil del Partido Nazi, la Juventud Hitleriana, estaba armada. Niños de tan solo diez años fueron enviados al frente. Ancianos y veteranos heridos se dirigieron allí, así como parte del *Volkssturm* ("Tormenta del Pueblo"). Armados con el efectivo antitanque Panzerfaust, estas tropas mal entrenadas se las arreglaron para infligir muchas bajas a las unidades soviéticas. A su vez, muchas de estas fuerzas alemanas fueron eliminadas por completo.

Cuando los soviéticos entraron en la ciudad, comenzaron intensas luchas callejeras. Durante unos días, se produjeron salvajes batallas por toda la ciudad, en las calles, en los edificios y en las alcantarillas. A veces, los alemanes que se rendían eran tomados como prisioneros. A veces, luchaban hasta la última bala y se mataban con ella, al igual que los civiles de toda Alemania, porque creían que los aliados matarían a los hombres y violarían a las mujeres. Otras veces, los alemanes que se rendían eran asesinados en el acto. Realmente era un juego de probabilidades.

Antes de que la batalla comenzara, los soviéticos se desbocaron en las áreas liberadas de Alemania Oriental. Las aldeas fueron quemadas hasta los cimientos. Decenas, tal vez cientos de miles de mujeres y niñas alemanas fueron violadas, y muchas fueron asesinadas después, ya sea por los alemanes o por su propia mano. Las atrocidades se extendieron y solo aumentaron cada vez que los soviéticos descubrieron un campo de exterminio alemán en su marcha hacia el oeste. Cuando llegaron a Berlín, lo que la propaganda soviética a menudo llamaba "La guarida de la bestia", muchas tropas del Ejército Rojo se volvieron locas. Durante la batalla y durante los días siguientes, violar y matar fueron las órdenes del día. El alto mando soviético miró hacia el otro lado, pero ordenó que parara después de que pasaran algunas semanas. Esto no se hizo por lástima, sino porque se estaba volviendo contraproducente para los planes de posguerra soviéticos de ocupar la parte oriental de Alemania, como se había acordado en Yalta.

Cuando la batalla de Berlín terminó, los alemanes tenían más de 100.000 muertos. Los soviéticos tenían un número igual. Cerca de 500.000 soldados alemanes fueron hechos prisioneros, y muchos nunca regresaron. Alrededor de 25.000 civiles alemanes murieron como resultado de los combates. Uno de ellos fue Adolfo Hitler, que le dio una cápsula de cianuro a su esposa, Eva, antes de dispararse en el templo.

La Segunda Guerra Mundial en Europa terminó oficialmente el 8 de mayo de 1945, con la rendición formal de las fuerzas armadas alemanas y del sucesor designado por Hitler, el almirante Karl Dönitz.

Ilustración 15: Soldados del Ejército Rojo arrojando al suelo los estandartes nazis capturados en la Plaza Roja, Moscú, 1945

Conclusión

La guerra en Europa terminó en mayo de 1945. Según un acuerdo alcanzado con Roosevelt en Yalta, Stalin declaró la guerra a Japón dos meses después de la derrota de Alemania. A lo largo de las fronteras soviéticas con China, Manchuria y Corea, las tropas soviéticas atacaron al Ejército Imperial Japonés, que aún contaba con un millón de efectivos.

No hubo competencia en cuanto a quién era el más fuerte. A los japoneses no les quedaba nada de combate. Los estadounidenses se acercaban a las islas natales japonesas, y millones de chinos y otros pueblos asiáticos, que habían sido oprimidos por los japoneses durante años, estaban a punto de ser degollados. Los soviéticos marcharon con facilidad. Ocuparon las islas Kuriles y la anteriormente dividida (entre la URSS y Japón) isla Sakhalin al norte de Japón. Parecía que podrían intentar invadir la isla japonesa más septentrional, Hokkaido, al menos eso era lo que temían los americanos.

Las bombas atómicas lanzadas sobre Hiroshima y Nagasaki detuvieron todo eso. Aunque algunos estudiosos y otros de la izquierda han dicho que los EE. UU. usaron las bombas para disuadir a los soviéticos de cualquier movimiento en Asia y China, no fue así. La bomba fue lanzada para derrotar a Japón, pero disuadir a los soviéticos fue ciertamente un efecto secundario positivo, al menos desde el punto de vista político americano.

La Unión Soviética, a pesar de no tener la bomba atómica (desarrollaría la suya propia en 1949), era ahora una de las dos "superpotencias" mundiales. Su ejército era el más grande del mundo, aunque su fuerza aérea estratégica y su marina eran empequeñecidas por las fuerzas de EE. UU. Aun así, Europa Oriental estaba firmemente bajo control soviético, y a pesar de las promesas de Stalin de celebrar "elecciones libres" en las naciones ocupadas por sus ejércitos, esas elecciones libres nunca se llevaron a cabo. En los países bálticos, Polonia, Checoslovaquia, Rumania, Hungría, Bulgaria y Alemania oriental (que se convirtió en la República Democrática Alemana en 1949), los ejércitos soviéticos apoyaron a los comunistas autóctonos aprobados por Stalin. Solo una nación de Europa oriental de cualquier tamaño permaneció independiente de los soviéticos: Yugoslavia. Numerosas fuerzas partidistas habían liberado su país, y su líder, Josip Broz Tito, estaba firmemente en contra de las demandas de Stalin.

Aun así, la propia URSS fue un desastre. La guerra hizo retroceder años a la nación. La población no alcanzó los niveles de antes de la guerra hasta finales de la década de 1950. La economía no volvió hasta entonces o incluso más tarde. Incluso hoy en día, la guerra es recordada no solo como una gran victoria, sino también como una catástrofe inhumana. Hasta el día de hoy, los líderes de Rusia son extraordinariamente desconfiados de Occidente y celosos de la protección de sus fronteras.

Por supuesto, entre el final de la Segunda Guerra Mundial y 1991, los EE. UU. y la URSS "lucharon" en la Guerra Fría, un conflicto utilizando ejércitos de poder, política, economía, propaganda, espionaje, asesinatos y mucho más. Durante un tiempo en los años 90, el mundo pensó que esto era parte del pasado. Con la llegada de Vladimir Putin, quien es un gran estudiante de historia, una nueva Guerra Fría ha comenzado.

Segunda Parte: La Guerra de Invierno

Una guía fascinante de la guerra ruso-finlandesa entre Finlandia y la Unión Soviética

Introducción

En diciembre de 1940, el Primer Ministro británico Winston Churchill pronunció un discurso sobre un conflicto en el que algunas figuras destacadas de Gran Bretaña y Francia, incluido el propio Churchill, debatieron brevemente la idea de ir a la guerra con la Unión Soviética, a pesar de que ya estaban luchando contra Adolfo Hitler. Aunque esa idea fue rápidamente descartada, el resumen de Churchill de la lucha entre Finlandia y la URSS fue mordaz en sus críticas a la Unión Soviética de Joseph Stalin y lleno de alabanzas a los finlandeses.

Toda Escandinavia vive bajo amenazas nazis y bolcheviques. Solo Finlandia, soberbia, no, sublime, en las fauces del peligro, muestra lo que los hombres libres pueden hacer. El servicio prestado por Finlandia a la humanidad es magnífico. Lo han expuesto, para que todo el mundo vea, la incapacidad militar del Ejército Rojo y de la Fuerza Aérea Roja. Muchas ilusiones sobre la Rusia soviética se han disipado en estas pocas y feroces semanas de lucha en el Círculo Polar Ártico. Todos pueden ver cómo el comunismo pudre el alma de una nación; cómo la hace abyecta y hambrienta en la paz, y la prueba base y abominable en la guerra.

Por supuesto, la guerra hace aliados poco comunes, y un año más tarde, Churchill se encontraría aliado con la Unión Soviética contra Alemania y Finlandia. Es una saga interesante, con raíces en la historia imperial rusa y el deseo de los finlandeses de ser libres en sus bosques del norte.

Capítulo 1 - El gran ducado de Finlandia

En el siglo XVI, el territorio que ahora llamamos la nación de Finlandia quedó bajo control sueco. Antes de eso, los finlandeses existían en una serie de pequeños y grandes reinos, condados, áreas tribales y territorios de clanes. Con el tiempo, estos vinieron y se fueron, y fueron sometidos, en gran parte, al control o la influencia de sus vecinos más grandes y poderosos, a saber, Suecia y Rusia.

Desde el siglo XVI hasta 1809, Finlandia fue un gran ducado de Suecia. El jefe de estado titular era el gran duque, que era otro título para los reyes suecos. En 1807, el zar ruso Alejandro I y el emperador francés Napoleón Bonaparte firmaron los Tratados de Tilsit, que pusieron a Rusia y a Francia frente a los enemigos de Napoleón, Gran Bretaña y Suecia (entonces una fuerza a tener en cuenta en el norte de Europa). Por supuesto, esto fue antes de la invasión de Napoleón a Rusia en 1812. Sin embargo, en 1807, el joven zar de Rusia estaba asombrado por Bonaparte, al igual que muchos otros en Europa.

Como parte de su acuerdo, Napoleón acordó que Rusia debía controlar Finlandia, y en 1808, Rusia invadió el gran ducado sueco de Finlandia. Los rusos encontraron difícil la lucha en Finlandia, algo que volverían a descubrir 120 años después, pero en un año, el territorio había sido absorbido por el Imperio ruso.

Esto ocurrió por dos razones. Primero, los finlandeses, aunque lucharon una valiente y tenaz guerra de guerrillas contra los rusos, no podían esperar resistirse a los números rusos. Esta también sería la misma historia más de un siglo después.

Segundo, como Alejandro I había prometido a Napoleón y a su estado satélite de Dinamarca, los rusos lucharon con Suecia en el oeste, forzando a los suecos a decidir qué era más importante para ellos, las tierras salvajes de Finlandia o el acceso al Atlántico a través del Báltico y el Mar del Norte. Así que los suecos eligieron ceder Finlandia a los rusos, lo que muchos finlandeses vieron como una traición.

Aunque Suecia había gobernado Finlandia durante siglos, los finlandeses gozaban de un alto nivel de autonomía y, aunque había problemas ocasionales, los finlandeses y los suecos, que eran una gran minoría, lograron coexistir en relativa paz. Incluso hoy en día, hay partes de Suecia donde se habla finlandés y viceversa. Además, los finlandeses y los suecos compartían una visión religiosa común en el luteranismo, mientras que los rusos practicaban otra forma de cristianismo conocida como ortodoxia oriental. Muchos finlandeses temían que se vieran forzados a convertirse y que el número de rusos los abrumara en su propio país.

Aunque fue el acuerdo de Napoleón con el zar Alejandro lo que causó que Finlandia fuera absorbida por Rusia, en cierto modo, los finlandeses podían estar "agradecidos" a Napoleón, ya que él pronto empezó a ver a Rusia como su próximo objetivo para una invasión. La resistencia finlandesa a la invasión rusa fue suficiente para convencer a los rusos de que necesitarían mantener una fuerza sustancial en Finlandia para poder controlarla, una fuerza que rápidamente llegaron a creer que necesitarían contra los franceses.

En 1809, se llegó a un acuerdo entre el zar y el parlamento finlandés. Finlandia formaría parte de Rusia y pagaría impuestos a la Corona Rusa, pero disfrutaría de un alto nivel de autonomía. El zar Alejandro también devolvió a Finlandia algunos territorios que habían sido tomados por Rusia en otros conflictos. Además de hacer que los finlandeses pagaran impuestos, tendrían que luchar en las guerras de Rusia, pero, al menos bajo Alejandro I (que reinó de 1801 a 1825), los finlandeses tenían una relativa libertad en sus propios asuntos, aunque un gobernador general ruso supervisaría el ducado en nombre del zar.

No obstante, hacia el final del reinado de Alejandro, las cosas empezaron a cambiar. Dos años antes de su muerte, un nuevo gobernador general ruso llamado Arseny Zakrevsky fue nombrado, y era mucho más duro de lo que los finlandeses (y los suecos finlandeses) estaban acostumbrados. También estaba profundamente involucrado en las intrigas palaciegas rusas e intentó poner a Finlandia bajo el control directo de quien creía que sería el próximo zar después de Alejandro. Mientras tanto, enfureció a muchos finlandeses con edictos e interferencias en sus asuntos.

Zakrevsky apostó al caballo equivocado en la carrera por el trono ruso, y el sucesor de Alejandro, Nicolás I, se comprometió a mantener la autonomía de Finlandia, pero en el transcurso de las décadas siguientes, se produjo una rusificación cada vez mayor en Finlandia. Los conservadores del gobierno ruso presionaron para que el pueblo finlandés usara el idioma ruso en su escuela, tribunales y prensa. Las clases altas finlandesas estaban divididas: algunos de ellos se volvieron voluntariamente más "rusos" en lo que respecta a la política y la cultura, y adoptaron hábitos, dietas y vestimentas rusas como una forma de ascender en la escala social o en posiciones más poderosas. Otros se resistieron a la rusificación, pero esto no significó que salieran a las calles o que libraran algún tipo de guerra de guerrillas. Fue más bien una resistencia silenciosa realizada con pensamientos, hechos y discursos.

Durante los años 1830 y 1840, las olas de nacionalismo barrieron Europa, impulsadas por el movimiento romántico en las artes. Los finlandeses también se vieron atrapados en esto, y presionaron por más y más autonomía. Este movimiento también presionó por más democracia, y Rusia experimentó cierta agitación en su capital de Petrogrado (ahora conocida como San Petersburgo), que estaba situada justo al otro lado de la frontera finlandesa, en 1830/31. Esto, a la manera rusa, fue reprimido con cierta dureza, pero los disturbios no se extendieron a la propia Finlandia. Nicolás I esencialmente dejó Finlandia sola hasta aproximadamente 1850.

Para 1850, las olas de nacionalismo también habían empezado a llegar a Finlandia, en forma del movimiento Fennómano, que esencialmente promovía la lengua y la cultura finlandesas. Elementos más extremos de este movimiento exigían el rechazo de la ortodoxia rusa en el país y la unificación de todos los finlandeses en un solo país, ya que había importantes poblaciones finlandesas en Suecia, Rusia y Estonia (que habla un idioma estrechamente relacionado con el finlandés).

Este movimiento y el espíritu del nacionalismo finlandés se unieron en la publicación de la epopeya nacional finlandesa conocida como el *Kalevala*, que hablaba de la antigua mitología finlandesa y de los antiguos héroes, como el guerrero Vänämöinen. (Para ser claros, la mitología finlandesa no es la mitología nórdica, aunque hay algunas similitudes).

La publicación nacional del *Kalevala* y el movimiento para enseñar y publicar en finlandés llevó a una reacción en el gobierno ruso, la élite sueca (que dominaba la academia), y, lo más importante, el zar Nicolás I, que, como tantas otras personas antes que él, se volvió más conservador con la edad.

Durante la guerra de Crimea, que tuvo lugar entre 1853 y 1856, los rusos lucharon contra los ingleses, franceses y turcos. Durante la guerra, las flotas aliadas bombardearon los fuertes e islas de la costa finlandesa, causando un gran resentimiento entre los finlandeses, la mayoría de los cuales sintieron que no tenían nada que ver con la lucha de Rusia en la lejana Crimea. Además, los ataques fueron un impacto, ya que, en ese momento, todos los periódicos estaban en ruso, y la mayoría de los finlandeses no leían ese idioma. En respuesta, hubo demandas para que el pueblo utilizara más el idioma finlandés, así como más autonomía para el parlamento finlandés.

Cuando Nicolás I murió en 1855, su sucesor, Alejandro II, adoptó una línea más liberal con Finlandia. Esto ocurrió por varias razones. En primer lugar, Alejandro era generalmente un líder más liberal. En segundo lugar, el espíritu progresista que había animado a Europa occidental en los años 1830 y 1840 estaba ahora encontrando un hogar en Rusia, y Alejandro lo personificaba. Aunque algunos finlandeses pensaban que Alejandro no les permitiría mayores libertades, ya que lo que querían para su parlamento y su prensa ni siquiera estaba permitido en la propia Rusia, Alejandro sabía que oponerse a sus deseos en ese momento solo le traería más problemas, los cuales no podía permitirse, considerando que vendría después de la derrota en la guerra de Crimea.

Alejandro también fue un reformador en casa, pero para muchos, el zar era un símbolo de opresión, y así, Alejandro II fue asesinado por revolucionarios radicales en 1881. En respuesta, su hijo, Alejandro III, impuso un gobierno reaccionario y duro como lo habían hecho los predecesores de Alejandro II, y esto afectó no solo a Rusia sino también a Finlandia. Desde la época de Alejandro III (r. 1881-1894) hasta el gobierno de Nicolás II (r.1894-1917), la autonomía de Finlandia se redujo gradualmente, y la mayoría de las reformas de Alejandro II se invirtieron, causando un mayor resentimiento entre los finlandeses.

Entre las muchas cosas causadas por este nuevo programa de rusificación en Finlandia fue una reconciliación entre los finlandeses y la considerable (y relativamente rica) minoría sueca en Finlandia. En parte, esto fue traído por un movimiento naciente en Rusia y Europa del Este conocido como pan-eslavismo, que fue la idea de que todos los eslavos deberían estar bajo un mismo techo y que las naciones conquistadas como Finlandia deberían ser gradualmente asimiladas, tanto cultural como demográficamente. Obviamente, esto no funcionó bien con los finlandeses, y llevó a los suecos en Finlandia más cerca de sus primos escandinavos también.

Otra manzana de la discordia fue el éxito económico de Finlandia. Finlandia tenía una economía más avanzada que era menos feudal y más industrial que la de Rusia, y esto generó resentimiento en la capital rusa. Los nacionalistas rusos, dentro y fuera del gobierno, pidieron al zar que aumentara los impuestos en Finlandia, lo que a su vez provocó cada vez más resentimiento entre los finlandeses y ayudó a crear movimientos socialistas y comunistas en Finlandia, algo que tendría consecuencias hasta el estallido de la guerra de invierno en 1939.

Adicionalmente, Nicolás II nombró a un general, Nikolay Bobrikov, como gobernador general de Finlandia, y pronto se convirtió en el hombre más odiado del país. Bobrikov trató a Finlandia como su propio feudo, instituyendo leyes e impuestos sin consultar a los finlandeses en absoluto. El que fuera una vez un ejército finlandés semiindependiente fue disuelto en 1901, y en su lugar se instituyó un servicio militar obligatorio, que exigía que los finlandeses sirvieran cinco años en el Ejército Imperial Ruso. Esto podría significar el estacionamiento en Ucrania, que estaba a 700 millas de Helsinki, o incluso más lejos: por ejemplo, Vladivostok, en la costa del Pacífico de Rusia, estaba a 6.125 millas de la capital finlandesa. Antes de que los viajes en avión se hicieran más comunes, los soldados casi nunca volvían a casa a esas distancias.

En 1905, cuando Rusia fue derrotada en la guerra ruso-japonesa y la revolución apareció brevemente en Rusia, muchos de los principales finlandeses vieron la oportunidad de recuperar algunas de sus libertades perdidas. Volvieron a crear su parlamento, declararon el sufragio universal (incluyendo a las mujeres algo que ninguna otra nación europea había hecho hasta ese momento) y redactaron una nueva constitución. Sin embargo, todo fue en vano, ya que el sucesor de Bobrikov, Piotr Stolypin, fue aún más duro con las minorías de Rusia. Esto continuó hasta el comienzo de la Primera Guerra Mundial.

La Primera Guerra Mundial no fue inesperada. En los años anteriores al estallido de la guerra en 1914, muchas personas en Europa y en todo el mundo sabían que era solo cuestión de tiempo antes de que los principales países de Europa lucharan entre sí. En Finlandia, los nacionalistas se prepararon en secreto para un levantamiento contra el zar, y unos doscientos finlandeses (que llegaron a ser más de 1.500 al final de la guerra) viajaron a Alemania para formar el vigesimoséptimo batallón Jäger ("cazador"), que luchó contra los rusos en el Frente Oriental.

La mayoría de los hombres que sobrevivieron a la guerra y regresaron a Finlandia lucharon más tarde en la guerra civil finlandesa en 1918, que estalló después de la abdicación del zar Nicolás II y la revolución bolchevique en Rusia. El zar Nicolás II de Rusia abdicó de su trono en 1917, y el gobierno provisional de Alejandro Kerensky tomó el poder hasta que fueron depuestos por la facción comunista de Vladimir Lenin, conocida como los bolcheviques. Lo que siguió en Rusia tuvo grandes implicaciones para Finlandia.

Lenin retiró inmediatamente las fuerzas rusas (ahora conocidas como Unión de Repúblicas Socialistas Soviéticas, la Unión Soviética, o simplemente la URSS para abreviar) de los campos de batalla de la Primera Guerra Mundial. Alemania impuso un draconiano tratado de paz a Rusia y se llevó toda Ucrania y una gran parte de Rusia occidental para sí misma. Lenin, con las manos llenas para formar un nuevo estado y luchar en una guerra civil contra los partidarios del antiguo régimen zarista, no tuvo más remedio que aceptar estos términos.

Durante algún tiempo, antes de la caída del zar en Rusia, había habido una guerra de guerrillas de bajo nivel por la independencia en Finlandia. Este movimiento fue una reacción a las duras medidas e intentos de rusificar la nación. En la época de la Revolución Bolchevique, muchas personas en Finlandia estaban presionando por la independencia de Rusia, ya fuera de forma activa o privada.

El 6 de diciembre de 1917, Finlandia declaró su independencia de Rusia, que se celebra hoy como el Día de la Independencia de Finlandia. Como Lenin estaba muy ocupado, firmó la independencia de Finlandia prácticamente sin condiciones.

Ilustración 1: Carta al parlamento finlandés de Lenin con su firma, aceptando la independencia de Finlandia

Capítulo 2 - La guerra civil finlandesa

Finlandia fue un territorio de Rusia por más de cien años. Durante gran parte de ese tiempo, los finlandeses gozaron de un nivel de autonomía que ningún otro pueblo del Imperio ruso había disfrutado, pero como vimos en el capítulo anterior, los gobernadores rusos, a finales del siglo XIX y principios del XX, comenzaron a tratar de imponer cada vez más la cultura rusa en Finlandia y con frecuencia negaron las acciones del parlamento finlandés.

Con el ascenso de los bolcheviques en Rusia, que reclamaban mayor autonomía para los pueblos del Imperio ruso, Finlandia exigió la independencia y, para sorpresa de muchos en todo el mundo, la obtuvo.

Sin embargo, qué tipo de gobierno iba a tener Finlandia era todavía una gran pregunta. Lenin no concedió la independencia a Finlandia sin un plan en el fondo de su mente. Sabía que había un importante Partido Comunista Finlandés y que eran muy fuertes en las ciudades de la nación, donde vivía la mayoría de la población.

En la guerra civil rusa, que tuvo lugar entre 1917 y 1921, los comunistas eran conocidos como los rojos, ya que el rojo representaba la "sangre de los trabajadores". A ellos se les oponían los blancos, ya que el blanco había sido el color de muchas de las familias reales de Europa. En Finlandia, era lo mismo: rojo para los comunistas, blanco para los conservadores (hay que mencionar que no existía una familia real finlandesa, aunque había aristócratas que tenían títulos desde la época de la dominación imperial rusa). Mientras que los rojos eran fuertes en las ciudades, los blancos eran fuertes en el campo y entre la élite, que incluía la aristocracia, los negocios y los grandes terratenientes. En 1917, la población de Finlandia era de solo 3,1 millones de habitantes, pero a diferencia de hoy, la mayoría de ellos vivían en el campo, en pequeños pueblos y aldeas. La mayoría de estas personas tendían a ser conservadoras en sus perspectivas.

Apoyando a los rojos finlandeses, los bolcheviques en Rusia enviaron las armas que pudieron junto con un pequeño número de tropas rusas. Los blancos fueron apoyados por tropas, armas y dinero de Alemania, que esperaba mantener a los rusos tan débiles como fuera posible y que habían recibido voluntarios finlandeses en su propio esfuerzo de guerra.

Ilustración 2: prisioneros de guerra comunistas masacrados por las fuerzas blancas durante la guerra civil

La guerra no solo se libró en los campos de batalla, sino también en la prensa y en las calles. Hubo ataques violentos y varios asesinatos por motivos políticos. Un gran número de prisioneros blancos perdieron la vida o fueron enviados a campos en Rusia, para no volver nunca. Por el contrario, se estima que doce mil prisioneros rojos murieron por exposición, desnutrición y enfermedades. En total, casi cuarenta mil personas perdieron la vida durante la guerra, la gran mayoría de las cuales eran finlandeses (el resto eran rusos, suecos y alemanes).

Durante la corta guerra civil, que duró desde finales de enero hasta mediados de mayo de 1918, hubo cuatro grandes batallas: la batalla de Tampere, que fue una costosa batalla urbana por la ciudad del mismo nombre, la batalla de Helsinki (la capital de Finlandia), la batalla de Lahti y la batalla de Vyborg. Aunque los rojos ganaron varias escaramuzas menores en la guerra, estas grandes batallas fueron victorias blancas/alemanas, y fueron decisivas. Muchos de los políticos y fuerzas rojas sobrevivientes huyeron a la Unión Soviética. Algunos de ellos aparecerían en el período previo y durante la guerra de invierno.

Después de la guerra civil, una parte de los blancos quería formar una monarquía constitucional con un príncipe alemán como rey finlandés. Las razones de esto son históricas, pero después de mucho debate y a veces de argumentos vitriólicos, se decidió que Finlandia sería una democracia parlamentaria.

A ello contribuyó el hecho de que Alemania había sido derrotada en la Primera Guerra Mundial y los "Tres Grandes", que consistían en Gran Bretaña, Francia y los Estados Unidos, presionaron para que se establecieran repúblicas en Europa. Con la esperanza de conseguir apoyo internacional para su nueva nación y para algunas de sus reivindicaciones territoriales en la URSS (había una considerable población finlandesa en el lado soviético de la frontera), los finlandeses formaron un nuevo gobierno democrático en 1918. Uno de los mayores logros de la nueva nación fue el sufragio universal, las mujeres votaron en la formación del nuevo gobierno y formaron parte de él.

Hubo varios héroes de la guerra civil finlandesa, pero el hombre que salió del conflicto con más fama y notoriedad fue Carl Gustaf Emil Mannerheim, que desempeñaría un papel central en la guerra de invierno y al que dedicaremos un capítulo en las próximas páginas.

Capítulo 3 - Entre la espada y la pared

El nuevo gobierno de Finlandia era un parlamento de una cámara con un primer ministro como jefe de gobierno y un presidente como jefe de estado, al igual que muchas otras naciones europeas modernas. En los años entre la guerra civil finlandesa y la guerra de invierno, el gobierno finlandés se inclinó más hacia el lado conservador, con muchas de sus figuras principales siendo hombres de negocios más grandes o de viejas familias establecidas.

Aun así, a pesar de sus inclinaciones conservadoras, Finlandia logró mantener un rumbo relativamente moderado en la década de 1930, evitando los extremos tanto a la izquierda como a la derecha. A medida que se acercaba 1939, el partido más izquierdista era el Partido Socialdemócrata de Finlandia, que era años luz más moderado que los comunistas, la mayoría de los cuales habían sido llevados a la clandestinidad o habían huido a la Unión Soviética. A la derecha había una serie de partidos, desde el movimiento Lapua hasta el movimiento Popular Patriótico, que tenía vínculos con Mussolini y Hitler, pero estos partidos, al igual que los comunistas, estaban al margen de la sociedad finlandesa, especialmente después de que el movimiento Lapua intentara un golpe de estado en 1932.

En sus relaciones exteriores, Finlandia estaba entre la espada y la pared. Su geografía hacía inevitable el trato con la Unión Soviética, y aunque muchos finlandeses dentro y fuera del gobierno odiaban a la URSS y a los rusos en general, no había otra opción que llevarse bien con Stalin.

Por otro lado, el creciente poder de la Alemania nazi también exigía la atención de los finlandeses. Aunque muchos finlandeses veían a Hitler con alarma y precaución, también habían sido ayudados por Alemania en la guerra civil finlandesa. Alemania bajo el Káiser Guillermo II había enviado armas y hombres a Finlandia antes del final de la Primera Guerra Mundial, ayudando a los finlandeses en su lucha contra los comunistas, que recibían dinero, armas y hombres de la URSS. Pero, como otros en Europa, Finlandia vio el ascenso de Hitler al poder mundial con alarma.

Una opción que le quedaba a Finlandia era algún tipo de sistema de alianza o una relación más estrecha con sus vecinos más pequeños. Alinearse con Francia y Gran Bretaña era una opción que se exploraba, pero cualquier movimiento para establecer una alianza militar estaba lleno de peligros, no solo para los finlandeses sino también para los aliados occidentales. A Gran Bretaña y Francia les preocupaba que cualquier alianza con Finlandia le arrastrara a una guerra con la Unión Soviética, y Alemania tampoco vería con buenos ojos una alianza de este tipo. Recordemos que la población de Finlandia era de poco más de tres millones de personas en 1939, mientras que las poblaciones de la URSS y Alemania eran de alrededor de 150 a 170 millones y 70 millones, respectivamente.

De esos vecinos más pequeños, el más rico y "poderoso" era Suecia. Los lazos de Finlandia con Suecia eran antiguos, y muchas personas de ascendencia sueca (una de ellas era Mannerheim) vivían en Finlandia, y viceversa. Aunque Finlandia había sido parte del Reino de Suecia antes de 1809, las relaciones entre los dos países eran buenas, y se hacían muchos negocios entre ellos.

Sin embargo, Suecia estaba en una posición similar a la de Finlandia. Aunque no compartía frontera con la Unión Soviética, la gigantesca nación todavía proyectaba una gran sombra. En muchas naciones del mundo en ese momento, los agentes soviéticos y los comunistas nativos trabajaban para socavar el orden social capitalista y forjar un camino hacia el poder para el comunismo. Si eso no fuera suficiente para dar a Suecia una pausa, el poderío militar de la Unión Soviética, al menos sobre el papel, lo habría sido.

Y aunque a la mayoría de los suecos no les gustaba Hitler y su régimen, Suecia hizo cada vez más negocios con la Alemania nazi a medida que pasaban los años 30. De hecho, Suecia era una fuente importante de hierro y gran parte del níquel de Alemania, así como de otros recursos. Aunque una alianza con Finlandia no habría sido necesariamente mal vista por Hitler, cualquier cosa que hiciera a Suecia más fuerte y más probable a rechazar las "peticiones" de Hitler no sería algo bueno.

Por último, desde hacía algún tiempo Suecia había adoptado la política de mantenerse neutral, al igual que Suiza, en los conflictos que no amenazaran al propio país. Una alianza formal con Finlandia implicaría una violación de esa política.

Pero, aunque oficialmente se mantiene neutral, Suecia vendió un número limitado de armas a los finlandeses y sus servicios de inteligencia compartieron mucha información. En ocasiones, los ejércitos de ambos países, especialmente sus pequeñas armadas, realizaron ejercicios juntos. Aun así, esto estaba muy lejos de cualquier tipo de pacto de defensa mutua.

El único tipo de pacto de ayuda mutua que los finlandeses fueron capaces de hacer en los años anteriores a la guerra fue con la pequeña y recién independizada nación de Estonia. Estonia, como Finlandia, había sido parte del Imperio ruso, pero obtuvo su independencia después de la revolución bolchevique. Las otras dos naciones bálticas, Letonia y Lituania, consideraron la idea de entrar en este acuerdo, pero como estaban aún más cerca de Alemania que de Finlandia y aún cerca de la Unión Soviética, decidieron que era mejor tratar de caminar por una fina línea entre las dos grandes potencias.

Finlandia y Estonia compartían algo más que una antipatía hacia la URSS. Junto con Hungría, Finlandia y Estonia comparten una raíz lingüística. La rama finougria de los idiomas europeos solo son hablados por estas tres naciones, y el húngaro está tan distante de los otros dos como para ser ininteligible. Los finlandeses y estonios, sin embargo, pueden entenderse lo suficiente. También comparten una historia relacionada, ya que están al otro lado del Mar Báltico.

Hubo un gran problema con el acuerdo finlandés-estonio. Mientras que las dos naciones intercambiaban información útil en ocasiones, ninguna de ellas representaba una gran amenaza para los soviéticos. Estonia es mucho más pequeña que Finlandia geográficamente, y su población era incluso menor que la de los finlandeses: poco más de un millón de personas, donde sigue estando hoy en día. Al final, el acuerdo no supuso mucho y, junto con los finlandeses, los estonios se encontraron con el objetivo de la Unión Soviética de Josef Stalin.

Capítulo 4 - La amenaza roja

La revolución bolchevique y la guerra civil rusa, que tuvo lugar entre 1917 y 1922, dieron a Finlandia cierto tiempo para establecer su gobierno y su sociedad en sus propios términos. Al derrotar a los rojos en su propia guerra civil, los finlandeses claramente se burlaron de Lenin y del Partido Comunista de la Unión Soviética en el poder.

Durante la época de Lenin, algunas de las naciones que no habían estado en el Imperio ruso por mucho tiempo o que habían estado en su órbita intermitentemente pudieron lograr su independencia. Finlandia era una; los Estados Bálticos eran otros tres. El otro estado europeo que se convirtió en una nación en la época posterior a la revolución bolchevique y a la Primera Guerra Mundial fue Polonia, que en varias ocasiones se había dividido entre la URSS, Alemania, Austria y Hungría.

Para los demás pueblos del Imperio ruso, como los ucranianos, georgianos, armenios y azerbaiyanos, la revolución bolchevique y el ascenso de los comunistas no cambiaron nada, y el hombre que ostentaba el título de Comisario del Pueblo de las Nacionalidades de la República Socialista Federativa Rusa, que era el nombre de Rusia dentro de la Unión Soviética, no era otro que un tal Iosif (Josef) Vissarionovich Dzhugashvili, un georgiano que se convirtió en la encarnación de Rusia y que fue conocido por todo el mundo simplemente como Stalin, su alias, que significa "Hombre de Acero".

Vladimir Lenin sufrió su primer ataque en mayo de 1922. En diciembre de ese año, sufrió un segundo ataque. Aunque disminuido por sus ataques, Lenin permaneció en la cima de la pirámide del poder en la URSS, pero entre bastidores, Josef Stalin y su archienemigo, León Trotsky, compitieron por el poder.

Entre su primer y tercer golpe, que le golpeó en marzo de 1923, Lenin reunió lo que se convirtió en su voluntad política y su testamento. En él, claramente favorecía a Trotsky como futuro líder de la URSS, aunque creía que era egoísta, prepotente y distante. Trotsky también era un administrador muy capaz y había dirigido el Ejército Rojo durante la guerra civil rusa.

De Stalin, que había crecido lentamente en el poder dentro del Partido Comunista, Lenin dijo:

> Stalin es demasiado burdo, y este defecto que es totalmente aceptable en nuestro medio y en las relaciones entre nosotros como comunistas, se vuelve inaceptable en el cargo de Secretario General. Por lo tanto, propongo a los camaradas que conciban un medio para destituirlo de este puesto y que nombren para este puesto a otra persona que se distinga del camarada Stalin en todos los demás aspectos solo por el único aspecto superior de que debe ser más tolerante, más cortés y más atento con los camaradas, menos caprichoso.

Después de una larga lucha con muchos altibajos, Lenin murió el 21 de enero de 1924. Casi inmediatamente, Stalin se abalanzó. Trotsky, que había estado al lado de Lenin para el ascenso al poder de los bolcheviques, estaba en la región del Cáucaso descansando, y no se le notificó la muerte de Lenin y no estuvo visiblemente en el funeral para dar un panegírico, como hicieron Stalin y otros líderes del partido.

Stalin entonces se colocó como el heredero elegido por Lenin, aunque el contenido de la carta de Lenin fue leído a la dirección comunista. Stalin, en una rara muestra de humildad, ofreció renunciar a su recién adquirido puesto de secretario general del Partido Comunista, pero su oferta fue rechazada porque mostraba penitencia. Stalin dio a continuación una serie de conferencias sobre Lenin y el leninismo, que lo convirtieron, a los ojos del público y de muchos en el partido, en el heredero del lugar de Lenin en el país.

Mientras tanto, como comisario de las nacionalidades, Stalin había puesto a sus propios hombres en posiciones de poder en las diferentes repúblicas de la URSS. Como secretario general, también pudo colocar a sus hombres en los puestos más altos del partido nacional. Al mismo tiempo, Stalin estableció relaciones con los jefes de la policía secreta.

El único cargo de Trotsky era el de comisario del pueblo para asuntos militares y navales de la Unión Soviética, que era una posición de poder. Sin embargo, este poder fue derrochado por la forma arrogante en que trataba a sus subordinados y su subestimación de Stalin como un burdo y no muy brillante campesino georgiano.

En 1924, las cosas llegaron a un punto crítico. Dentro del Partido Comunista, Trotsky dirigió un formidable grupo de personas conocido como la oposición de izquierda, que tomó una postura más radical en muchos temas. También afirmaron que, hacia el final de su vida, Lenin había cometido errores de juicio, permitiendo que la limitada empresa capitalista en su nueva política económica fuera su principal error.

A finales de 1924, Stalin estaba harto de sus partidarios en los lugares de poder que se sentía lo suficientemente fuerte como para hacer su movimiento. Actuó contra los antiguos aliados, los poderosos y conocidos revolucionarios Lev Kamenev y Gregory Zinoviev, y los reemplazó con sus propios hombres. En el transcurso del año siguiente, estos hombres se unieron a Trotsky contra Stalin, pero era demasiado tarde. Con su control de la policía secreta y muchos de los puestos clave del Partido Comunista, no solo en la capital sino también en todo el país, Stalin se había convertido en el hombre más poderoso de la Unión Soviética. En 1927, Trotsky fue puesto en exilio interno, y dos años después, fue deportado. En ese momento, Stalin no se sentía lo suficientemente fuerte como para hacer matar a Trotsky, ya que había sido un héroe de la revolución y todavía era venerado por muchos soviéticos comunes y corrientes. Sin embargo, para 1940 eso había cambiado, y Stalin envió a un asesino para matar a Trotsky, quien lo hizo clavándole un piolet en la cabeza (no un pica hielos como dice la leyenda). El golpe no mató a Trotsky inmediatamente, pero, aunque dio una tremenda pelea, finalmente sucumbió a su herida.

A finales de los años 20, la posición de Stalin era inexpugnable. Tenía el control de todas las palancas de poder y también había publicado una versión muy editada del último testamento de Lenin. En la versión de Stalin, Lenin lo había elegido a él sobre todos los demás para dirigir la URSS. Desde finales de los años 20, nadie se atrevió a cuestionar esta versión de la historia.

A finales de los años 30, Stalin, que se volvió cada vez más paranoico a medida que su poder crecía, comenzó lo que se conoce en la historia como el Gran Terror. Solo en julio de 1937, Stalin ordenó el arresto de más de 250.000 personas. Más de 75.000 fueron ejecutadas por órdenes firmadas personalmente por Stalin y su jefe de la policía secreta (que más tarde fue ejecutado por él mismo).

Esto fue solo el comienzo. Stalin ordenó el arresto de muchos miles de personas, desde las más desconocidas hasta las más poderosas y/o influyentes. En 1937, ordenó dos cosas que han cimentado su lugar como uno de los dictadores más despiadados y totalitarios de la historia. Estos fueron los juicios espectáculo en los que los líderes del Partido Comunista, incluyendo a Zinoviev y Kamenev, así como un antiguo aliado llamado Nikolai Bujarin, fueron puestos en exhibición pública en el tribunal. Fueron reprendidos, torturados física y psicológicamente, y obligados a admitir "el error de sus caminos" antes de ser ejecutados.

Stalin también llevó a cabo una purga de los militares, que se incluyó como parte de estos juicios de exhibición, pero también se hizo en secreto. Esto tuvo un efecto directo en la guerra de invierno y el comienzo de la Segunda Guerra Mundial. Durante la purga militar, los oficiales experimentados fueron removidos por miles y reemplazados por "hombres que dicen sí" sin ninguna habilidad militar y leales a Stalin. Los hombres hábiles que sobrevivieron sufrieron el exilio o la destitución, y muchos de ellos regresaron durante la Segunda Guerra Mundial, pero miles de otros no fueron exiliados, sino que fueron asesinados. Los únicos que quedaron fueron personas demasiado aterrorizadas para contradecir cualquier cosa que Stalin ordenara, lo cual fue un gran problema para los soviéticos, ya que Stalin no era un genio militar.

Esta era la situación dentro de la Unión Soviética en los años anteriores a la invasión soviética de Finlandia. Por supuesto, factores fuera del control de Stalin informaron su decisión de atacar Finlandia en el invierno de 1939.

Una de las cosas que Stalin criticó a Trotsky fue el deseo de este último de fomentar activa y abiertamente una revolución comunista mundial, una ideología que aún no se había establecido adecuadamente en la URSS. Stalin promovió públicamente lo que llamó "Socialismo en un solo país", pero eso no significaba que no trabajara por una revolución mundial gradual entre bastidores, y tampoco significaba que iba a dejar pasar cualquier oportunidad de fortalecer la Unión Soviética si se le presentaba. Y a pesar de toda su retórica comunista, Stalin y muchos otros en el Partido Comunista de la Unión Soviética deseaban restablecer las fronteras del Imperio ruso.

Y ahí es donde se encontraron con problemas, especialmente a medida que pasaban los años 30. En 1933, Hitler llegó al poder en Alemania. A finales de la década, el dictador nazi había establecido Alemania como *el* poder en Europa central y ya había estado en un conflicto por poderes con la URSS en España, donde el partido fascista "Falange" de Francisco Franco había derrotado finalmente a los comunistas apoyados por los soviéticos en la guerra civil española (1936-1939). A finales del decenio de 1930, Hitler también había anexionado Austria a Alemania, se había apoderado de Checoslovaquia y había ayudado a establecer gobiernos de derecha en Hungría y Rumania, que limitaban con la URSS.

En la primavera de 1939, solo quedaba una nación importante y verdaderamente independiente en Europa central: Polonia. Los Estados Bálticos de Letonia, Lituania y Estonia seguían siendo naciones independientes, pero Stalin sabía que no representaban ninguna amenaza para él, a menos que Hitler llegara primero. Polonia, sin embargo, era otra historia.

Durante la Segunda Guerra Mundial, los polacos perdieron más personas que cualquier otra nación del mundo, alrededor del 20 por ciento de la población de Polonia pereció. Como tantas veces a lo largo de su historia, Polonia sufrió por su ubicación geográfica entre Alemania y Rusia. Una vez que volvió a ser una nación en 1918 después de la Primera Guerra Mundial, los polacos estaban decididos a seguir siendo libres sin importar el costo, y eso la puso directamente en el punto de mira de Hitler y Stalin, tal vez dos de los hombres más despiadados de la historia del mundo.

Afortunadamente para los polacos, su ejército era fuerte, al menos cuando se comparaba con el de otras naciones de su entorno, y estaba dirigido por hombres capaces. Hitler y Stalin eran como lobos que estaban a punto de acorralar a un tejón. Sabían que podían derrotarlo, pero también sabían que iban a salir lastimados en el proceso.

Ilustración 3: A pesar del pacto, nadie creía realmente que Hitler y Stalin permanecerían en paz

Así pues, para mitigar esa lesión, Stalin y Hitler, que antes eran los archienemigos más importantes, acordaron a finales de agosto de 1939 dividir Polonia entre ellos. Hitler obtendría más del "espacio vital" que quería para el pueblo alemán y recuperaría las tierras que le habían sido arrebatadas a Alemania y dadas a Polonia después de la Primera Guerra Mundial. Por su parte, Stalin recuperaría gran parte del territorio ruso anterior a la revolución bolchevique y, lo que es más importante, añadiría cientos de millas de "zona de amortiguación" entre su país y el de Hitler.

Otras partes del pacto nazi-soviético (o el pacto Molotov-Ribbentrop, llamado así en honor a los ministros de relaciones exteriores de ambas naciones) fueron beneficiosas para la Unión Soviética. Se "daría" a los estados bálticos (lo que significaba que Alemania no interferiría cuando Stalin los tomara), así como una parte de Rumania, que Hitler había presionado para que cediera a Stalin. También había un protocolo secreto en el pacto que daba a Stalin garantías de que Alemania no interferiría si Stalin expandía su territorio a Finlandia. Esta última declaración habría conmocionado a los finlandeses, que, aunque se mantenían alejados de Hitler, habían llegado a creer que les ayudaría considerablemente si la Unión Soviética atacaba su país.

A los pocos días de la firma del pacto, Hitler y Stalin atacaron a Polonia, que dio una valiente batalla, pero fue inevitablemente derrotada. Los Estados Bálticos esencialmente "izaron la bandera blanca" y los soviéticos entraron, anexando esas tres pequeñas naciones a la URSS como repúblicas "autónomas" en 1940.

Después de resolver el "problema" polaco, Stalin volvió a mirar a Finlandia, a la que se había acercado en el invierno de 1939 con ofertas que pensaba que reforzarían la posición soviética en el norte en caso de que Hitler decidiera invadir desde esa dirección y/o utilizar Finlandia como representante.

Capítulo 5 - Negociaciones, "entrenamiento de actualización", y el balance de fuerzas

Puede sorprender a muchos que las exigencias de Stalin a Finlandia no fueran tan excesivas, si se puede describir de esa manera el hecho de exigir a una nación que renuncie a partes de su territorio. Además, Stalin ofreció a los finlandeses una negociación; les daría tierras soviéticas que los finlandeses habían tratado de anexar durante la guerra civil finlandesa, conocidas como Carelia Oriental, donde vivían muchas personas de origen étnico finlandés.

A cambio de esta patria ancestral finlandesa, Stalin quería varias cosas. Primero, exigió que el territorio finlandés cercano a la "segunda ciudad" y "hogar de la revolución" de la URSS, Leningrado (antes Petrogrado y hoy San Petersburgo), fuera empujado hacia atrás. El representante de Stalin en las conversaciones, que en realidad era miembro de la policía secreta y no diplomático, declaró que la URSS no confiaba en Alemania y creía que era posible que Hitler tratara de utilizar a Finlandia para atacar a la Unión Soviética desde el norte.

A pesar de las manifestaciones finlandesas de que mantendrían la neutralidad en cualquier conflicto entre las dos grandes potencias, los soviéticos vieron que los voluntarios finlandeses habían luchado por Alemania en la Primera Guerra Mundial (y varios de estos hombres eran ahora oficiales del ejército finlandés) y que Alemania había enviado tanto armas como tropas a Finlandia en su guerra civil contra los rojos finlandeses apoyados por los soviéticos. Las demandas de Stalin también significaban que Finlandia tendría que renunciar a su segunda ciudad más grande, Viipuri (hoy Vyborg), algo que no quería hacer.

Stalin también quería que Finlandia cediera o alquilara un número de islas en el golfo de Finlandia a la Unión Soviética. Esto protegería los accesos a Leningrado y al norte de Rusia por mar. Los soviéticos las armarían con cañones y fortificaciones. En un caso, los soviéticos pidieron que los finlandeses fortificaran una de las islas más grandes con los propios soviéticos armándola y dotándola de personal. Además, los soviéticos acordaron que los finlandeses podían fortificar las Islas Åland, que se encontraban entre Suecia y Finlandia y custodiaban el golfo de Botnia, el brazo norte del Mar Báltico. Estas islas, que eran una parte autónoma de Finlandia (la gente allí era en su mayoría de habla sueca), no podían ser armadas de acuerdo con Suecia, y así, Finlandia se negó.

A cambio de estas concesiones, Stalin ofreció a los finlandeses un pedazo de tierra más grande que el que les había pedido que cedieran. Aunque Carelia Oriental era importante para los finlandeses desde un punto de vista emocional, las tierras allí no eran estratégicas de ninguna manera, y los finlandeses rechazaron esta oferta. Así que, a finales del verano, Stalin y Hitler firmaron su pacto en 1939.

Estaba claro para todos que a pesar del pacto Molotov-Ribbentrop, se avecinaba una guerra entre Hitler y Stalin, como ilustra la caricatura del capítulo anterior. Y Finlandia estaba decidida a permanecer neutral. Si concedía los deseos de Stalin, no solo acercaría su país a la Unión Soviética, cuyo sistema odiaba la mayoría de los finlandeses, sino que también enfadaría a Hitler, y Finlandia hizo mucho comercio con Alemania. Tampoco era completamente imposible que Hitler invadiera el sur de Finlandia, una contingencia que estaba planeada en el ejército finlandés.

Los finlandeses no confiaban en Stalin en absoluto. Habían visto su ascenso al poder, los juicios del espectáculo, el gran terror, y más. Permitirle armar fortalezas isleñas justo en la costa de Finlandia y renunciar a las fuertes fortificaciones que habían construido en la península de Carelia frente a Leningrado pondría a Finlandia en una posición más débil para cuando Stalin decidiera moverse contra Finlandia. La mayoría de los finlandeses apoyaban la postura del gobierno, pero había muchos que creían que Finlandia era increíblemente superada por el Ejército Rojo y que tenían que aceptar la oferta de Stalin. Entre ellos estaba el General Mannerheim, el héroe de la guerra civil y ahora jefe del Consejo de Defensa Finlandés. La opinión de Mannerheim tenía cierto peso, pero a pesar de sus reparos, los finlandeses rechazaron las demandas de Stalin.

Ilustración 4: Situación en otoño de 1939. El mapa es cortesía de genekeyes.com

Con el rechazo finlandés de sus demandas y Hitler marginado por el momento, Stalin ordenó a sus generales que siguieran adelante con la invasión de Finlandia a finales de noviembre de 1939. Ellos, por su parte, elaboraron un plan que pedía que las tropas soviéticas marcharan a través de Helsinki el 21 de diciembre, el sexagésimo cumpleaños de Stalin.

El equilibrio de fuerzas

Sobre el papel, el Ejército Rojo era el más grande del mundo en ese momento. Por supuesto, la mayor parte fue desplegada en el este de Polonia y el oeste de Rusia para defenderse de Hitler en caso de que rompiera el pacto. Otras concentraciones masivas fueron en Ucrania y en el lejano oriente, ya que Stalin temía que Japón intentara una invasión a la Unión Soviética allí.

Había un total aproximado de dos millones de hombres en el Ejército Rojo cuando comenzó la guerra de invierno. Durante el curso de la corta guerra, los soviéticos utilizaron poco menos de la mitad de estos hombres, ya que las defensas finlandesas eran mucho más robustas de lo previsto. Desafortunadamente para los soviéticos, muchos de sus hombres solo tenían el entrenamiento más básico, aunque algunas tropas de élite, bien entrenadas y disciplinadas participaron, especialmente en la segunda fase de la guerra.

Además de su superioridad en recursos humanos, los soviéticos emplearon entre 300 y 500 aviones en la zona de guerra finlandesa durante el curso de la guerra. También desplegaron entre 1.500 y 3.000 tanques de varios tipos (ligeros, medianos y pesados) y un gran número de artillería. Los totales aproximados no se conocen debido a la falta de transparencia de las fuentes soviéticas (que, después de la guerra, quisieron restar importancia al número de tropas utilizadas contra Finlandia, por razones que se harán evidentes) y a las infladas cifras de las fuentes finlandesas, que aumentaron el número de soviéticos contra ellos.

Para contrarrestar esas fuerzas, los finlandeses desplegaron entre 300.000 y 350.000 hombres, algo menos de *40* tanques y unos 120 aviones. Si no conoce nada de la guerra de invierno, podría pensar que ya conoce el resultado basándose solo en estos totales, pero hay más.

Los finlandeses tenían dos ventajas que no deben ser subestimadas. En primer lugar, luchaban por su país y se enfrentaban a los antiguos opresores coloniales y a un sistema que odiaban. En segundo lugar, conocían el terreno en el que se libraría la guerra como la palma de su mano.

Los soviéticos también tuvieron que lidiar con otras desventajas. Una ya ha sido mencionada anteriormente: sus tropas, en su mayoría, eran reclutas apenas entrenados. Segundo, como los finlandeses luchaban en territorio familiar, los hombres del ejército rojo no lo hacían. Tercero, y esto puede sorprender a muchos que están familiarizados con la historia del ejército rojo en la Segunda Guerra Mundial, la mayoría de las tropas soviéticas no estaban equipadas para luchar en el frío invierno de Finlandia. Más de una cuarta parte de sus más de 200.000 bajas se produjeron en forma de congelación.

Y, por último, el Ejército Rojo estaba dirigido por hombres que tenían muy poca experiencia en dirigir hombres, y los que lo hacían no estaban dispuestos a contradecir ninguna orden de arriba con la que no estuvieran de acuerdo. Como se mencionó en un capítulo anterior, las purgas de Stalin afectaron no solo a sus enemigos políticos y a gran parte de la sociedad soviética, sino también al Ejército Rojo. El cuerpo de oficiales fue diezmado. Muchos de los que habían sido removidos de sus posiciones también fueron removidos de sus vidas, aunque algunos fueron "rehabilitados" cuando Hitler invadió la URSS en 1941.

Tres de los cinco mariscales de la Unión Soviética fueron retirados, así como 13 de los 15 comandantes del ejército, 8 de los 9 almirantes de flota, 50 de los 57 comandantes de cuerpo y 154 de los 186 comandantes de división. Además, el Ejército Rojo tenía un sistema en el que los oficiales del Partido Comunista seguían de cerca a los altos mandos para asegurarse de que no solo seguían las órdenes y preservaban la disciplina, sino que también actuaban con el espíritu del "marxismo-leninismo", como se llamaba entonces el sistema. Estos hombres tampoco eran inmunes: los 16 comisarios del ejército fueron removidos, y 25 de los 28 comisarios del cuerpo también lo fueron. A medida que la purga continuaba, los oficiales de menor rango fueron purgados, aunque las proporciones no eran tan grandes como las de los de arriba. El Ejército Rojo no era lo que parecía en el papel, pero aun así era una fuerza poderosa y equipada con algo de la tecnología líder de la época.

"Entrenamiento de actualización"

Después del pacto nazi-soviético y la división de Polonia entre Hitler y Stalin, los finlandeses estaban seguros de que la guerra les llegaría, sobre todo porque estaban tan decididos a rechazar cualquier otra exigencia soviética, que se produjo a finales de octubre, principios de noviembre de 1939. En esta última ronda de conversaciones, los finlandeses ofrecieron ceder la zona de Terijoki, una pequeña zona portuaria frente a Leningrado, pero esto era mucho menos de lo que pedían los soviéticos.

Aunque los finlandeses esperaban que se reanudaran las conversaciones, tampoco descartaron la idea de que Stalin atacara e intentara tomar lo que no le dieran, por lo que comenzaron a movilizar sus fuerzas armadas. Sin embargo, no lo llamaron "movilización" y no hicieron llamamientos en todo el país para que sus tropas (muchas de las cuales eran cuadros del tipo de la guardia nacional que tenían que dejar sus "trabajos diurnos" y unirse a sus unidades) no alarmaran a los soviéticos. En cambio, los finlandeses dieron órdenes locales a sus tropas para que recibieran "entrenamiento de actualización" en la zona cercana a la frontera soviética. La mayoría de los hombres sabían que este "entrenamiento de actualización" era un llamado a las armas, por lo que se llevó a cabo con la mayor disciplina.

Al mismo tiempo, las tropas finlandesas comenzaron a reforzar una línea ya fuerte de fortificaciones cerca de la frontera soviética en el istmo de Carelia, cerca de Leningrado. Esta se llamaría la línea Mannerheim, nombrada en honor al general y jefe del concejo de defensa finlandés. Este cinturón defensivo había sido iniciado después de la guerra civil finlandesa en previsión de que la Unión Soviética intentara recuperar territorio perteneciente al antiguo Imperio ruso. A lo largo de los años, la línea había crecido desde una serie de búnkeres de troncos no reforzados hasta un moderno cinturón defensivo con campos entrelazados de posiciones de ametralladoras, búnkeres de hormigón armado, un elaborado sistema de trincheras, kilómetros de alambre de púas y minas. Gran parte de la limitada oferta de artillería de Finlandia se encontraba en la línea Mannerheim. Desafortunadamente para los finlandeses, sufrían una gran escasez de cañones antitanque, pero en el transcurso de los tres meses siguientes, improvisarían y darían al mundo una nueva arma y una nueva palabra, de la que hablaremos más adelante.

Complementando las fuerzas finlandesas estaba el Lotta Svärd, un grupo auxiliar femenino creado durante la guerra civil finlandesa como parte de las fuerzas blancas. Su nombre proviene de la viuda ficticia de un soldado finlandés que va al frente en lugar de su marido. La Lotta Svärd de la época de la Guerra de Invierno no luchó realmente en el frente, aunque algunas de las enfermeras y otras auxiliares femeninas (cocineras, carteros, etc.) llevaban armas blancas. Las "Lottas" también se hicieron cargo de los trabajos de muchos de los hombres que entraron en el ejército, al igual que las mujeres en los EE. UU. El símbolo de la "Lotta Svärd" está abajo y nos trae un poco de trivialidades interesantes. Está junto al símbolo de la fuerza aérea finlandesa, como se ve en un avión de la época.

Como puede ver, los nazis no fueron los únicos en usar el símbolo de la esvástica. De hecho, los finlandeses la habían usado mucho antes de que Hitler llegara al poder. En Finlandia, como en muchas otras naciones (Japón, por ejemplo), es un símbolo no solo de buena suerte sino también de antiguas religiones paganas. Hoy en día, los aviones de la fuerza aérea finlandesa no usan la esvástica, pero se usa en las insignias militares y en las banderas de las unidades. Los nazis finlandeses, por otro lado, no usan el símbolo, pero se han apropiado de una antigua runa nórdica, que los finlandeses no usaban. El debate sobre el uso de las esvásticas sigue en curso en Finlandia hoy en día.

El incidente de Mainila

En sus guerras en Manchuria y China en la década de 1930, los japoneses utilizaron dos operaciones de "bandera falsa", que habían sido llevadas a cabo por sus operativos con el objetivo de hacer parecer que los chinos realmente los habían atacado. Sin embargo, el mundo no creyó a los japoneses.

En 1939, la Alemania nazi orquestó una operación similar en una estación de radio en la frontera germano-polaca con el objetivo de hacer parecer que los polacos habían atacado una estación de radio alemana en Alemania. Nadie creyó a los nazis.

La Unión Soviética llevó a cabo su propia operación de falsa bandera para hacer parecer que los finlandeses los habían atacado. El 26 de noviembre de 1939, los cañones soviéticos abrieron sus propias posiciones en Mainila, una aldea rusa situada a pocos kilómetros al norte de Leningrado. Los soviéticos afirmaron que el fuego de artillería provenía del lado finlandés de la frontera y que murieron entre 20 y 25 soldados soviéticos.

Durante los tres días siguientes, los finlandeses y los soviéticos libraron una guerra de palabras en la prensa sobre el incidente, y los finlandeses propusieron una comisión de países neutrales para investigar el asunto. Por supuesto, los soviéticos rechazaron esto; ya habían decidido la guerra, y el 29 de noviembre, rompieron formalmente las relaciones diplomáticas con Finlandia.

El examen de los documentos finlandeses de la época indica que no había armas finlandesas al alcance de la aldea; de hecho, habían sido trasladadas desde la frontera para evitar precisamente ese incidente. Tras la caída de la Unión Soviética, se encontraron archivos que demostraban sin duda alguna que el incidente fue desarrollado y llevado a cabo por la Unión Soviética.

El 30 de noviembre, al día siguiente de haber roto las relaciones con Finlandia, la Unión Soviética renunció a su pacto de no agresión con Finlandia y comenzó su invasión.

Los soviéticos también tenían un cuadro de comunistas finlandeses viviendo en su país, refugiados de la guerra civil finlandesa. Dirigidos por Otto Kuusinen, se precipitaron detrás de los soviéticos y establecieron la República Popular de Finlandia en una pequeña ciudad finlandesa justo al otro lado de la frontera. Hicieron llamamientos a los trabajadores y campesinos finlandeses para que se levantaran contra sus "opresores capitalistas y aristocráticos", pero el llamamiento no fue escuchado. Incluso los finlandeses de izquierda odiaban a los rusos y se unieron al ejército finlandés en masa.

Capítulo 6 - El más grande finlandés de todos los tiempos

En 2004, el gobierno finlandés publicó una encuesta: "¿Quiénes fueron los mejores finlandeses de la historia?". El ganador, con diferencia, fue Carl Gustaf Emil Mannerheim, el hombre que llevó a Finlandia a la guerra de invierno y a la guerra de continuación.

En la época de la guerra de invierno, Mannerheim ya era una figura admirada por la mayoría de los finlandeses; los de la izquierda no se preocupaban por él. Había sido testigo y parte de algunos de los más grandes eventos de la historia finlandesa antes y después de su independencia de Rusia.

Mannerheim nació en Askainen, Finlandia, en junio de 1867 en el seno de una familia aristocrática de origen sueco-alemán. Askainen está en la costa oeste de Finlandia, donde todavía viven muchos suecos. Como muchos de su clase social, Mannerheim se unió al ejército, en este caso, fue el ejército ruso. Entró en la caballería y sirvió en la Guardia de Caballería de élite y formó parte de la guardia de honor en la coronación de Nicolás II en 1896. Sirvió en la corte de Nicolás durante algún tiempo y se hizo muy conocido por el zar y su familia.

De 1904 a 1905, Mannerheim se distinguió en la guerra ruso-japonesa, y fue uno de los pocos oficiales rusos que salió de esa derrota con mejor reputación. Entre 1906 y 1909, emprendió un arduo viaje a través de Asia para llegar a China e investigar los planes del gobierno chino para la parte occidental de su nación, cerca de la frontera rusa. Esto fue en los días previos al ferrocarril transiberiano, y Mannerheim hizo gran parte de su viaje a caballo, a pie y en carreta. Se reunió con el Dalai Lama y muchas otras figuras importantes de la zona, y se ganó la reputación de ser no solo un militar sino también un aventurero y un diplomático.

Cuando estalló la Primera Guerra Mundial, Mannerheim fue nombrado comandante de la Brigada de Caballería de la Guardia de élite y luchó contra Austria, Hungría y Rumania, donde fue citado por su valentía. Luego fue nombrado comandante de división en 1915. En el invierno de 1917, Mannerheim regresaba a Finlandia de permiso y se encontró en Petrogrado (la actual San

Petersburgo) cuando estalló la revolución de febrero, que acabó por poner en el poder al Gobierno Provisional de Alejandro Kerensky y depuso al zar. Cuando Mannerheim volvió al servicio, fue ascendido a teniente general.

Cuando estalló la revolución bolchevique ese otoño, Mannerheim cayó bajo sospecha, ya que era parte de la aristocracia. Entonces eligió retirarse, y regresó a Finlandia, pero su retiro no duró mucho, ya que la guerra civil finlandesa pronto comenzó. Como aristócrata que estaba en la guardia del zar y su confidente, Mannerheim, por supuesto, se unió a las fuerzas blancas y pronto fue nombrado su comandante. Durante el conflicto, los escuadrones de terror blancos asesinaron a los agitadores rojos e izquierdistas y fueron responsables de la matanza de prisioneros de guerra rojos. Mucho de esto fue puesto a la puerta de Mannerheim, ya que él era, después de todo, el comandante de las fuerzas blancas, y esto lo persiguió en cierta medida dentro de Finlandia hasta la guerra de invierno. Una vez finalizada la guerra civil, algunos aristócratas finlandeses quisieron establecer una monarquía finlandesa con un príncipe alemán como rey (Alemania tenía un exceso de príncipes, y muchos alemanes habían ocupado los tronos de varios países europeos a lo largo de los siglos XIX y XX). Estos aristócratas, viendo los éxitos iniciales de la ofensiva de la primavera alemana de 1918, creyeron que los alemanes ganarían la guerra y que un alemán en el trono de Finlandia solo podría fortalecer su nuevo país.

Mannerheim, con mucha más experiencia militar que estos hombres, creía que los Aliados derrotarían a Alemania y que la idea, aunque apelaba a sus creencias aristocráticas, nació para fracasar, lo que hizo con la derrota del Káiser Wilhelm II. Hacia el final de la guerra civil, Mannerheim se acercó a Gran Bretaña y a los Estados Unidos para el reconocimiento de una Finlandia independiente. Cuando Alemania fue derrotada, el príncipe Friedrich Karl renunció al trono finlandés, y Mannerheim fue nombrado regente hasta que se pudiera establecer un gobierno permanente. Las potencias occidentales también reconocieron una Finlandia independiente gracias a los esfuerzos de Mannerheim.

A pesar de la aparente creencia innata de Mannerheim en la superioridad de la aristocracia, no abogó por un rey finlandés sino por un ejecutivo fuerte. Creía que la política partidista a menudo ponía al país en segundo lugar y a los políticos en primer lugar. Los finlandeses rechazaron este tipo de política y crearon el parlamento unicameral que existe hoy en día, aunque tiene un primer ministro y una presidencia, muy parecido a Francia.

Entre la guerra civil y la guerra de invierno, Mannerheim se retiró, formando y trabajando para varias organizaciones benéficas. También trabajó en la junta de un gran banco finlandés y en la ahora mundialmente famosa compañía Nokia, que entonces se centraba principalmente en la madera y el papel.

Durante el período entre las guerras, Mannerheim fue abordado a menudo por los partidos de derecha (algunos más extremos que otros) para ayudarles a tomar el poder, donde se le pondría a cargo como dictador militar. Aunque Mannerheim apoyaba algunas de las ideas de los derechistas (con la excepción de los puntos de vista raciales más extremos), rechazó esta oferta. Cuando Hungría, Rumania y España se convirtieron en países fascistas en el decenio de 1930, los finlandeses rechazaron las opiniones de la extrema derecha y declararon ilegales varios de esos partidos. Los comunistas finlandeses que quedaban vivían en la clandestinidad o al otro lado de la frontera en la URSS.

A principios de los años 30, dos presidentes finlandeses prometieron a Mannerheim que, si Finlandia entraba en guerra, sería nombrado mariscal de campo y se encargaría de las fuerzas armadas. Aunque Finlandia estaba en paz en 1933, Mannerheim fue nombrado mariscal de campo. Con este fin, trabajó para equipar al ejército finlandés y establecer pactos o asociaciones de defensa mutua, como se mencionó en un capítulo anterior.

El ritmo del rearme finlandés en la década de 1930 consternó a Mannerheim, que llegó a creer cada vez más que Finlandia estaría en guerra en un futuro próximo. Los diversos gobiernos finlandeses en el poder en los años 30 tenían otras prioridades o creían que el rearme enfurecería a la Unión Soviética y posiblemente a Alemania. A veces, a finales de los años 30, Mannerheim escribió y firmó muchas cartas de renuncia sobre el tema del rearme y estaba a punto de firmar y entregar otra cuando estalló la guerra de invierno.

Personalmente, Mannerheim era un hombre taciturno con un porte regio. Era alto, delgado y de constitución poderosa. Era tranquilo bajo presión, pero tenía un temperamento que mantenía bajo estricto control. Aunque muchos finlandeses con creencias izquierdistas desconfiaban de él, durante el período previo a la guerra de invierno, cuando muchos políticos finlandeses estaban a favor de dejar a los finlandeses de tendencia izquierdista fuera del ejército o de meterlos en la cárcel por ser "poco fiables", Mannerheim fue célebremente citado diciendo, "No necesitamos preguntar dónde estaba un hombre hace quince años". Incluyó a oficiales de izquierda en su personal y apoyó la inclusión de la izquierda en la lucha por venir.

A muchos fuera de Finlandia les sorprendería que el hombre que fue votado como "el más grande finlandés de todos los tiempos" no hablara realmente finlandés. Esto no era raro, especialmente entre aquellos de herencia sueca del oeste del país. Además de eso, el finlandés es un idioma notoriamente difícil de aprender. Mannerheim tuvo que depender de un traductor para arreglárselas hasta los cincuenta años. Hablaba sueco en casa, alemán y ruso con fluidez, inglés bastante bien y algo de francés. Algunos finlandeses desconfiaban de Mannerheim por esto y porque estuvo en el Ejército Imperial Ruso antes de la independencia finlandesa. A veces, Mannerheim firmaba documentos oficiales "Kustaa", la forma finlandesa de Karl, para superar este prejuicio. Más a menudo, sin embargo, firmaba "C. G.

Mannerheim", ya que odiaba el nombre "Emil", o simplemente "Mannerheim". Al final de la guerra de invierno, nadie cuestionó su lealtad a Finlandia.

En las negociaciones con la Unión Soviética antes de la guerra, Mannerheim apoyó la idea de arrendar las islas que los soviéticos solicitaron y renunciar a algún territorio en el istmo de Carelia a cambio de territorio más al norte. El mariscal de campo creía que ante el abrumador número del Ejército Rojo y la falta de preparación de las fuerzas armadas finlandesas, era solo cuestión de tiempo que Stalin consiguiera lo que quería de todas formas. Sin embargo, Mannerheim, aunque su opinión era importante, no lo era el gobierno, y los finlandeses, como hemos visto, rechazaron todas las "ofertas" soviéticas.

A pesar de sus dudas, cuando llegó la guerra, Mannerheim se dedicó a la causa, y llegó a personificar el espíritu finlandés de *sisu*, que la Universidad de Finlandia define acertadamente como "fuerza de voluntad, determinación, perseverancia, y actuar racionalmente frente a la adversidad".

Capítulo 7 - El infierno en la nieve

Cuando las personas piensan en la guerra de invierno, la imagen de arriba es probablemente lo que imaginan en sus mentes. Finlandeses, perfectamente a gusto en los bosques y el frío, vestidos de blanco, esquiando silenciosamente alrededor, a través, entre y en medio de los rusos aterrorizados, que murieron por centenares. Esto es absolutamente cierto, pero mientras eso ocurría, la mayoría de los combates más duros tuvieron lugar a lo largo de la estática Línea Mannerheim que había sido establecida por los finlandeses en el istmo de Carelia al noreste de Leningrado en los años anteriores a la guerra. El istmo era un puente natural entre el golfo de Finlandia y el lago Ladoga, lo que significaba que había muy poco espacio para maniobrar. Esto permitió a los finlandeses concentrar su menor número en un lugar específico, donde los rusos se hicieron pedazos durante meses en las defensas inquebrantables de los finlandeses.

Al norte del istmo de Carelia, Finlandia es una tierra de bosques y lagos aparentemente interminables, incluso hoy en día. En la década de 1930, existían muy pocos caminos en estos bosques, y los que existían eran en su mayoría caminos de tierra, en su gran parte desconocidos para los rusos, pero bien conocidos por los finlandeses. Fue allí donde los finlandeses soltaron la mayoría de sus tropas de esquí contra el Ejército Rojo.

Como la guerra civil española que había comenzado en 1936, la guerra de invierno fue un presagio del conflicto mundial que vendría, y comenzó con lo que se convirtió en algo común en 1939 y 1945: el bombardeo de objetivos civiles. En la mañana del 30 de noviembre de 1939, la Fuerza Aérea Roja bombardeó la capital de Finlandia, Helsinki. El bombardeo causó daños importantes, mató a 97 personas e hirió a casi 300.

Cuando esto sucedió, el mundo era un lugar diferente de lo que sería solo unos meses después, y los soviéticos fueron objeto de críticas generalizadas por bombardear a los civiles. El presidente de los EE. UU. Franklin Delano Roosevelt pidió a los soviéticos que se abstuvieran de bombardear a los civiles y el ministro de relaciones exteriores soviético, Viacheslav Molotov, le dijo que la URSS solo bombardeaba aeropuertos. Otros también criticaron el bombardeo, a lo que Molotov respondió que los soviéticos solo dejaban caer comida a los "finlandeses hambrientos". Las bombas incendiarias que lanzaron los soviéticos tenían un aspecto de cesta, y los finlandeses, que son famosos por su humor sarcástico, las apodaron "cestas de pan molotov".

Por supuesto, todos reconocemos el nombre "Molotov". Viacheslav Molotov fue el ministro de asuntos exteriores soviético de 1939 a 1949. Winston Churchill, famoso por sus coloridas descripciones de la gente, más tarde lo describió así: "Nunca he conocido un ser humano que representara más perfectamente la concepción moderna de un robot". Esta es probablemente la razón por la que Molotov sobrevivió siendo la mano derecha de Stalin durante décadas.

Para los finlandeses, Molotov y Stalin eran las personificaciones del mal, y decidieron divertirse un poco a costa de Molotov. Los finlandeses no tenían suficientes armas antitanque cuando los soviéticos atacaron, así que improvisaron. Desarrollaron lo que dijeron era "una bebida para acompañar sus paquetes de comida". Lo adivinaron: el famoso "cóctel Molotov". No recibió ese nombre por accidente.

El cóctel molotov es un asunto desagradable, y puede ser bastante efectivo contra vehículos y fortificaciones de hormigón, si se puede acercar lo suficiente. Este tipo de bomba casera se usó en la guerra civil española y otros conflictos menores antes de la guerra de invierno, pero fueron los finlandeses, con su golpe al ministro de exteriores soviético, los que los hicieron famosos.

Los finlandeses comenzaron usando gasolina o queroseno en una gran botella de leche o vodka con un trapo empapado en queroseno (la gasolina se quema demasiado rápido). Muy pronto, el uso de estas bombas se generalizó y se notó su eficacia. El monopolio finlandés del alcohol Alko comenzó a utilizar botellas de vodka para fabricar bombas ya preparadas, y se utilizaron diversas mezclas, como queroseno, alquitrán y clorato de potasio, u otros materiales inflamables y pegajosos. Alko suministró largas mechas y fósforos a prueba de tormentas junto con sus "cócteles".

Los soldados individuales también experimentaron con la creación de estos cócteles por sí mismos.

Para usar el cóctel, tiene que estar a una distancia de lanzamiento. Eso requiere mucho coraje cuando se enfrentan a las olas de los tanques soviéticos, y seguro que muchos finlandeses murieron tratando de usar sus bombas. Muchas fuentes y entrevistas de ambos lados dan testimonio de la valentía de los finlandeses, pero no se limitaron a levantarse y correr contra las máquinas soviéticas. También utilizaron otras herramientas y tácticas.

Como se puede imaginar, Finlandia suele estar cubierta de nieve en invierno. El pueblo finlandés donó sábanas, lencería y mantas blancas al ejército, lo que permitió hacer monos blancos para su infantería, y pronto, los soldados finlandeses se mezclaron con el fondo, haciendo un poco más fácil el acercamiento a los tanques y cañones soviéticos. Por supuesto, las tropas de esquí también usaban los cócteles, pero usarlos en los esquís no era tan frecuente, ya que requería mucha habilidad. Como nota al margen, uno pensaría que el Ejército Rojo también habría usado trajes de nieve, pero parece que esto no se les ocurrió al principio, probablemente porque esperaban una rápida victoria. Sin embargo, después de unas semanas y la reorganización de sus fuerzas, más soviéticos comenzaron a vestirse de blanco.

Los cócteles podrían ser usados en las tropas también, pero las tropas podrían salir del camino más fácilmente y rodar en la nieve para apagar el fuego. Los hombres en tanques, especialmente los que estaban empantanados en la nieve y el barro del bosque, no tenían a dónde ir. A los finlandeses se les enseñó a apuntar a las ranuras de ventilación y observación del tanque, lo que les permitiría cocinar a los hombres de dentro, una muerte horrible que aterrorizaba a los hombres soviéticos y minaba la moral.

El foco principal del ataque soviético fue el istmo de Carelia, que era el foco de las demandas soviéticas, ya que buscaban una zona de amortiguación para Leningrado. Fue allí donde los finlandeses establecieron la Línea Mannerheim, que en los años 30 se había reforzado en la mayoría de los lugares con búnkeres de hormigón armado.

En la Línea Mannerheim, los finlandeses disfrutaron de varias ventajas durante un tiempo. En primer lugar, los soviéticos tenían un espacio limitado para maniobrar. Esencialmente trataron de abrumar a los finlandeses con sus números, pero esto no funcionó, ya que el espacio limitado concentraba la fuerza de las unidades finlandesas allí. Además, los finlandeses tenían que hacer el mejor uso de su limitada artillería. Tenían aproximadamente solo 36 cañones por división, y la mayoría de ellos eran de antes de 1918, pero los finlandeses tuvieron mucho tiempo antes de que la guerra empezara para "apuntar" cada cañón en la línea para preestablecer las áreas de objetivo. Utilizando una fuerza de avance por delante de la línea, los finlandeses se enteraron de dónde habían concentrado los soviéticos la mayor parte de sus tropas y lanzaron eficaces bombardeos de artillería.

Las otras ventajas que tenían los finlandeses eran la nieve, la falta de carreteras y las cortas horas del invierno del norte, lo que permitía a los finlandeses acercarse más a los tanques de lo que podían hacerlo a plena luz del sol.

La propia Línea Mannerheim estaba situada a entre 20 y 30 millas de la frontera. Los soviéticos llegaron a la línea una semana después de que la guerra comenzara y concentraron sus primeros ataques en la parte oriental del istmo, a lo largo de la costa del lago Ladoga y la ciudad de Taipale.

Durante la semana siguiente, los soviéticos comenzaron a darse cuenta de que su idea de marchar a Helsinki en pocos días no iba a suceder. En la batalla de Taipale, que duró del 6 al 27 de diciembre, los soviéticos utilizaron dos tácticas que esperaban que funcionaran, ya que habían trabajado anteriormente durante la guerra civil rusa y su breve conflicto con los japoneses en Mongolia en 1938. La primera fue simplemente utilizar oleada tras oleada de hombres. En Taipale, los finlandeses tenían la ventaja de tener un terreno más elevado y una vista sin obstáculos de las oleadas de tropas soviéticas.

Adicionalmente, durante gran parte de la guerra, los soviéticos trataron de separar sus tanques, lo que había resultado útil en su lucha en Mongolia contra los japoneses. En Finlandia, sin embargo, eso no funcionó tan bien. Aislados en la nieve, y con muchos de ellos empantanados (los soviéticos aún no habían desarrollado completamente la idea de tanques más anchos y pistas que permitieran una dispersión más equitativa del peso), los finlandeses con sus trajes blancos y cócteles molotov descendieron sobre ellos.

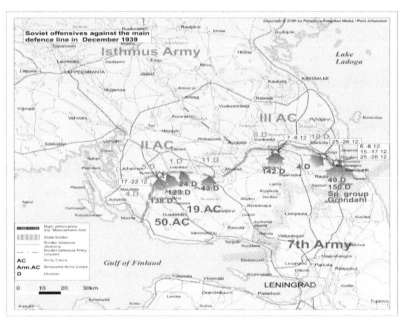

Ilustración 5: Los ataques soviéticos a lo largo de la región de Carelia Línea Istmo/Mannerheim, diciembre de 1939

Los soviéticos intentaron un ataque tras otro en Taipale, y ninguno de ellos logró mover a los finlandeses. Miles de soviéticos murieron, y docenas de tanques del Ejército Rojo fueron destruidos.

Ese invierno fue uno de los más fríos de los que se tiene constancia, alcanzando un mínimo de -45°F (-43 °C) el 16 de enero de 1940. Los finlandeses eran de carne y hueso como los soviéticos, pero estaban mejor preparados para las condiciones invernales que sus enemigos. Toda Finlandia está en el norte, y aunque muchos soldados soviéticos estaban íntimamente familiarizados con el frío, muchos de ellos eran de zonas del sur de la URSS. Además, los oficiales soviéticos eran reacios a pedir equipo adicional: hacerlo podría indicar que uno no creía que Stalin hubiera preparado adecuadamente a sus hombres. En la Unión Soviética de los años 30, cualquier crítica, implícita o no, se tomaba como una crítica al sistema y a su cabeza. Quejarse era arriesgar la vida.

Al norte de la Línea Mannerheim

A más de 200 millas al norte, una división soviética de unos 20.000 hombres lanzó un ataque cerca de la ciudad de Tolvajärvi. Aquí, los finlandeses tenían un regimiento y un número de batallones independientes más pequeños de aproximadamente 4.000 hombres. Fue en Tolvajärvi donde nacieron las leyendas de la resistencia finlandesa y de las tropas de esquí.

Al mando de los finlandeses en Tolvajärvi estaba el coronel Paavo Talvela (foto abajo), un veterano del batallón finlandés Jäger que había luchado en la Primera Guerra Mundial y en la guerra civil finlandesa.

En Tolvajärvi y en otras partes del norte, los finlandeses desarrollaron una táctica que puede compararse a lo que algunos depredadores hacen con grandes cardúmenes de peces o manadas de antílopes o cebras en las llanuras africanas. Usando su movilidad, los finlandeses concentraban sus fuerzas para lograr la superioridad local y separar las unidades soviéticas de sus camaradas. Durante la noche y en los bosques y colinas de Finlandia, esto era fácil de hacer (relativamente hablando). Los soviéticos se reunían como los pioneros americanos que rodeaban sus carros en las grandes llanuras cuando eran atacados por los guerreros nativos americanos. Los finlandeses llamaron a estas formaciones *mottis*, o "bolsillos". Destruían estos *mottis* y avanzaban en concierto con otras unidades mientras se movían en la oscuridad. Muchos de los hombres de los *mottis* no solo luchaban contra los finlandeses, sino también contra el frío. A pesar de las órdenes, se encendieron fuegos, haciendo que los soviéticos fueran más fáciles de detectar y dificultándoles a los hombres que estaban dentro del campamento el poder ver hacia afuera.

En Tolvajärvi, los finlandeses mataron a unos 4.000 o 5.000 soviéticos, hirieron a otros 5.000, destruyeron e inutilizaron casi 60 tanques y vehículos blindados soviéticos y destruyeron o capturaron al menos 30 cañones soviéticos. La división soviética original y una división de refuerzo fueron atacadas, con una pérdida de poco más de 100 finlandeses muertos en acción, 250 heridos y 150 capturados.

La victoria dio lugar al ascenso del coronel Talvela a general de división y levantó el ánimo de otros soldados finlandeses. Los civiles en casa, muchos de los cuales tenían familia en el frente, también se animaron con la victoria en Tolvajärvi, que necesitaban. Como si la guerra no fuera suficientemente mala, el gobierno había anunciado la prohibición de bailar y otras reuniones similares durante la guerra, y esto se mantuvo en vigor durante la Segunda Guerra Mundial.

Los finlandeses lograron frenar la ofensiva soviética en el norte e infligir bajas masivas al Ejército Rojo, pero Stalin sabía que podía sufrir mayores pérdidas antes de que hiciera mella en su ejército. Eventualmente, los finlandeses se desgastarían, pero antes de hacerlo, iban a hacer que los soviéticos pagaran por cada centímetro de terreno que tomaran.

En toda Carelia Oriental, las familias finlandesas empacaban lo que podían en trineos, carretas y carros tirados por caballos. A veces tenían que huir en cualquier momento, viendo los fuegos de las aldeas en llamas en el horizonte y a los refugiados llegando a su ciudad con la noticia de que los "Ivans" estaban llegando. A medida que los refugiados se desplazaban hacia el oeste hacia ciudades más grandes u otras aldeas por seguridad, los guardias fronterizos finlandeses y los milicianos intentaban contener a los soviéticos hasta que llegaran los refuerzos adecuados.

En el lejano norte de Finlandia, el puerto de Petsamo en el océano Ártico, que era el único puerto de la nación en ese océano, cayó en manos de los soviéticos después de una breve lucha, pero, aunque intentaron avanzar más hacia el sur, los soviéticos de Petsamo no pudieron hacer más progresos, y las líneas de frente en esa zona permanecieron estáticas hasta el final de la guerra.

En otros lugares, los finlandeses retrocedieron, atrayendo a los soviéticos más y más profundamente en los oscuros y fríos bosques. En la región de Suomussalmi, los finlandeses libraron la batalla que, desde la época de la guerra, ha sido considerada por generaciones de finlandeses como la mayor victoria de la guerra de invierno.

El objetivo soviético en la zona era llegar a la ciudad de Oulu y controlar las carreteras que la rodean. Hacerlo así cortaría a Finlandia por la mitad y supondría un duro golpe para los finlandeses, que podrían verse obligados a aceptar la derrota si su país estaba dividido. La 163ª división de fusileros soviética se trasladó a la zona el primer día de la guerra, el 30 de noviembre.

Ese primer día y alrededor de una semana después, los finlandeses solo tenían un batallón de hombres en la zona, en el pueblo de Raate situado a lo largo de la principal carretera este-oeste (en realidad un amplio camino de tierra, como muchos de los caminos de la zona), que se abría paso a través de densos bosques con lagos a ambos lados. Como verá en los siguientes mapas, y si mira un mapa de Finlandia en general, los lagos se encuentran por todo el país, haciendo que el viaje por el campo sea muy difícil. Esto también permitió a los finlandeses embotellar a los soviéticos en pequeñas áreas contenidas.

Los rojos avanzaron sobre Suomussalmi el 7 de diciembre de 1939 y tomaron la ciudad, que no era más que un montón de ruinas humeantes, ya que los finlandeses la habían incendiado para que los soviéticos se refugiaran del frío. Suomussalmi se encuentra a orillas del Kiantijärvi (lago Kianti), una gran masa de agua. Los finlandeses se retiraron al otro lado del lago para observar lo que los soviéticos harían a continuación y planificar sus tácticas en consecuencia.

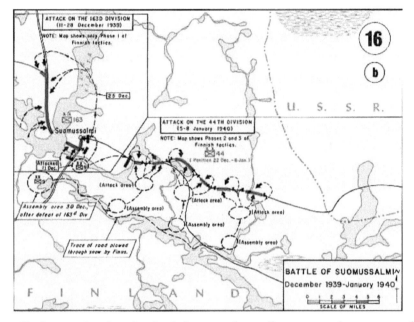

En la esquina izquierda del mapa de arriba, se puede ver que el siguiente movimiento de los soviéticos fue un intento de flanquear las posiciones finlandesas frente a Suomussalmi. Aunque se enfrentaron solo a una parte del batallón, este intento falló.

Otro veterano de los voluntarios finlandeses de la Primera Guerra Mundial, el coronel Hjalmar Siilasvuo, llegó el 9 de diciembre y tomó el mando de las fuerzas finlandesas en el área. Lo primero que hizo fue ordenar un ataque a Suomussalmi, que fue repelido con grandes pérdidas. En el asalto a las posiciones preparadas, en las que los soviéticos habían estado trabajando desde que llegaron, los finlandeses estaban en desventaja. Los soviéticos tenían más ametralladoras pesadas, medianas y ligeras, cañones y vehículos blindados.

Aunque los finlandeses no pudieron recuperar la ciudad, la rodearon y mantuvieron a los soviéticos encerrados en ella. Los soviéticos trataron de romper el cerco varias veces, especialmente en Nochebuena, pero no tuvieron éxito. Para el 27, sin embargo, los finlandeses habían recibido refuerzos, dos regimientos de Jäger altamente entrenados, y retomaron Suomussalmi.

No todos los soviéticos dentro de la ciudad fueron asesinados o capturados, y los que lograron huir escaparon en pánico por el Raate Road hacia la frontera soviética. A lo largo de la carretera, las fuerzas rojas se encontraron con refuerzos soviéticos de la 44ª división de fusileros moviéndose en el área. El resultado fue un enorme atasco de tráfico. Las unidades se enredaron, la disciplina se desmoronó y se recompuso usando métodos severos, y muchos soviéticos simplemente huyeron a los bosques, donde la mayoría de ellos murieron congelados o fueron cazados por los finlandeses, que comenzaron a moverse en los bosques a ambos lados del camino como lobos justo al lado del calor del fuego.

En el transcurso de los siguientes cuatro días, los finlandeses se movieron y esquiaron en círculos alrededor de los "Ivans", cortando las unidades entre sí y eliminándolas una por una. Muchos de estos ataques ocurrieron de noche, haciéndolos aún más aterradores para los hombres del Ejército Rojo. A menudo, escuchaban el comienzo de una batalla justo al final de la línea de ellos en la oscuridad. Los bosques amortiguaban o exageraban el sonido dependiendo de la topografía del área. A veces, la batalla sonaba lejos, y lo siguiente que sabían era que los soviéticos tenían unidades de finlandeses atravesándolos. A veces, las batallas tenían lugar bastante lejos, pero sonaban como si fuera al lado, y los gritos de pánico de sus camaradas ponían al resto de los soviéticos de la zona al límite.

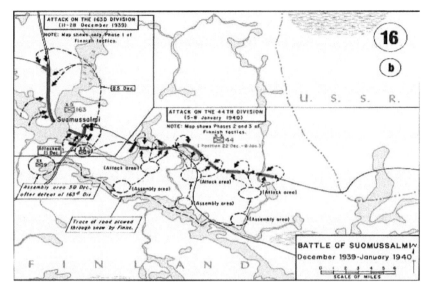

Para el 8 de enero de 1940, los finlandeses habían destruido o capturado a todos los soviéticos de la zona, junto con mucho material, que era muy necesario: 43 tanques, más de 70 cañones de campo, y 29 de los siempre importantes cañones antitanque, junto con camiones, caballos, rifles, ametralladoras y municiones.

A lo largo de los frentes central y norte de la guerra, los finlandeses infligieron grandes pérdidas a los rusos utilizando tácticas de guerrilla. En cientos de escaramuzas, grandes y pequeñas, los finlandeses demostraron lo que un ejército determinado y hábil podía hacer cuando luchaba por su patria.

Como se lee al principio de este libro, Winston Churchill estaba impresionado con los finlandeses, como muchos otros en todo el mundo. Las naciones, especialmente Francia y Gran Bretaña, habían hablado de ayudar a los finlandeses contra los soviéticos. Al final, esto no significó nada, pero solo la idea de que Francia y Gran Bretaña se involucraran fue suficiente para dar a Stalin una pausa cuando los finlandeses enviaron un mensaje de que estaban dispuestos a negociar.

Ilustración 6: En esta caricatura de EE. UU., el tío Sam y las otras grandes potencias "neutrales" discuten el envío de armas a los finlandeses

Aunque los finlandeses fueron admirados por su postura contra los rusos, al final, no recibieron la ayuda que necesitaban para continuar la guerra con éxito. El tiempo, la distancia, las relaciones internacionales y la indecisión se interpusieron en el camino. Unos 8.000 suecos se ofrecieron como voluntarios y lucharon en Finlandia, al igual que varios cientos de noruegos, y los suecos consiguieron enviar en secreto algunas armas pesadas, pero a los finlandeses les faltaba una ayuda significativa.

Los soviéticos terminaron su empuje contra la línea Mannerheim a finales de diciembre. Aquí, los finlandeses habían conseguido frenar el principal avance soviético e incluso habían intentado recapturar Viipuri, un ataque que fracasó con altos costes para ambos bandos. Sin embargo, cuando los combates a lo largo de la línea Mannerheim entraron en una especie de semi-calma, al norte, en el lado norte del lago Ladoga, los soviéticos siguieron empujando.

Los ataques soviéticos iniciales en la zona habían cogido a Mannerheim por sorpresa. Esperaba que el grueso de las fuerzas soviéticas se moviera dentro del istmo, pero los soviéticos intentaban una maniobra de flanqueo hacia el norte con la esperanza de romper las líneas finlandesas y acercarse a la línea Mannerheim por la retaguardia, capturando a los finlandeses allí en un vicio y terminando así la guerra.

Después del avance inicial soviético en territorio finlandés, Mannerheim se vio obligado a tomar reservas de la línea Mannerheim y moverlas hacia el norte hasta la zona del río Kollaa. Aquí, como en el istmo, los finlandeses y los soviéticos se enfrentaron en una guerra de desgaste. De hecho, la batalla de Kollaa duró desde el comienzo de la guerra en diciembre hasta su final a mediados de marzo.

Como la batalla de Suomussalmi, la batalla de Kollaa se convirtió en un punto de encuentro para los finlandeses. Cuando Mannerheim llamó por radio al comandante local, una figura legendaria entre los finlandeses llamada Aarne Juutilainen, le preguntó, "¿Puede Kollaa aguantar?". Juutilainen le hizo una señal, "Kollaa aguantará, a menos que se nos ordene correr". Esa frase, "Kollaa aguantará", se convirtió en un eslogan en la Segunda Guerra Mundial de Finlandia, y todavía se puede oír de vez en cuando una persona se enfrenta a una situación difícil. Juutilainen fue una de las grandes figuras de la guerra y fue apodado "El Terror de Marruecos", por haber servido allí en la Legión Extranjera Francesa. También era conocido por sus fiestas salvajes y de mucha bebida, así como por su liderazgo.

Uno de los hombres que asistió a las fiestas de Juutilainen al menos una vez es probablemente el finlandés más conocido de la guerra de invierno fuera de Finlandia. Ese hombre es Simo Häyhä, apodado "La Muerte Blanca". Häyhä una vez llevó a un soldado soviético capturado a una de las fiestas de Juutilainen y luego lo soltó para que volviera a las líneas soviéticas. El hombre lloró y literalmente suplicó para quedarse con los finlandeses.

El número de muertes de Häyhä, estimado en más de 500, es discutido por algunos. Su diario de guerra, que no fue publicado hasta después de su muerte en 2002, llega a más de 500, y su capellán, que tomó notas durante la guerra, afirma que Häyhä disparó a 536 soldados del Ejército Rojo. Lo que se conoce como una certeza absoluta es que Häyhä se convirtió en una celebridad durante la guerra en Finlandia y que los soviéticos pusieron una recompensa por su cabeza.

Aún más sorprendente que el conteo de muertes de Häyhä es cómo lo hizo sin una mira. Creía que una mira forzaba a un francotirador a levantarse para ver al enemigo, cediendo potencialmente su posición. El destello de una mira podría hacer lo mismo. Häyhä usó una variante del rifle Mosin-Nagant, de diseño ruso y finlandés, y la excelente ametralladora finlandesa, la Suomi KP/-31. Se alega que mató a igual número de rojos con la ametralladora que con el rifle de francotirador.

Ilustración 7: Häyhä durante la guerra

También era una ventaja para Häyhä que fuera pequeño. Apenas medía un metro y medio de altura. Para reducir aún más sus posibilidades de ser visto, se dice que Häyhä puso nieve en su boca para enfriar su aliento y reducir la niebla que hacía al exhalar, y, por supuesto, usaba el famoso camuflaje blanco. Desafortunadamente para Häyhä, fue golpeado en el lado izquierdo de su cara por una bala explosiva hacia el final de la guerra, desfigurándolo permanentemente. Fue un incidente del que le llevó años recuperarse. Durante la mayor parte de su vida, mantuvo su experiencia de guerra en silencio, una cualidad apreciada por los finlandeses, que son conocidos por ser bastante taciturnos. Häyhä pasó el resto de su vida como cazador profesional y criador de perros, a veces incluso dirigiendo cacerías para la élite de Finlandia.

Sin embargo, a pesar del heroísmo de hombres como Häyhä, Juutilainen, Talvela, Siilasvuo y muchos otros, así como el hábil liderazgo de Mannerheim, al cabo, muchos, si no la mayoría, de los finlandeses sabían que el final era inevitable. Los números soviéticos eran demasiado grandes. La pregunta era, ¿podrían los finlandeses infligir suficiente daño a los rojos como para hacerles pensar dos veces antes de tomar el resto del país? ¿Y se prestaría la situación internacional a la causa finlandesa?

Estas preguntas se hicieron más urgentes en febrero en el istmo de Carelia. Durante la última parte de enero y principios de febrero, los soviéticos se detuvieron y se reagruparon. No solo reorganizaron y reforzaron sus unidades, sino que también las reabastecieron con mejores equipos. En primer lugar, dieron a sus tropas de primera línea trajes de nieve para que no se destacaran como blancos fáciles para los finlandeses. También suministraron grandes cantidades de equipo para clima frío. Al igual que los alemanes en 1941, los soviéticos originalmente enviaron a sus hombres a la batalla con la ropa equivocada esperando una rápida victoria. Eso había cambiado.

Adicionalmente, las tropas fueron sacadas de la línea y reentrenadas. Algunos de ellos se convirtieron en tropas de esquí, y más unidades de élite y practicantes de todo tipo fueron traídas de alrededor de la URSS. Lo más importante de todo, los soviéticos cambiaron de comandantes en el istmo de Carelia. El comandante original, Kirill Meretskov, fue retirado del mando. Al comienzo de la Segunda Guerra Mundial, fue arrestado y retenido por la policía secreta durante dos meses, pero se "redimió" durante la guerra y la terminó como mariscal de la Unión Soviética.

Sustituyendo a Meretskov estaba Semyon Timoshenko, que había luchado en la Primera Guerra Mundial y en la guerra civil rusa y era amigo personal de Stalin, lo que le ayudó a sobrevivir a la Gran Purga y le situó entre los comandantes soviéticos de mayor rango. Bajo el mando de Timoshenko, los soviéticos del istmo de Carelia avanzaron, agotando a los finlandeses y provocando la ruptura de la Línea Mannerheim a finales de febrero de 1939.

Conclusión: Derrota, pero no derrotada

A finales de enero, los soviéticos mostraron su voluntad de negociar con los finlandeses. La guerra no iba bien, y Stalin comenzaba a preocuparse cada vez más por Hitler. Stalin necesitaría los casi tres cuartos de millón de hombres involucrados en Finlandia si Hitler decidía invadir la URSS. También devolvieron a los comunistas finlandeses a la Unión Soviética, donde, milagrosamente, Otto Kuusinen sobrevivió hasta la vejez.

Aunque los finlandeses se mantenían firmes en este punto, Mannerheim y otros se dieron cuenta de que, sin una intervención internacional masiva, que parecía cada día menos probable, su causa se perdería finalmente. ¿Por qué no negociar con los soviéticos antes de que el buen tiempo y los largos días hicieran más efectivo el poder aéreo soviético? Aparte de eso, aunque los finlandeses del norte estaban disfrutando de éxitos, muchos *mottis* soviéticos (la palabra finlandesa para las fortalezas cercadas en las que habían encerrado a los rusos) seguían firmes. Sin embargo, no podían romper y avanzar o retirarse. En cambio, mantuvieron ocupados a los finlandeses, lo que afectó a la limitada mano de obra finlandesa.

A finales de enero, los líderes finlandeses debatieron sí, cómo y cuándo acercarse a los soviéticos. En ese momento, el ejército finlandés estaba reteniendo a los soviéticos, pero el 1 de febrero, los soviéticos lanzaron un asalto masivo a la línea de Mannerheim. Timoshenko y el nuevo cuadro de oficiales que se había traído mostraron una habilidad que sus predecesores no tenían, ya que pudieron lanzar las tácticas de blitzkrieg que los alemanes habían utilizado en Polonia en 1939.

En el curso de los siguientes diez días, el Ejército Rojo lanzó asaltos coordinados en la Línea Mannerheim, y el 11 de febrero irrumpieron en la ciudad de Summa. La ruptura de la línea en Summa hizo que los finlandeses se retiraran a lo largo de la línea a otra línea de defensa menos formidable que había sido preparada al comienzo de la guerra.

El agotamiento, la disminución de los suministros, la falta de cañones antitanque a una escala significativa y la reducción de los recursos humanos comenzaron a afectar a los finlandeses, a pesar de su continua y obstinada resistencia. En el transcurso de las dos semanas siguientes, los soviéticos lanzaron ataque tras ataque, forzando a los finlandeses a retroceder en líneas de defensa cada vez más débiles.

Mientras este asalto continuaba, los finlandeses respondieron a la llamada de Stalin para negociar. Al final, sin embargo, no fue realmente una negociación, sino que los finlandeses recibieron una serie de demandas de los rusos, lo que ocurrió el 23 de febrero. Los soviéticos exigieron lo que habían pedido originalmente más algunas peticiones adicionales: más islas en el golfo de Botnia, todo el istmo de Carelia y la orilla norte del lago Ladoga. A cambio, Stalin devolvería Petsamo, el único puerto de Finlandia libre de hielo en el océano Ártico, aunque no se les permitió estacionar allí buques de guerra.

En realidad, dada la personalidad de Stalin y el poder de las fuerzas soviéticas, los términos eran bastante generosos, relativamente hablando. Probablemente estaba nervioso por lo que los británicos y los franceses podrían hacer, y quería que la guerra de invierno terminara rápidamente por su temor a la invasión de Hitler.

El 12 de marzo, los finlandeses enviaron una delegación a Moscú y firmaron los términos del alto al fuego tal y como lo habían establecido Stalin y Molotov. La guerra de invierno, llamada Talvisota en finlandés, terminó el 13 de marzo de 1940.

Los finlandeses habían sufrido casi 26.000 bajas. Perdieron alrededor del 10 por ciento de su territorio y tuvieron que absorber 400.000 refugiados de las zonas que ahora se encontraban en la Unión Soviética (y que aún hoy forman parte de Rusia). Pero podría haber sido mucho, mucho peor, y la mayoría de los finlandeses lo sabían. La valentía y la habilidad de las tropas finlandesas, el espíritu de *sisu* mostrado por Lotta Svärd y todos los finlandeses, y el liderazgo del Mariscal Mannerheim habían salvado a Finlandia de un completo desastre.

En el escenario mundial, los soviéticos estaban muy avergonzados por su actuación en la guerra de invierno. La mayoría de los historiadores creen que Hitler, que ya se inclinaba por una invasión a la URSS, se sintió alentado por lo que vio en Finlandia. Sin embargo, Hitler y otros deberían haber mirado un poco más profundo, porque, al final de la guerra, los soviéticos habían demostrado ser capaces de llevar a cabo una ofensiva moderna después de aprender y reagruparse. Aunque los alemanes castigarían a los soviéticos en su invasión a la URSS en 1941, esto se debió al tiempo que les llevó a los soviéticos recuperarse de las purgas de los años 30 y absorber las lecciones de Finlandia y de la primera parte de la Segunda Guerra Mundial. Una vez que se reagruparon, haciéndolo a gran escala, se volvieron incluso mejores en el blitzkrieg de lo que habían sido los alemanes.

Para Finlandia, la invasión de Hitler a la URSS le presentó la oportunidad de recuperar la tierra perdida. Así que, en 1941, se unieron a Hitler. No formaron un gobierno fascista antisemita, y aunque Hitler y su jefe de las SS, Henrich Himmler, presionaron a Finlandia para que entregara a sus judíos a Alemania, aparte de un incidente vergonzoso y trágico, la comunidad judía de Finlandia permaneció a salvo e incluso sirvió en el ejército finlandés.

Los finlandeses se unieron a Hitler, y Mannerheim dejó claro que sus fuerzas no avanzarían más allá de las líneas originales de las fronteras de Finlandia antes de la Guerra de Invierno. Aunque Hitler intentó por todos los medios que los finlandeses ayudaran en el asedio alemán a Leningrado, no lo hicieron. La guerra de continuación, conocida como *Jaktosota* en finlandés, seguiría siendo una guerra mayormente estática. Los finlandeses recuperaron lo que se había perdido en la guerra de invierno y algunas pequeñas partes de la Carelia soviética, en la que vivían muchas etnias finlandesas.

Sin embargo, cuando las mareas se volvieron contra Hitler, también se volvieron contra Finlandia. Stalin le dio a Finlandia un ultimátum de que debían expulsar o desarmar a los alemanes y renunciar a lo que habían ganado de 1941 a 1944 o enfrentarse a una invasión completa. Sabiamente, los finlandeses siguieron las demandas de los soviéticos, y los alemanes sorprendentemente se fueron sin mucho argumento. Esto probablemente salvó a Finlandia del destino de los aliados de Alemania en Europa del Este, Rumania, Bulgaria y Hungría, todos los cuales fueron tomados por la Unión Soviética y convertidos en estados títeres.

Por su parte, al mariscal Mannerheim se le atribuyó una especie de victoria en la guerra de invierno, ya que mantuvo a Finlandia a salvo de la URSS y de Alemania (la espada y la pared, si es que alguna vez hubo una), y la guerra terminó considerándolo un héroe más grande de lo que había sido antes. Murió en 1951 de una úlcera. Curiosamente, la única grabación de Hitler en una conversación es una grabación secreta que un ingeniero de sonido finlandés hizo durante su encuentro con Mannerheim en 1942, en la que Hitler admite que atacar a la URSS fue probablemente un error. Esta es quizás la mayor subestimación de todos los tiempos.

Tercera Parte: Leningrado

Una fascinante guía del sitio de Leningrado y su impacto en la Segunda Guerra Mundial y en la Unión Soviética

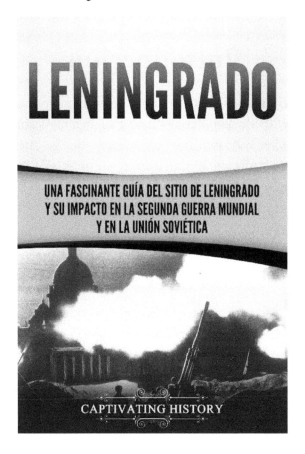

Introducción

Desde principios del otoño de 1941 hasta el invierno de 1944, la ciudad soviética de Leningrado (hoy San Petersburgo) estuvo casi completamente rodeada por las fuerzas de la Alemania y la Finlandia nazis. Aunque el sitio duró poco menos de 900 días, para los ciudadanos de la Unión Soviética (y de la Rusia de hoy), este evento se conoce como el "Sitio de 900 días".

En esos 900 días, las pérdidas sufridas por la Unión Soviética fueron mayores que las pérdidas de Gran Bretaña (estimadas en 450.000) y los Estados Unidos (estimadas en 415.000) combinadas durante *toda* la duración de la guerra. Las pérdidas en Leningrado (tanto civiles como militares) ascendieron a más de un millón de muertes, según el historiador militar estadounidense David Glantz. Otras estimaciones llegan a la misma conclusión general.

Este millón de víctimas del sitio nazi no solo cayó por las balas, bombas y proyectiles nazis. Los hombres, mujeres y niños de Leningrado también murieron de otras formas, la mayoría de ellas extremadamente desagradables, como enfermedades, hambre y suicidio. Y, a pesar de la propaganda de ambos lados, los rusos son tan susceptibles al clima frío como cualquier otra persona, especialmente cuando el combustible se acaba y no hay suficiente ropa adecuada para andar por ahí.

Cuando comenzó la guerra, Leningrado, en muchos sentidos, era el orgullo de la Unión Soviética, como lo había sido antes de la Revolución bolchevique. Era fácilmente la ciudad más hermosa del país: sus edificios barrocos y sus amplios paseos le valieron el nombre de "Venecia del Norte" por su belleza y sus múltiples canales. Los ciudadanos de Petrogrado (que cambió de San Petersburgo durante la Primera Guerra Mundial por ser "demasiado alemán") y de Leningrado estaban con razón orgullosos de su hermosa ciudad, que era el hogar de muchos de los palacios de los zares y de los principales museos de la nación.

Leningrado también fue el semillero del comunismo soviético. Fue en Leningrado donde tuvo lugar la Revolución bolchevique, y aunque la capital del país se trasladó a Moscú poco después (principalmente por razones de seguridad, ya que estaba lejos de las fronteras de la nación), muchos leningradenses consideraban su ciudad como la capital espiritual/ideológica de su país.

Por todas estas razones y más, Adolf Hitler estaba decidido a aplastar la ciudad y no solo derrotar a las fuerzas y personas dentro de ella, sino también exterminar a todos ellos y derribar la ciudad por completo.

Capítulo 1 – Antes del sitio

En 1703, el zar Pedro el Grande tomó el control de la zona donde ahora se encuentra San Petersburgo después de una larga guerra con la entonces poderosa Suecia. El suelo sobre el que se erigiría la futura ciudad estaba en el río Nevá, que conducía directamente al mar Báltico. Esto le daría a Pedro su largamente soñado y práctico puerto del norte, ya que el otro puerto principal del oeste de Rusia, Arcángel, estaba frecuentemente limitado por el hielo y situado a cientos de millas de cualquier vía marítima comercial importante.

Pedro, quien pasó mucho tiempo en Europa occidental aprendiendo nuevas formas de negocios, navegación, ingeniería y tecnología, estaba decidido a construir una nueva ciudad en este lugar. La llamaría su "ventana hacia el occidente". Aunque Pedro quería que su nueva ciudad fuera un centro cultural y comercial, también era muy consciente de que su ubicación y sus propósitos para la ciudad la convertirían en un objetivo principal para los enemigos de Rusia, que eran muchos. De esta manera, el primer edificio que comenzó a construirse en San Petersburgo fue la Fortaleza de San Pedro y San Pablo, una fortaleza en forma de estrella que se encontraba en una isla en un ramal del río Nevá. Hoy en día, la fortaleza es un museo, pero cuando se construyó, era un signo del poder de Rusia para los barcos que llegaban.

Durante el período de la Revolución bolchevique, era un símbolo de terror, ya que se utilizó como prisión y lugar de ejecución.

Durante los años siguientes, Pedro invitó a Rusia a arquitectos y urbanistas italianos y franceses (un campo relativamente nuevo en ese entonces) para ayudarle a construir la ciudad de sus sueños. Palacios y avenidas ornamentadas llenaban la ciudad, pero muchas de sus estructuras aún eran construidas de madera, como resultado, los incendios se produjeron con frecuencia en la década de 1830. Esto le dio a Pedro y a sus diseñadores la oportunidad de diseñar y mejorar los planes de la ciudad, las redes y los canales, y lugares como la Plaza del Palacio se convirtieron lentamente en espacios neoclásicos monumentales. El Palacio de Invierno, conocido por muchos desde la época de la Revolución bolchevique, fue diseñado en estilo barroco.

Aunque la ciudad se convirtió en un monumento al poder de Rusia y su familia gobernante, los Romanov, se construyó sobre las espaldas, y con las vidas, de decenas de miles de trabajadores, la mayoría de los cuales eran vasallos del campo que fueron presionados a cumplir con su deber. Aunque la servidumbre tenía muchos estratos en Rusia, es más fácil pensar en estas personas simplemente como esclavos: la gran mayoría no tenía ningún derecho, y durante siglos, fueron comprados y vendidos como ganado. En los años que llevó construir San Petersburgo, se estima que murieron aproximadamente entre 40.000 y 100.000 vasallos. El agotamiento, la enfermedad, el frío y los accidentes fueron las principales causas de muerte.

A lo largo de los años, San Petersburgo se convirtió en el hogar de algunos de los edificios más famosos del mundo. El Palacio de Invierno ya ha sido mencionado. Se incluye también, el famoso Museo y Teatro del Hermitage, el edificio del Estado Mayor, la Puerta Triunfal de Moscú (un monumento a la victoria de Rusia sobre Napoleón Bonaparte), los numerosos palacios y mansiones de la familia real, la Catedral de la Trinidad de cúpula azul y la Catedral de la Resurrección de Cristo.

La ciudad fue la capital de Rusia desde 1713 hasta 1918 cuando Vladimir Lenin la trasladó a Moscú. La belleza y la ubicación de la ciudad se hicieron famosas en toda Rusia, y en consecuencia, muchos de los principales artistas, escritores y compositores de Rusia se nacieron allí o se mudaron. Los compositores Shostakóvich y Borodín llamaron a la ciudad su hogar. Peter Carl Fabergé, el famoso joyero, también lo hizo. Probablemente el escritor ruso más famoso de todos, León Tolstói, era de San Petersburgo.

Aunque la historia rusa está llena de levantamientos campesinos, no fue hasta finales del siglo XIX y principios del XX que la posibilidad de una revolución se hizo verdaderamente real. La injusticia económica y política del régimen zarista, junto con el surgimiento de una creciente clase media que era vista como explotadora de los vasallos, campesinos y trabajadores de Rusia de la mano de la aristocracia, dio lugar a muchas facciones, algunas moderadas, otras extremas. Sin embargo, todos ellos pidieron una seria modificación o eliminación del régimen zarista.

Uno de ellos era la facción bolchevique del Partido Obrero Socialdemócrata Ruso Marxista, en otras palabras, los comunistas. Este no es el lugar para la historia del surgimiento del comunismo, pero basta con decir que los bolcheviques y otros como ellos pidieron la eliminación de la propiedad privada y los medios de producción industrial y agrícola, así como el establecimiento de un estado sin clases.

Lo que empeoró las cosas en Rusia fueron sus crecientes pérdidas en la Primera Guerra Mundial contra Alemania y Austria-Hungría. Cientos de miles de soldados se amotinaron y volvieron a casa o se unieron a las filas de los revolucionarios.

En octubre de 1917, los bolcheviques tomaron el control de San Petersburgo, asaltando el Palacio de Invierno y otros edificios importantes. El zar, que ya había abdicado meses antes, dando el poder a una banda de revolucionarios menos radicales, fue capturado y posteriormente ejecutado por los bolcheviques.

Después de esto, comenzó una guerra civil que duró cuatro años y mató a millones de personas.

Tras la Revolución bolchevique y la victoria de los Rojos (bolcheviques) en la guerra civil rusa, la capital se trasladó de nuevo a Moscú. Con la muerte de Lenin en 1924, San Petersburgo (cuyo nombre había sido cambiado a Petrogrado para que sonara "menos alemán" durante la Primera Guerra Mundial) fue renombrada una vez más, esta vez en honor al líder bolchevique, Vladimir Lenin.

Aunque Leningrado ya no era la capital, seguía siendo la capital artística, literaria y musical de Rusia en muchos sentidos, y fue el hogar de la Revolución bolchevique. Por todas estas razones y más, la ciudad se convirtió en el objetivo especial de Adolf Hitler en sus planes para destruir la Unión Soviética.

Ilustración 1: Ubicación de San Petersburgo/Leningrado

Capítulo 2– El horror se aproxima

Casi no hace falta decir, pero vale la pena repetir, que Adolf Hitler era un nacionalista extremo. No estaba solo en esto, incluso antes del nacimiento del Partido Nazi. Desde finales del siglo XIX, un pequeño, pero creciente e influyente grupo de personas en Alemania había estado abrazando la idea de que los alemanes (incluyendo los pueblos germánicos del norte de Europa) eran la raza superior o "maestra" del mundo.

Con el desastre que cayó sobre Alemania en la Primera Guerra Mundial y los años posteriores, creció un sentimiento de resentimiento por el hecho de no haber sido aparentemente derrotados militarmente (sin embargo, estaban a punto de serlo cuando se declaró la paz) y por haberse tenido que tragar los injustos términos de paz del Tratado de Versalles. Este sentimiento de resentimiento estaba respaldado por la noción de que los enemigos internos (principalmente judíos y comunistas) reforzaban la idea entre muchos de que el mundo estaba en contra de Alemania, porque otros estaban envidiosos y se sentían amenazados por su gente superior.

El antisemitismo había sido un factor en Alemania durante siglos, por razones demasiado largas para explicar en este libro, sin embargo, sorprendentemente el antisemitismo alemán era mucho menos virulento y obvio que en muchos otros países europeos, y para el siglo XX, los judíos disfrutaban de muchas posiciones prestigiosas y poderosas en la política, la economía, la academia y las artes. No obstante, muchos antisemitas sentían que la comunidad judía tenía demasiada influencia para su pequeño número (700.000 de 69 millones de alemanes cuando comenzó la Segunda Guerra Mundial).

Además, en los años posteriores a la Primera Guerra Mundial y a la Revolución bolchevique en Rusia, el comunismo había ganado fuerza en gran parte de Europa, incluyendo Alemania, dando lugar a disturbios urbanos y a una guerra civil de bajo nivel en los años inmediatamente posteriores a la guerra. Aunque muchos extremistas de extrema derecha veían conspiraciones comunistas en prácticamente todo, era cierto que muchos, si no la mayoría, de los partidos comunistas de Europa tomaron su liderazgo directamente de la Unión Soviética, que era el territorio del antiguo Imperio Ruso.

Entre sus muchos principios, el comunismo proclamó una hermandad entre los hombres (especialmente los de las clases trabajadoras) sin importar la raza. A la irritación de los nacionalistas alemanes se sumaba la idea de que los judíos controlaban el movimiento comunista. Si bien es cierto que varios judíos (incluida la mano derecha de Lenin, Trotski) fueron influyentes en el movimiento comunista, también es cierto que fueron una minoría en ese movimiento y experimentaron prejuicios tanto dentro como fuera del Partido Comunista.

Aun así, dada la terrible situación de Alemania después de la Primera Guerra Mundial, la trágica tendencia humana a "buscar un chivo expiatorio" señaló a los judíos y comunistas por todos los problemas que afectaron a la nación en los años posteriores a la Primera Guerra Mundial. Por lo tanto, no debería sorprender al lector que cuando Hitler comenzó a contemplar su invasión de la Unión Soviética (URSS), con la que había firmado un pacto de no agresión en 1939, puso un blanco muy grande en la ciudad de Leningrado, el hogar del comunismo soviético.

Hitler había proclamado su deseo de conquistar las tierras de la Unión Soviética en su libro *Mein Kampf,* escrito a principios de los años 20. Creía que la atestada Alemania, que tenía casi setenta millones de personas hacinadas en un espacio un poco más grande que los Estados Unidos de Washington y Oregón juntos, "merecía" (por su superioridad) expandirse a los espacios "abiertos" de la Unión Soviética.

Si bien era cierto que había vastas zonas desocupadas en la Unión Soviética, se estimaba que todavía vivían allí 140 millones de personas. Para Hitler, sin embargo, estos pueblos, en su mayoría eslavos, se encontraban entre los *Untermensch* ("subhumanos") del mundo, que estaban destinados a servir a los alemanes o a morir.

Por su parte, Stalin suspiró aliviado cuando firmó el pacto con Hitler. Aunque sus fuerzas armadas eran enormes, recientemente había ordenado una purga del cuerpo de oficiales, con el resultado de que muchos de los oficiales más experimentados del Ejército Rojo habían sido asesinados o destituidos/castigados. Además, Stalin había visto la facilidad con la que Hitler había tomado Polonia, pero más importante aún, había visto a Hitler derrotar a las principales potencias militares de Europa, Francia y Gran Bretaña, en su toma de posesión de Europa Occidental. El líder soviético sabía que su ejército no estaba ni de cerca preparado para enfrentarse a la *Wehrmacht* alemana, como se conocía a las fuerzas armadas de Hitler.

En su libro, Hitler había declarado que el mayor error alemán de la Primera Guerra Mundial fue luchar una guerra en dos frentes, uno contra Francia y Gran Bretaña (que incluía a los EE.UU. en 1917) en el oeste y otro con Rusia en el este. Aunque Hitler hizo lo mismo en 1941 cuando ordenó la invasión rusa, Hitler creía que con las fuerzas de Gran Bretaña esencialmente embotelladas en su isla natal, había derrotado esencialmente a los británicos, y que se pondrían de acuerdo en algún momento en el futuro cercano. Aunque fue un error colosal, es fácil ver cómo Hitler lo cometió. Aparte del lejano frente en el norte de África, los británicos estaban esencialmente atrapados en su isla y, al menos por el momento, no representaban una amenaza real para la retaguardia de Alemania si Hitler giraba hacia el este.

En el pensamiento de Hitler figuraba la noción, compartida por muchos de sus generales (pero no todos), de que la Unión Soviética sería rápidamente derrotada, al igual que lo había sido la poderosa Francia. Después de todo, en 1941, los soviéticos habían librado una guerra con la pequeña Finlandia en la que salieron victoriosos, pero esto se debió únicamente a la abrumadora cantidad de tropas y a la superación de la actuación realmente pobre de los líderes y del campo de batalla que tuvo lugar durante la primera parte del conflicto.

El plan de Hitler para invadir la URSS se solidificó con la actuación del Ejército Rojo en Finlandia. En el invierno de 1940, ordenó a sus comandantes que terminaran los planes para la invasión y estuvieran listos para atacar el 15 de mayo de 1941. Sin embargo, sin que Hitler lo supiera, su aliado fascista italiano, Benito Mussolini, que estaba empeñado en reclamar un "nuevo Imperio romano" para sí mismo, atacó Grecia en el otoño de 1940.

A principios de 1941, estaba claro que Mussolini necesitaba ayuda para someter a los griegos. Hitler no solo envió importantes tropas a Grecia, sino que también se vio obligado a invadir y conquistar Yugoslavia después de que ese país sufriera un golpe de Estado, en el que obligaron a un rey pro-alemán a abandonar el poder y lo reemplazaron por su hijo pro-Aliado, que se negó a conceder a Hitler el paso por su país.

Aunque Hitler sometió tanto a Yugoslavia como a Grecia, estos "espectáculos" le hicieron perder más de un mes de su calendario, lo que probablemente fue un mes crucial, ya que el invierno ruso se iniciaría en noviembre de 1941, las tropas alemanas estaban a las puertas de Moscú. Es muy probable que si los alemanes hubieran llegado a las afueras de la capital soviética antes de que llegara la nieve, Moscú y tal vez la guerra hubiera sido suya.

El comienzo del invierno también puede haber impedido a los alemanes tomar la "Venecia del Norte" y el hogar de la Revolución bolchevique: Leningrado.

Capítulo 3 – El plan

El 22 de junio de 1941, tres millones de soldados alemanes invadieron la Unión Soviética. Con ellos había grandes grupos de rumanos, húngaros y finlandeses. Cada una de estas naciones tenía quejas y reclamos históricos contra Rusia y se unieron a Hitler en su plan para destruir la Unión Soviética.

Para los propósitos de este libro, son los finlandeses los que más nos preocupan entre los aliados de Hitler. Como parte del antiguo Imperio ruso, al que Lenin le concedió a regañadientes la independencia en 1918, los finlandeses habían sufrido un costoso levantamiento comunista respaldado por los soviéticos y una guerra civil, y fueron atacados por los soviéticos a finales de 1939.

Como se ha mencionado, el Ejército Rojo pagó un alto precio por sus logros en Finlandia, los que incluyeron la posesión de varias islas fortificadas en el golfo de Finlandia (que conducían directamente a Leningrado), la cesión de una zona en el extremo norte cerca de la costa del mar Blanco, y lo que es más importante, la península de Carelia, que se encuentra entre el golfo de Finlandia y el gran lago Ladoga al norte, que es la ruta más directa a Leningrado desde el oeste.

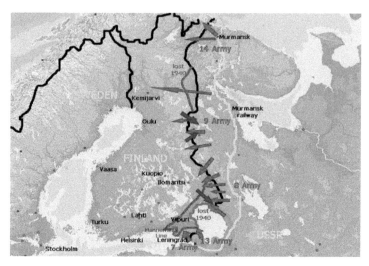

Ilustración 2: Etapas finales y línea final de la guerra soviético-finlandesa de 1940 (cortesía de ww2total.com)

Como se puede ver en el mapa, al final de la guerra, los soviéticos habían logrado empujar al ejército finlandés fuera de la península de Carelia, proporcionando una zona de amortiguación para Leningrado en caso de que un ataque llegara de esa manera otra vez. La Alemania anterior a Hitler había proporcionado tropas y ayuda a Finlandia durante la guerra civil finlandesa, y un número importante de finlandeses se habían ofrecido como voluntarios para luchar por Alemania en Francia durante la Primera Guerra Mundial, por lo que un ataque germano-finlandés a través de la península de Carelia era algo que debía ser considerado seriamente por Stalin y el Ejército Rojo.

En los meses anteriores a la invasión alemana de la URSS, Hitler había consultado con los finlandeses, específicamente con el comandante de las fuerzas armadas finlandesas, el mariscal de campo Carl Gustaf Emil Mannerheim, y los convenció de que se unieran en sus esfuerzos contra Stalin. Sin embargo, Mannerheim y los finlandeses, no del todo convencidos de que Hitler podía derrotar a los soviéticos, aseguraron sus apuestas para el futuro: aceptaron unirse a Hitler en su ataque contra Rusia, pero solo hasta recuperar la tierra que habían perdido en la guerra de invierno de 1939-1940. Esto significaba que los finlandeses, con un ejército que había crecido en tamaño de 450.000 a 700.000, no participarían en el ataque y sitio de Leningrado, que fue otro factor que pudo haberle costado la ciudad a Hitler.

Los finlandeses proporcionaron a Hitler datos de inteligencia importantes de bajo nivel como los movimientos de tropas locales, al comienzo de la campaña, los que resultaron útiles, pero los finlandeses mantuvieron su posición, apoderándose solo de las tierras que habían perdido ante Stalin en 1940. Durante el resto del conflicto, Hitler presionaría y engatusaría a los finlandeses para que atacaran más lejos de lo que habían acordado, pidiéndoles, en particular, que ayudaran en el sitio de Leningrado bombardeando la ciudad. Aparte de tal vez algunos proyectiles perdidos, los finlandeses se abstuvieron de participar en el sitio de la ciudad hasta que se rompió en 1944. Sin embargo, presionaron y amenazaron con moverse al norte de la ciudad, lo que obligó a los soviéticos a mantener fuerzas sustanciales del centro de Leningrado. Sin embargo, para 1944, la ventaja soviética en tropas y en material era tan grande que el pequeño esfuerzo de los finlandeses se redujo a prácticamente nada.

Hitler, desafiando a sus generales que deseaban avanzar con todo hacia Moscú cuando comenzó la invasión alemana, creyó que Leningrado debía ser el objetivo principal, seguido en prioridad por la cuenca de Donéts del sur de Rusia y Ucrania (una fuente de muchas materias primas) y luego Moscú.

Leningrado fue el primero en la lista de Hitler por varias razones. Primero, como se ha dicho, el simbolismo de Leningrado como "Hogar de la revolución" no se le escapó a Hitler ni a muchos otros alemanes. Al tomar la ciudad, esperaba dar un golpe simbólico contra el comunismo.

En segundo lugar, Leningrado era el hogar de cientos de fábricas, tanto grandes como pequeñas, y era uno de los mayores centros industriales de la URSS, que por sí solo constituía alrededor del 11 por ciento de la producción industrial de la nación. Tomando la "segunda ciudad" soviética, tal vez estaría dando un golpe mortal a su capacidad industrial.

En tercer lugar, Leningrado fue el hogar de la flota soviética del Báltico. Si Hitler podía tomar la ciudad, los soviéticos se verían obligados a abandonar y/o hundir sus barcos. Ni siquiera podrían usar su potencia en defensa de la ciudad, que fue algo que hicieron durante todo el sitio, incluso moviendo los grandes cañones principales del famoso crucero *Aurora* a las Colinas de Púlkovo al sur de la ciudad para bombardear las posiciones alemanas.

Por último, la captura de Leningrado supondría un serio golpe para la moral del pueblo soviético. Hitler y muchos otros en Alemania creían que debido a la naturaleza dura del régimen soviético, las rápidas y sucesivas derrotas del Ejército Rojo y la captura de importantes territorios y ciudades harían que el régimen se desmoronara desde dentro. Si ese era el caso, Hitler creía que podía obligar a los rusos a cederle todos sus territorios al oeste de los Montes Urales. Las famosas palabras de Hitler cuando los alemanes planearon la campaña fueron: "Solo debemos patear la puerta, y toda la estructura podrida se vendrá abajo". Incluso llegó a hacer imprimir invitaciones para una gran recepción en el famoso Hotel Astoria de Leningrado que se celebraría cuando la ciudad cayera.

Capítulo 4 – El ataque

El 22 de junio de 1941 comenzó la invasión de la Unión Soviética, llamada Operación Barbarroja. A pesar de las advertencias de sus servicios de inteligencia, espías y militares de que Hitler planeaba atacarlo, Stalin fue atrapado por el ataque alemán. Normalmente el más paranoico de los pueblos, el dictador soviético (por razones de las que nadie está seguro) fue sorprendido por el asalto de Hitler. Algunos creen que fue porque no podía concebir que Hitler cometiera el mismo error garrafal (una guerra de dos frentes) que había criticado tan vehementemente en su libro *Mein Kampf.*

Otros pensaban que Stalin no podía imaginar que Hitler, que recibía cantidades *masivas* de materias primas y alimentos soviéticos bajo el pacto nazi-soviético de 1939 a buenos precios, se arriesgara a la guerra cuando podía tener casi todo lo que quería sin disparar un solo tiro.

Otra razón que los historiadores plantean es que Stalin sabía de la inmensa fuerza que tenía a su disposición. Aunque los soviéticos estaban todavía en proceso de reorganización después de las purgas de Stalin y la guerra de invierno con Finlandia, la fuerza del Ejército Rojo, al menos en el papel, era enorme. Sin embargo, había algunas salvedades sobre el gran número de hombres y máquinas soviéticas.

En primer lugar, muchas formaciones soviéticas, sobre todo las divisiones de infantería, estaban mal entrenadas y carecían de experiencia. En algunos casos, no había suficientes armas personales para cada hombre. Muchos de quienes manejaban las líneas del frente contra los alemanes eran apenas reclutas, algunos de ellos tenían menos de cinco días de entrenamiento o incluso menos.

En segundo lugar, aunque los soviéticos contaban con un gran número de tanques y otros vehículos blindados, gran parte de ellos estaban obsoletos. Sin embargo, al comienzo de la batalla, los soviéticos poseían dos de los mejores tanques del mundo en ese momento: el T-34 y el KV-1. Aun así, esos tanques eran relativamente nuevos y solo estuvieron presentes en los campos de batalla durante el verano de 1941 en pequeña cantidad. Además, aunque la mayoría de las fuerzas blindadas soviéticas habían recibido más y mejor entrenamiento que sus homólogas de infantería, seguían siendo inferiores en entrenamiento en comparación con los alemanes, especialmente en lo referente a comunicación y a la guerra de maniobras masivas.

En tercer lugar, grandes formaciones soviéticas se situaron en el Lejano Oriente a lo largo de sus fronteras con China y Mongolia para protegerse de un posible ataque de los japoneses, que habían estado ampliando su territorio en Asia desde 1931 y tenían millones de hombres en China. El Ejército Rojo y el Ejército Imperial Japonés se habían enfrentado en numerosas ocasiones entre mayo y septiembre de 1939 en la zona de Jaljin Gol, en Mongolia, y aunque estos enfrentamientos terminaron en victorias soviéticas, a Stalin le preocupaba que los japoneses intentaran avanzar en la Siberia rica en minerales mientras él luchaba contra Hitler en el oeste. No fue hasta finales de 1941 que los espías soviéticos informaron de que el ejército japonés estaba planeando un ataque ofensivo hacia el oeste contra las posesiones estadounidenses y británicas en el Pacífico. Al escuchar esto, Stalin movió estas tropas para luchar contra Hitler.

Aun así, Stalin era el comandante de la mayor fuerza armada del mundo, y a pesar de las rápidas victorias alemanas en 1939-1940, estaba convencido de que sus fuerzas podían hacer frente a Hitler. El propio Hitler, reunido con el mariscal finlandés Mannerheim en el cumpleaños de este último en 1942, se registró diciendo que si hubiera sabido de la enorme fuerza de los soviéticos, podría haber retrasado o incluso cancelado su ofensiva. Una nota interesante sobre esta discusión es que es la única grabación de voz sobreviviente de Hitler participando en una conversación.

En los primeros días del ataque, Stalin parecía haber entrado en una depresión, que fue provocada por el shock del ataque de Hitler. No hizo ningún discurso sobre la invasión hasta la primera mitad de agosto, dejando el asunto en manos de su ministro de Asuntos Exteriores, Viacheslav Mólotov.

La única orden real que dio Stalin fue que el Ejército Rojo atacara en todas partes. Esto jugó a favor de los alemanes, cuyas tácticas de blitzkrieg ("guerra relámpago") requerían la penetración profunda de los blindados en las líneas del frente del enemigo, para cortar los suministros y los refuerzos, y sembrar el pánico en la retaguardia enemiga y rodear las formaciones enemigas, con la infantería moviendo y/o manteniendo al enemigo en posición hasta que las unidades blindadas pudieran atacar por la retaguardia.

En las primeras semanas de la guerra en el este, los soviéticos trataron de frenar el ataque alemán con ataques y contraataques, aparentemente aleatorios y mal organizados. Como Hitler al final de la guerra, cuando intentó convencerse de que sus soldados "ardor nacional socialista" ganarían a pesar de todo, al comienzo de la Operación Barbarroja, Stalin instó a sus hombres (y, con el tiempo, a las mujeres) en el frente a luchar como "buenos comunistas".

En caso tras caso, los soviéticos atacaron sin importar el costo en vidas humanas. Como mucha gente en Occidente vio en la película sobre la posterior batalla de Stalingrado, *Enemigo al acecho* (2001), se ordenó a los hombres que avanzaran sin armas y se les instruyó que recogieran los fusiles y ametralladoras de los que habían muerto delante de ellos.

En algunos lugares, como en la enorme batalla de Smolensk y unos cuantos otros, el Ejército Rojo luchó con habilidad y tenacidad, pero las tácticas y el hábil mando alemán aún ganaron. Cientos de miles de tropas soviéticas fueron asesinadas, y en las llanuras abiertas y las colinas del oeste de Rusia y Ucrania, millones de hombres del Ejército Rojo fueron rodeados y capturados. En el transcurso de la guerra, se estima que cinco millones de soldados soviéticos murieron en o como resultado del cautiverio alemán.

El ataque alemán se produjo en tres grandes momentos y se dividió en tres "Grupos de Ejército": Norte, Centro y Sur, que se organizaron de norte a sur. El objetivo del Grupo de Ejército del Sur bajo el mando del mariscal de campo Gerd von Rundstedt (1875-1953) era apoderarse de Ucrania, la cuenca de Donetsk y la costa del mar Negro. El Grupo de Ejército Centro tenía la tarea de destruir los ejércitos que defendían Moscú y tomar la capital, y estaba comandado por el mariscal de campo Fedor von Bock (1880-1945).

Los objetivos del Grupo de Ejército Norte incluían la conquista de los países bálticos, donde porciones considerables de la población los acogieron como libertadores, y la toma de Leningrado. El comandante del Grupo de Ejército Norte era el mariscal de campo Wilhelm von Leeb (1876-1956), que había sido ascendido al rango más alto del ejército alemán junto con los otros dos comandantes del Grupo de Ejército tras la derrota de Francia.

Ilustración 3: Una visión general de las etapas iniciales de la invasión alemana de la URSS

Ilustración 4: Parte de los Estados Unidos en relación con la zona de la Operación Barbarroja

Leeb fue un veterano condecorado de la Primera Guerra Mundial que añadió el título de "Ritter" ("Ritter" es similar a un caballero) a su nombre al ganar el Pour le Mérite (también conocido como el "Max Azul"), la mayor condecoración militar anterior a la Segunda Guerra Mundial en Alemania. A pesar de que Leeb se oponía a Hitler, fue sosegado por el Führer con títulos y tierras. Esto no le impidió criticar los planes de invadir la neutral

Bélgica en 1940, pero aun así siguió las órdenes. Por su parte en la campaña occidental, fue nombrado mariscal de campo. Como verán, el avance alemán sobre Leningrado se estancó a principios del invierno de 1941, y Von Leeb fue reemplazado, después de lo cual pidió retirarse. Permaneció al margen durante el resto de la guerra, pero por sus acciones durante la Operación Barbarroja, en la que las unidades bajo su mando cometieron cientos de atrocidades, fue procesado por crímenes de guerra una vez que la guerra terminó. Lamentablemente él, como muchos otros, solo cumplió una sentencia relativamente leve de tres años.

Ilustración 5: Foto autografiada de Von Leeb, con la bastón del mariscal de campo, 1940

En tres semanas, el Grupo de Ejército Norte había penetrado más de 300 millas en los países bálticos, que habían sido anexados por Stalin en 1940. Lituania, la mayor parte de Letonia y parte de Estonia fueron tomadas por los alemanes el 10 de julio. Sin embargo, a medida que los alemanes se acercaban al área de Leningrado, la resistencia soviética se endureció. Del 10 de julio al 25 de agosto, los alemanes se movieron otros 150 kilómetros más cerca de la ciudad, que era la mitad de la distancia que habían recorrido en su viaje a los países bálticos en la misma cantidad de tiempo. Las últimas 50 millas hasta las puertas de Leningrado fueron cubiertas en poco más de dos meses, pero Leningrado quedó cortada por tierra el 8 de septiembre. Las fuerzas alemanas se adentraron más en la URSS, llegando a Tijvin el 8 de noviembre.

Por supuesto, el ataque del Grupo de Ejército Norte no se centró únicamente en Leningrado, aunque la ciudad era su principal objetivo. El área de responsabilidad del Grupo de Ejército Norte limitaba con el mar Báltico en el norte hasta una línea artificial a unas 200 millas al sur, donde se encontraba el área de operaciones del Grupo de Ejército B.

Al norte, los finlandeses habían comenzado su esfuerzo por recuperar su territorio perdido el 25 de junio, tres días después del comienzo de Barbarroja. A finales de julio, habían alcanzado sus antiguas fronteras y, con algunas pequeñas excepciones por razones de necesidad militar, detuvieron sus ataques allí. En septiembre, Hitler envió el primero de muchos enviados a Finlandia en un intento de convencerlos de que avanzaran su ataque más lejos, hacia Leningrado y hacia la Unión Soviética. Como se mencionó anteriormente, todos estos esfuerzos fueron amablemente rechazados.

Curiosamente, los españoles, a cuyos fascistas victoriosos Hitler había ayudado en su guerra civil contra sus enemigos comunistas apoyados por los soviéticos, enviaron una división de hombres al Frente Oriental. Esta fue conocida como la División Azul, y pasaron gran parte de su tiempo en el borde sur del Grupo de Ejército Norte.

Cuando el Grupo del Ejército Norte se acercó a Leningrado, incluía unas veintinueve divisiones, tanto de infantería como de armamento, y un brazo de la Flota Aérea de la Luftwaffe. Aunque era el más débil de los grupos del ejército alemán, el Grupo del Ejército Norte todavía contaba con unos 750.000 a 800.000 hombres cuando comenzó la batalla. (Ver Apéndice A).

Las fuerzas soviéticas en las zonas del Báltico y Leningrado ascendieron a casi un millón de hombres. La organización y los números de los frentes del Báltico y de Leningrado (siendo el frente la designación soviética equivalente al Grupo de Ejército Alemán) al comienzo de la batalla se encuentran en el Apéndice B al final de este libro.

El sitio de Leningrado comenzó oficialmente el 8 de septiembre de 1941, cuando todo contacto físico con el mundo exterior, excepto el lago Ladoga, había sido cortado completamente. Comenzaron entonces los "900 días".

Capítulo 5 – Civiles y defensa

El comandante soviético de la zona de Leningrado (el Frente Norte) al comienzo de la guerra era el Teniente General Markián Popov (1902-1969). Popov se había unido al Ejército Rojo a la edad de 18 años y luchó en los últimos días de la guerra civil rusa. Fue uno de los pocos oficiales superiores que sobrevivieron a las purgas de Stalin a finales de la década de 1930, y era conocido por ser despiadado cuando era necesario. En junio de 1941, justo antes de la invasión alemana, fue nombrado comandante del Distrito Militar de Leningrado, y dos días después de la invasión, se convirtió en el comandante del Frente Norte. Como tal, trabajó mano a mano con el Consejo de Diputados en Leningrado para establecer un perímetro defensivo alrededor de la ciudad. Popov pronto sería trasladado a otro comando, y el comando del Distrito Militar de Leningrado pasaría al mariscal Kliment Voroshílov, que es quizás más conocido por tener la famosa serie de tanques soviéticos "KV" con su nombre.

Ilustración 1: Popov después de la guerra

Alrededor de la ciudad, se construyeron y/o excavaron una serie de fuertes cinturones defensivos. Los civiles fueron presionados a cumplir con su deber, pero aunque la disciplina era dura para holgazanear o no presentarse, la mayoría de los leningradenses no necesitaban coerción para trabajar en las almenas. Muchos de los ciudadanos mayores habían estado expuestos o habían tenido experiencia en la guerra. También ayudó que a medida que las líneas alemanas se acercaban cada vez más a la ciudad, los métodos y el comportamiento de los alemanes se hicieron cada vez más claros, a medida que los refugiados del oeste de Rusia llegaban a la zona. La propaganda soviética naturalmente hizo su trabajo, pero la crueldad de los nazis esencialmente creó los titulares sin mucha necesidad de contar la historia.

En el momento del primer bombardeo alemán de la ciudad a finales de agosto, muchas de las estructuras defensivas alrededor de la ciudad estaban completas o casi. El historiador Richard Bidlack de la Universidad de Washington y Lee recopiló la extensión de los cinturones defensivos. La primera, que ya estaba en marcha y se estaba modernizando, fue la Región Fortificada de Carelia, que limitaba con Finlandia. Soldados, marineros y civiles cavaron unas 430 millas de profundas y amplias zanjas antitanques, unas impresionantes 16.000 millas de trincheras en un sistema que recorría toda la zona de Leningrado durante muchas millas cuadradas, más de 5.000 pastilleros fortificados (tanto de tierra como de madera y hormigón armado), casi 200 millas de barricadas de madera y casi 400 millas de enredos de cables. Es probable que los alemanes hayan necesitado un milagro para atravesar estas defensas y entrar en la ciudad.

Ilustración 7: En estas dos fotos de 1941, vemos a leningradenses de todas las edades cavando trincheras. Las temperaturas en el invierno de 1941 alcanzaron los -40°F

La población de Leningrado antes de la guerra era de 3,1 millones, con otros aproximadamente 400.000 viviendo en los suburbios alrededor de la ciudad. A pesar de la propaganda soviética al principio de la campaña que decía que los alemanes se detendrían antes de acercarse a Leningrado, las evacuaciones de niños y ancianos comenzaron un mes y medio antes de que los alemanes bloquearan la ciudad. Debido a la falta de transporte, a la agitada situación de guerra y a la prioridad dada a los suministros y hombres militares, muchos niños, ancianos y enfermos permanecieron en la ciudad durante el primer horrible invierno de 1941-1942. Eventualmente, se estima que 1,8 millones de personas serían sacadas de la ciudad y reubicadas en varias partes de la Unión Soviética. La mayoría de ellos se asentarían lejos de las líneas del frente: las granjas de Asia Central, las fábricas de los Urales, y algunas a lo largo del río Volga. Unos pocos desafortunados fueron evacuados a una ciudad llamada Stalingrado.

La Segunda Guerra Mundial (o la Gran Guerra Patriótica, como todavía se conoce en Rusia y otras partes de la antigua Unión Soviética) en el Este fue una guerra de exterminio y esclavitud. La rendición significaba la muerte, tanto para los millones de personas que perecieron en los campos de prisioneros de guerra, concentración y exterminio (los prisioneros de guerra rusos fueron los "conejillos de indias" para probar la eficacia del gas venenoso Zyklon B en Auschwitz-Birkenau), como para muchos de los civiles que se encontraban tras las líneas enemigas.

Con ese fin, como se ha leído anteriormente con la movilización de la población en la fortificación de la ciudad, se creó la Milicia Popular ("Narodnoe Opolcheniye" en ruso). En la zona de Leningrado se levantaron finalmente un total de diez divisiones. Algunas de ellas se convirtieron en divisiones regulares y participaron en el resto de la guerra. Al principio, estos grupos estaban mal armados, pero en su mayoría, muy animados, y participaban con entusiasmo en la defensa de su ciudad. A finales de la primera semana de julio, estas unidades contaban con casi 100.000 hombres. Muchos de los oficiales eran oficiales retirados del Ejército Rojo, miembros de las reservas, trabajadores, y muchos de los estudiantes de secundaria y universitarios más antiguos de la ciudad.

Ilustración 8: Miembros de la milicia popular recibiendo el excelente fusil Mosin-Nagant, Leningrado, 1941

Como se mencionó, el mando general del Distrito Militar de Leningrado recayó en el mariscal Kliment Voroshílov. Trabajando y observando a Voroshílov estaba Andréi Zhdánov, un alto funcionario del Partido Comunista y amigo de Josef Stalin. De hecho, se pensaba que Zhdánov sería el sucesor de Stalin cuando la guerra terminó, pero murió antes que él. Tanto Voroshílov como Zhdánov podían ser totalmente despiadados cuando se necesitaba. Voroshílov había firmado la orden para la infame masacre de Katyn de 1940 en Polonia, donde miles de oficiales y funcionarios polacos fueron ejecutados y enterrados en fosas comunes. Zhdánov había firmado personalmente cientos de órdenes de ejecución durante el decenio de 1930 y había ayudado a Stalin a poner en marcha el Gran Terror del decenio de 1930, en el que millones de personas fueron encarceladas o asesinadas. En el caso de los numerosos infractores de la ley y desertores, los dos funcionarios organizaron a menudo un juicio en el lugar, que rápidamente condenó a los "criminales" y firmó u ordenó su muerte por fusilamiento.

Voroshílov fue personalmente muy valiente, y al menos en una ocasión, lideró un contraataque soviético desde el frente, pistola en mano. Sin embargo, no era el más grande pensador militar. En septiembre, el mismo día que los alemanes habían completado su cerco a Leningrado, Stalin relevó a Voroshílov del mando y lo envió a otra parte. Su sustituto se convertiría en el comandante soviético más famoso de la guerra, el general (y más tarde mariscal de campo) Gueorgui Zhúkov.

Ilustración 9: Zhúkov durante el ataque a Berlín, 1945

Zhúkov fue para el esfuerzo bélico soviético lo que Dwight D. Eisenhower fue para los americanos y lo que Bernard Montgomery fue para los británicos. Los tres comandaban los ejércitos de sus naciones en Europa, y a los tres se les dio crédito por su participación en la derrota de Hitler.

Sin embargo, el lugar de Zhúkov en la historia militar rusa es diferente. A partir de 1938, con él al mando de las fuerzas soviéticas durante la derrota de los japoneses en Mongolia, Zhúkov estuvo al mando directo o participó en las más famosas victorias soviéticas de la guerra: la contención de los alemanes en Leningrado, su derrota a las puertas de Moscú, el arquitecto de la victoria en Stalingrado, una figura clave en la mayor batalla de tanques de guerra en Kursk en 1943, y el comandante del mayor grupo del ejército soviético en la victoria de Berlín. De hecho, es su rostro el que más se asocia con la victoria soviética, junto con el de Stalin. Después de la guerra, Stalin vio a Zhúkov como una amenaza política y lo envió lejos de Moscú a comandos de poca importancia. Más tarde, Zhúkov protagonizaría un regreso, pero en 1957, volvió a caer en desgracia, esta vez con el Premier Nikita Jrushchov, y murió en un tranquilo retiro.

A veces se ha comparado a Zhúkov con el general americano Ulysses S. Grant. Él, como Grant, sabía que tenía la ventaja de los números y que podía permitirse perder muchos más hombres que el enemigo. Aun así, Zhúkov era un brillante estratega, solo hay que mirar la magistral posición soviética y el contraataque en Stalingrado para verlo, y era además, un maestro de la logística.

Zhúkov se quedó con el mando general de Leningrado incluso mientras organizaba la defensa de Moscú y el exitoso contraataque soviético allí en diciembre de 1941. En abril de 1942, después de que la peor parte del primer sitio invernal terminara, el comando en tierra en Leningrado fue dado al General (más tarde mariscal de Campo) Leonid Góvorov, quien comandó la defensa de la ciudad hasta que el sitio se rompió en 1944.

Ilustración 10: Góvorov, a quien se consideraba un maestro en el uso de la artillería, al final de la guerra

Capítulo 6 – El campo de batalla

Durante los 900 días, cientos de batallas, grandes y pequeñas, tuvieron lugar. Para los soldados de la *Wehrmacht* y el Ejército Rojo, muchos de los cuales permanecieron en la zona durante el sitio, el tiempo perdió significado, quizás solo se notaba cuando las estaciones cambiaban. Los inviernos en Rusia eran brutalmente fríos. El otoño y la primavera eran templados en su mayor parte, pero esos meses por lo general estaban llenos de lluvia, lo que a menudo convertía el campo de batalla, las trincheras y los caminos en un mar de barro increíblemente descuidado y profundo. El verano era tolerable, excepto que en el Extremo Norte, el verano, especialmente en aquellas áreas cercanas al agua, era una época de enjambres de mosquitos que literalmente dificultaban la respiración.

Para los alemanes, así como para los ciudadanos soviéticos de Leningrado, la peor época, obviamente, era el invierno. Los años de guerra vieron algunos de los inviernos más fríos del siglo XX en toda Europa, y en Rusia, fue mucho peor. Como mucha gente sabe, el ejército alemán no estaba preparado para el invierno ruso.

Hay dos razones principales para esto. En primer lugar, el invierno ruso tiene que ser experimentado, y aunque uno puede leer sobre ello en un libro (lo que Hitler obviamente no hizo, según un discurso del primer ministro británico Winston Churchill), nada puede preparar a una persona para temperaturas de -40°F. Piense en eso por un momento: en un día en que hay 40°F afuera, se usa un suéter y tal vez un abrigo y una chaqueta. Si la temperatura sube 30 grados, se puede usar una camisa de manga corta y pantalones cortos, pero si hay -40°F y la temperatura sube 30 grados, ¡siguen siendo -10°F!

En segundo lugar, el comando alemán, empezando por Hitler, esperaba y se preparaba para una rápida victoria, y en las primeras semanas de la batalla, parecía que tenían razón, pero como ha leído, la resistencia soviética se reforzó, y los alemanes fueron detenidos en las afueras de Leningrado en septiembre y en Moscú en noviembre.

Hay que mencionar, sin embargo, que si bien es cierto que los soviéticos estaban mejor preparados para el frío que los alemanes, eso no significa que no sufrieran. La congelación mató a miles de hombres (y mujeres y niños en la ciudad) de ambos lados. Los soldados soviéticos, especialmente en ese primer año de la guerra, sufrieron una escasez de botas, guantes y parkas adecuadas. En la ciudad, las cosas eran peores.

En el resto de este capítulo, lo llevaremos a través de los principales acontecimientos militares del sitio. En los capítulos siguientes leerá sobre el sufrimiento de los que estaban dentro de la ciudad y los esfuerzos de los soviéticos para aliviar ese sufrimiento.

El primer ataque a Leningrado se produjo al día siguiente de que comenzara la Operación Barbarroja cuando los alemanes enviaron una oleada de bombarderos medianos Junkers 88 sobre la ciudad. Se hizo poco daño, y los soviéticos se anotaron una victoria propagandística cuando una de las tripulaciones de bombarderos se vio obligada a hacer un aterrizaje de emergencia dentro del anillo defensivo soviético. La tripulación sobrevivió y desfiló ante las cámaras y ciudadanos soviéticos.

Los alemanes continuaron enviando bombarderos sobre la ciudad mientras se acercaban. El 8 de septiembre de 1941, completaron el cerco de la ciudad con la captura de Shlisselburg, en el extremo sur del lago Ladoga, tras lo cual comenzaron a bombardear Leningrado con cañones y morteros de todos los tamaños, incluyendo algunos de los mayores cañones de sitio de la guerra, que disparaban proyectiles que pesaban hasta cuatro toneladas métricas. Las primeras bajas en la ciudad propiamente tal se muestran a continuación. La visión de cuerpos tirados en la calle se convertiría en algo muy común para la gente de Leningrado.

Ilustración 11: Los muertos del bombardeo, en las esquinas de las avenidas Nevsky y Ligorsky, 8 de septiembre de 1941

Los alemanes penetrarían tan al este como Tikhvin, pero pronto se verían obligados a abandonar esa ciudad, a unas 134 millas de Leningrado. Su cerco en el este se centraría en la ciudad de Volkhov durante la mayor parte del sitio.

A medida que se acercaban a la ciudad, y a medida que enviaban más y más aviones (tanto de combate como de reconocimiento fotográfico) sobre la ciudad y sus defensas, los alemanes se dieron cuenta de que irrumpir en la ciudad sería muy costoso. En primer lugar, y más obviamente, habría muchas bajas alemanas. Segundo, tendrían que lidiar con la población de la ciudad, y aunque los alemanes ya habían demostrado que podían ser despiadados en sus ocupaciones, tomar la ciudad misma significaría dejar un número considerable de hombres para mantener el control.

Así que, a partir de septiembre, Hitler emitió una serie de edictos y discursos en los que dejó claro al mundo y a sus militares que "no tenía ningún deseo de salvar las vidas de la población civil" y que "Leningrado debía morir de hambre".

Militarmente, el frente de Leningrado era lo que un soldado podría llamar relativamente tranquilo, pero cuando se considera lo que "tranquilo" podría significar en el contexto de la Segunda Guerra Mundial en el Frente Oriental, bueno... La acción alrededor de Leningrado, con algunas excepciones, recordaba mucho a la guerra de trincheras de la Primera Guerra Mundial, y los soldados del Ejército Rojo en las trincheras estaban sujetos a constantes (o a la amenaza de constantes) bombardeos de cañones y del aire. Por supuesto, los soldados alemanes en las trincheras estaban sujetos a lo mismo, lo que solo aumentó en volumen a partir de la primavera de 1942.

Cada lado desplegó francotiradores por toda la zona, con la esperanza de matar particularmente a los oficiales, pero matando a cualquiera lo suficientemente tonto o inexperto como para levantar la cabeza durante demasiado tiempo. Cada lado contó quizás miles de muertes debido al fuego de los francotiradores en el curso del sitio. Aunque tal vez hubo "duelos de francotiradores" que rivalizaron con el famoso (y probablemente ficticio) duelo entre el francotirador soviético Vasily Záitsev (que era real) y el mayor alemán Erwin König (que no lo era), es probable que estos duelos solo sean conocidos por los investigadores y los militares interesados en los francotiradores. Sin embargo, sabemos que además de los cientos de valientes hombres que se aventuraron en "tierra de nadie" para cazar al enemigo, los soviéticos desplegaron un número considerable de mujeres.

Además, los soviéticos lanzaron incursiones de tipo guerrillero y grupos de exploración en las líneas alemanas y capturaron ciudades y pueblos. No solo observaron las unidades y movimientos alemanes, sino que también se reunieron con civiles soviéticos. Obtuvieron información de estos civiles y les hicieron saber en términos inequívocos que los estaban vigilando y que las penas por colaboración serían severas. En áreas remotas de las zonas capturadas, algunas unidades soviéticas realizaron juicios del tambor, en los que se dictaron sentencias de muerte por fusilamiento.

Una vez que los alemanes establecieron su anillo alrededor de la ciudad, las líneas del frente permanecieron sin cambios durante los siguientes 800 días.

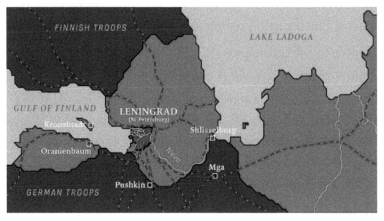

Ilustración 12: Líneas del frente de Leningrado, 1941-1943
(cortesía de strategic-culture.org)

En enero de 1942, después de que el éxito de la defensa y el contraataque en Moscú había alejado a los alemanes de la capital soviética a unas 150 o 200 millas, Stalin buscó otra oportunidad para empujar a los alemanes hacia el oeste y para levantar la moral del país. El 7 de enero, un ataque comenzó en las costas sudorientales del lago Ladoga en el norte hasta la costa norte del lago Ilmen en el sur, un frente de unos 150 a 160 millas de ancho.

Los soviéticos lograron hacer retroceder a los alemanes en algunos lugares, con la penetración más profunda de las líneas nazis proveniente del Segundo Ejército de Choque soviético bajo el mando del General Andréi Vlásov, que más tarde se convirtió en una nota a pie de página de la historia al desertar ante los alemanes y dirigir el Comité para la Liberación de los Pueblos de Rusia. Este comité, que consistía en unos 180 generales y oficiales soviéticos y algunos miles de hombres, luchó por los alemanes, en realidad solo lucharon contra el Ejército Rojo una vez, dos meses antes de la derrota de Hitler. Viendo lo que estaba escrito en la pared después de este conflicto en el que el comité participó, Vlásov se volvió en contra de los alemanes e intentó congraciarse con los soviéticos. Fue tomado prisionero y colgado después de la guerra.

La ofensiva de principios de 1942 hizo retroceder brevemente a los alemanes, pero el anillo de Leningrado no se rompió.

Hubo dos grandes ofensivas a finales del verano de 1942, una de los soviéticos, y otra de los alemanes. Ambos lados planeaban lanzar ofensivas prácticamente al mismo tiempo. La ofensiva soviética de Sinyavino (llamada así por una ubicación en el frente) comenzó antes de que la operación alemana Nordlicht ("Luces del Norte") pudiera comenzar.

Hitler se dio cuenta de que los convoyes aliados (que ahora incluían a América) llevaban ayuda a la URSS a través del puerto soviético de Múrmansk en el extremo norte (unas 85 millas del frente finlandés/alemán-soviético al oeste) tenían que ser interrumpidos. Los alemanes a veces tenían bastante éxito en la destrucción de muchos de estos convoyes en el mar y, a veces, los detenían completamente, pero nunca lo hicieron de forma permanente. En el otoño de 1942, Hitler decidió que tendría que cortar Múrmansk cortando el ferrocarril que llevaba desde el puerto al resto de la Unión Soviética. También determinó que las considerables fuerzas de Leningrado, que estaban rodeadas en ese momento, serían una amenaza constante para sus esfuerzos y ordenó que la ciudad fuera tomada o destruida. El oficial al mando, el mariscal de campo Georg von Küchler, protestó contra el plan por considerarlo simplemente imposible dado el estado de las defensas de Leningrado y renunció. El mando se le dio a uno de los comandantes más capaces de Hitler, el mariscal de campo Erich von Manstein.

Sin embargo, antes de que la Operación Nordlicht pudiera comenzar, los soviéticos lanzaron su ataque. El ataque soviético tuvo éxito en algunos lugares, pero nunca se puso en marcha. Cuando Manstein contraatacó y rodeó al mencionado Ejército de Choque Soviético, la ofensiva soviética se detuvo, y el sitio y el cerco alemán continuaron. En el contraataque alemán se utilizó por primera vez el famoso tanque Panzer V "Tigre", pero los tanques tenían un número y una eficacia limitados debido a problemas mecánicos que todavía había que resolver.

Unos cinco meses después, el 12 de enero de 1943, los soviéticos lanzaron la Operación Iskra (que significa "Chispa", nombrada asertivamente, ya que el periódico original del Partido Bolchevique de Lenin, impreso en Leningrado, se llamaba *Iskra)* para abrir un corredor hacia la ciudad. Los soviéticos sabían que un número considerable de tropas alemanas habían sido sacadas de la zona y enviadas a otras partes del frente, es decir, directamente a Stalingrado (donde el sitio se prolongó desde agosto hasta principios de febrero de 1943) o a zonas despojadas de hombres.

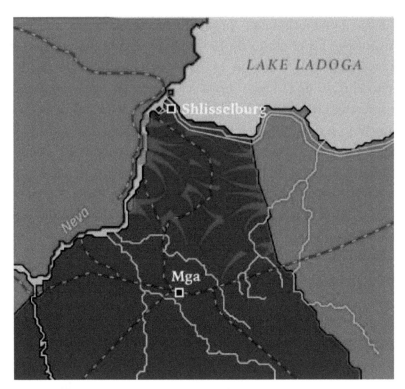

Ilustración 13: Operación Iskra, 1943 (cortesía de strategic-culture.org)

La operación Iskra vio a unos 400.000 soviéticos avanzar contra unos 300.000 soldados alemanes. Sin embargo, en este momento de la guerra, la ventaja material estaba decididamente en manos soviéticas. Los soviéticos desplegaron 500 tanques contra los 50 de los alemanes. Los alemanes poseían 700 piezas de artillería en el área, mientras que los rusos desplegaron más de 4.500. El poder aéreo alemán, en este punto, era prácticamente inexistente en el área, y los rusos volaron unos 900 aviones (la mayoría combatientes y el famoso tanque destructor Ilyushin IL-2) sobre el campo de batalla.

Aun así, los alemanes habían tenido más de un año y medio para preparar sus defensas en el área, así que la lucha no fue fácil. Sin embargo, a finales de enero, los soviéticos, después de sufrir más de 30.000 muertes, se habían unido al ejército atrapado en Leningrado, aunque en un estrecho corredor. En ese momento, los alemanes habían detenido el avance soviético y todavía estaban al alcance de la artillería de la ciudad, especialmente al suroeste, pero se había abierto un corredor terrestre para que los suministros soviéticos llegaran a las fuerzas atrapadas. Los ingenieros del Ejército Rojo pronto construyeron un ferrocarril en la ciudad, y cantidades cada vez mayores de suministros llegaron a la "Venecia del Norte". A pesar de esto, el sitio continuó y las muertes se acumularon, aunque afortunadamente no a la velocidad del invierno de 1941-1942.

Al año siguiente, el 27 de enero, más de 800.000 hombres participaron en el masivo avance soviético conocido como la Ofensiva Leningrado-Novgorod (Novgorod era una antigua ciudad rusa en el extremo sur del territorio), que puso fin al sitio alemán para siempre.

Ilustración 14: Los leningradenses dando la bienvenida a los soldados del Ejército Rojo al final del sitio, 1944

Capítulo 7 – Dentro de la ciudad

Durante el sitio, los alemanes sufrieron un total de medio millón de bajas (en su mayoría heridos y desaparecidos). El Ejército Rojo tuvo muchas más, y no solo por el combate, sino también por el hambre. Algunas estimaciones se acercan a los 400.000 muertos. Sin embargo, fueron los civiles los que soportaron la mayor parte del horror. En el marco del Frente Oriental en la Segunda Guerra Mundial, el número de víctimas en Leningrado durante los casi tres años del sitio es algo "normal". Lo que marca a Leningrado en la historia es el sufrimiento y la resistencia de los civiles dentro del anillo alemán.

Las estimaciones varían mucho. Los cálculos soviéticos de la posguerra sitúan la cifra de muertos cerca de 600.000. Después de la muerte de Stalin, eso fue modificado al alza, por razones que discutiremos al final de este libro. Después de la caída de la Unión Soviética a principios de los años 90, cuando se dispuso de más registros y/o se descubrieron, los números se modificaron nuevamente al alza. Estudios posteriores a finales de los 90 y principios de los 2000 han puesto el total de muertos en Leningrado en poco más de un millón, de los cuales unos 700.000 eran civiles.

La mayor parte de esos 700.000 murieron de hambre, y la mayoría de ellos ocurrió en el primer año del sitio, aunque las muertes continuaron hasta que el anillo alemán se rompió. Congelación, enfermedades (afortunadamente las grandes epidemias se evitaron gracias al trabajo duro y la diligencia del gobierno y la gente que trabajaba en conjunto, aunque hubo pequeños brotes de cólera y tifus), y las muertes por la artillería y las bombas alemanas contribuyeron a ese espantoso total. Por supuesto, las causas "normales" de muerte, como los ataques cardíacos, también se produjeron durante el sitio, y es más que probable que estas muertes aumentaran debido a ello.

Cuando los alemanes comenzaron a bombardear la ciudad, lo hicieron con un cuidado meticuloso. No lo hicieron para evitar las bajas civiles, sino para causarlas. La artillería y las unidades aéreas alemanas tenían mapas bastante detallados de la ciudad, y la inteligencia de preguerra proporcionó información adicional, así que los alemanes sabían exactamente dónde golpear.

En el décimo día del sitio, más de 275 bombarderos alemanes lanzaron un ataque a la ciudad. Mil civiles murieron solo ese día. Entre los principales objetivos estaban los hospitales y la mayor zona comercial de la ciudad, donde los bombarderos alemanes sabían que la gente de la calle se refugiaría. La principal zona de suministro de alimentos de la ciudad también fue dañada significativamente el 12 de septiembre.

Una de las muchas fallas del sistema soviético era que se basaba en gran medida en el miedo, lo que se dio especialmente en el tiempo de Stalin. Nadie quería ser la persona que le diera a Stalin un mal informe. Esta es una de las razones por las que la hambruna de preguerra en Ucrania fue tan grande y prolongada. Nadie quería decir que no estaban haciendo lo que se esperaba de ellos, como recoger comida, así que se hicieron informes falsos. Esto también ocurrió durante los primeros días del sitio de Leningrado.

El principal oficial político de Leningrado era Andréi Zhdánov, considerado por muchos como uno de los dos o tres hombres que podrían suceder a Stalin. Zhdánov ejercía un poder increíble en Leningrado, pero su poder se detenía en el escritorio de Stalin. Encargado de ver que la ciudad estaba preparada para los alemanes, Zhdánov exageró la cantidad de comida en la ciudad. ¿El resultado? Stalin y los demás encargados de los suministros y la logística en las altas oficinas del gobierno no pensaron que Leningrado necesitaba la comida que realmente requería. Así que, de inmediato, la ciudad enfrentó escasez.

La situación fue desesperada casi de inmediato, y aquellos dentro de la ciudad con alguna previsión sabían que iba a empeorar con el paso del tiempo y con el empeoramiento del clima. Cuando el área de almacenamiento de alimentos fue bombardeada, los civiles se reunieron quemando y derritiendo azúcar líquida mientras huían de las llamas. Este azúcar estaba obviamente mezclado con suciedad. Algunos trataron de calentar la suciedad más tarde para extraer el azúcar y venderlo en el mercado negro, algo que se convirtió en un gran problema durante la guerra. Otros mezclaron tierra con harina e intentaron hacer algún tipo de pastel digerible.

El racionamiento de alimentos comenzó casi inmediatamente. Se entregaron tarjetas a cada persona de la ciudad con las cantidades a las que tenían derecho. Este era un cálculo a sangre fría, pero necesario. Los trabajadores esenciales (fábrica, municiones, policía, etc.) recibían la mayor cantidad. Después venían los niños, luego los ancianos y los enfermos. Desde el principio, las raciones apenas alcanzaban para mantener viva a una persona sana, y eso sin tener en cuenta sus esfuerzos extras en el sitio ni el clima.

Desde noviembre de 1941 (dos meses después de que comenzara el sitio) hasta febrero de 1942, las raciones de pan eran de 125 gramos (4,41 onzas) por persona. Este "pan" incluía aserrín y otros ingredientes no comestibles. Algunos sobrevivientes dijeron que esto era falso, pero lo que sí era cierto era que cualquiera que fuera sorprendido robando pan podía ser sentenciado a cinco años de prisión. Incluso antes de la guerra, este castigo era esencialmente una sentencia de muerte, ya que muchos fueron enviados a Siberia. La gente que trabajaba para hacer pan en las panaderías estatales era registrada al final de su turno, que a veces duraba entre doce y dieciséis horas.

Ilustración 15: Ración típica diaria dentro de Leningrado (cortesía de strategic-culture.org)

Con el tiempo, las ratas de la ciudad desaparecieron. La gente las atrapaba o las compraba en el mercado negro. No hace falta mucha imaginación para adivinar qué pasó con los perros y gatos de Leningrado. En muchos casos, la gente dio sus mascotas a sus vecinos, y viceversa, para evitar comer su propia mascota familiar. Los intestinos de gatos y ovejas se hirvieron en un líquido, y se añadió aceite de clavo a lo que algunos llamaron "leche". Los cinturones y maletines de cuero se hirvieron hasta que estuvieron lo suficientemente suaves para ser masticados y digeridos. Pegamento, lápiz labial, papel tapiz y muchos otros artículos que vemos como incomestibles también se comieron. En lo que era una ciudad muy letrada y culta, muchos diaristas se lamentaban de comer sus volúmenes de Tolstói y Pushkin.

A lo largo de la costa, antes y después del frío, las algas se recogían y se hacían sopa o caldo. Abundaban los rumores de que la gente comía aceite de motor congelado solo para mantener alejada la sensación de vacío. Por supuesto, esto probablemente mató a la gente, pero en tiempos de hambre extrema, la gente hará prácticamente cualquier cosa, razón por la que los gobiernos temen la hambruna casi más que cualquier otra cosa.

Poco después de que el anillo alemán cerrara alrededor de Leningrado, la energía eléctrica se apagó. El trabajo necesario se hizo a la luz de las velas y de las linternas de queroseno, pero todo esto fue racionado. En cuestión de semanas, todos los árboles de Leningrado habían desaparecido. La gente los quemó y se comió la corteza, que hirvió en una especie de papilla masticable. Se salvaron algunos de los muchos pinos que se quemaban tan rápidamente que no servían más que para hacer leña; las agujas, después de ser hervidas en agua, daban a los leningradenses al menos un poco de vitamina C. Los ancianos y los niños se quedaban en la cama, si era posible, para conservar la energía y el calor, pero en muchos casos, esto solo prolongaba lo inevitable.

Para noviembre, el frío extremo se había establecido. El siguiente gráfico muestra cómo las muertes aumentaron rápidamente en el invierno de 1941-1942. Recuerde, el sitio continuó hasta el invierno de 1944, y aunque el número de muertes nunca se acercó al del primer invierno, continuaron durante todo el sitio.

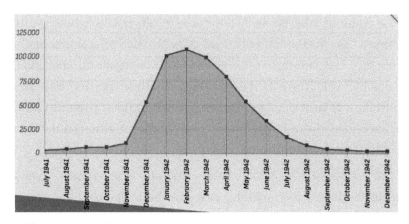

Ilustración 16: Muertes en Leningrado durante los primeros diecisiete meses del sitio. En febrero de 1942, casi 3.600 personas al día morían en la ciudad. (cortesía de strategic-culture.org)

En el invierno, la gente literalmente comenzó a caer en la calle. Cuando esto empezó a suceder, la gente trataba de ayudar ya sea notificando a las autoridades o llevando el cuerpo a un hospital o a uno de los edificios establecidos como morgue; pero pronto, la gente comenzó a caer como moscas, estaban caminando (o más bien arrastrando los pies) por la calle, y lo siguiente que sabían era que se caían al suelo, muertos como piedra. Los transeúntes, si podían hacerlo sin ser vistos por la policía o por muchos otros, se dirigían al cuerpo y buscaban entre sus ropas las cartas de racionamiento.

Los ancianos, los niños y los enfermos no se veían obligados a obtener sus alimentos en persona, sino que cada hogar se registraba ante las autoridades, incluyendo los nombres y el número de sus miembros. (Hay que recordar que la URSS era quizás el país más totalitario incluso antes de que empezara la guerra). Cuando alguien moría en su casa, especialmente en el frío extremo, sus muertes a menudo no eran reportadas por días o incluso más tiempo para que sus familias pudieran usar sus raciones extras.

La gente trataba de no aventurarse a salir sola a buscar comida. Después de todo, el robo de tarjetas de racionamiento era frecuente. Los cuentos sobre el "robo" de la tarjeta no apaciguaban a la gente que repartía las raciones, así que perder una tarjeta equivalía a la muerte. Los que eran sorprendidos robando tarjetas eran sentenciados a largas penas, pero el mercado negro de tarjetas falsificadas continuó durante el sitio.

Por supuesto, la gente hacía trueque por tarjetas, comida, mantas, ropa extra y madera, por nombrar algunos. Las mujeres intercambiaban sus cuerpos por bienes extra, pero a medida que el sitio fue avanzando, pocas personas se interesaban en el sexo o podían siquiera desempeñarse.

Cuando la guerra terminó y se permitió la entrada a algunos periodistas de Occidente y otros países, algunos escucharon historias de canibalismo. Las autoridades soviéticas se apresuraron a negar esos rumores y muchas veces se negaron a permitir que esos periodistas volvieran al país o a las zonas bajo su control en Europa oriental. Los ciudadanos soviéticos capturados o incluso que se rumoreaba que habían difundido historias de canibalismo a menudo eran enviados al Gulag, el terrible sistema de campos de trabajo en Siberia. Los que regresaron nunca volvieron a hablar de canibalismo.

Sin embargo, los rumores persistieron a lo largo de los años. Cuando la política de glasnost ("apertura") fue anunciada por el Primer Ministro Mijaíl Gorbachov, a mediados - finales de los 80, la gente empezó a contar la historia completa del sitio de Leningrado. Cuando la Unión Soviética cayó en 1991, y muchos archivos anteriormente ocultos se hicieron públicos, salió a la luz lo que mucha gente sabía o sospechaba que era la verdad: durante el sitio se produjo canibalismo a una escala relativamente amplia.

Durante el sitio se registraron 1.500 casos de canibalismo, pero es probable que se descubrieran muchos más. La mayoría de estos casos fueron lo que los leningradenses llamaron "canibalismo de cadáveres", que consistía en comerse a una persona que ya estaba muerta. A menudo, eran las piernas y las nalgas las que se comían, ya que son más musculosas que cualquier otra parte del cuerpo. La mayoría de las personas atrapadas y procesadas por "canibalismo de cadáveres" eran mujeres que trataban de alimentar a sus hijos. Desafortunadamente, los archivos también incluyen historias como la de una madre que mató a su hijo de 18 meses para alimentar a sus otros tres hijos.

Durante años persistieron los rumores de que bandas de delincuentes (cabe señalar que es probable que muchos no fueran delincuentes antes de la guerra) andaban buscando a personas que andaban solas en zonas aisladas o por la noche para que las mataran. Estos criminales usaban el cadáver como carne para venderla en el mercado negro. A menudo etiquetaban la proteína como "cerdo", generalmente en forma de hamburguesas. Los que eran atrapados o sentenciados por hacer esto eran fusilados, y la policía secreta tenía un grupo de trabajo dedicado a encontrarlos.

La primera persona en informar sobre esto de manera erudita fue el conocido historiador americano de Rusia y la Unión Soviética, Harrison Salisbury. En su libro, 900 días: *El sitio de Leningrado* (1983), Salisbury entrevistó a muchos supervivientes que le contaron sus experiencias personales con el canibalismo durante el sitio. Los soviéticos negaron esto con vehemencia, pero cuando se abrieron los archivos, resultó que Salisbury tenía razón.

Cuando el invierno terminó, las autoridades se preocuparon por el número de cuerpos en las calles enterrados bajo la nieve y el hielo. Por supuesto, la principal preocupación era el inicio de una epidemia. Los soldados, algunos de los cuales habían sido llevados a la ciudad durante el sitio, y las personas sanas que había se llevaron los muertos, y aunque hubo algunos casos de tifus y cólera, Leningrado se salvó del horror adicional de las epidemias que estallaron.

El invierno de 1941-1942 fue el peor para la gente dentro de la ciudad, pero como ha leído, el sitio se prolongó durante otro año y medio. Para mantener la ciudad viva, los soviéticos necesitaban traer más hombres y más suministros.

Otra forma de ayudar a mantener a la gente viva era tratando de levantar la moral. Con ese fin, el compositor y leninista Dmitri Shostakóvich escribió su mayor obra, su Séptima Sinfonía, conocida por el mundo como *Leningrado.*

Shostakóvich tenía una típica relación de artista con el régimen de Stalin. En la década de 1930, durante el Gran Terror de Stalin, las obras de Shostakóvich, que eran consideradas demasiado "abstractas" y "elitistas" por Stalin, fueron condenadas en los periódicos y reuniones del Partido. Durante un tiempo, el compositor trabajó en la composición de películas y tratando de mantener la cabeza baja. Muchos de sus amigos y protectores (como el famoso mariscal Mikhail Tukhachevsky) fueron arrestados y ejecutados durante las purgas de Stalin. A veces, Shostakóvich se sentaba en su sala de estar, con sus cosas listas, esperando que la policía secreta llamara a la puerta y se lo llevara.

La Cuarta Sinfonía de Shostakóvich estaba influenciada por el compositor alemán Gustav Mahler (lo que la hacía sospechosa de ser "antiobrera" y "antisoviética"), y era tan "vanguardista" que los amigos de Shostakóvich lo convencieron de que retirara su publicación. Su Quinta Sinfonía, de naturaleza más conservadora, le devolvió la gracia a Stalin, y el compositor volvió a gozar de popularidad y seguridad. Su Sexta Sinfonía también fue bien recibida.

Shostakóvich escribió la mayor parte de la Séptima Sinfonía mientras vivía en Leningrado cuando comenzó el sitio. Escribió el último movimiento en Kúibyshev (conocido hoy, como antes de la URSS, como "Samara"), donde había sido evacuado con su familia. Hasta el día de hoy, nadie sabe con certeza si el compositor se refería a la pieza como un tributo a la ciudad y a su gente. Sin embargo, su sonido heroico y el momento de su composición, junto con la necesidad del gobierno de levantar la moral, aseguraron que la pieza se entrelazara para siempre con la ciudad y el sitio. Shostakóvich dedicó la pieza a la ciudad, aunque los amigos y socios están divididos en cuanto a la cuestión, ya que algunos dicen que fue un homenaje, mientras que otros creen que solo fue algo que se escribió durante el sitio.

La pieza se estrenó en Kúibyshev en marzo, y su estreno en Leningrado fue en agosto de 1942. Antes de la representación, la artillería soviética lanzó un bombardeo a los alemanes que rodeaban la ciudad en un esfuerzo por silenciar la actividad alemana. Durante el concierto, los altavoces soviéticos en el frente transmitieron la música a los alemanes.

La actuación fue dirigida por Karl Eliasberg, que solo tenía catorce de sus músicos con él, ya que el resto había sido evacuado. La orquesta fue completada por músicos del Ejército Rojo y algunos civiles con experiencia musical. La propaganda soviética hizo un gran alboroto por la actuación, y se dice que los oficiales alemanes, al escuchar la música, se convencieron de que una ciudad con el "Espíritu de Leningrado" nunca podría ser tomada.

La Séptima se representó en los Estados Unidos, Gran Bretaña y otros lugares en homenaje a Leningrado y sus aliados soviéticos.

Capítulo 8 – El camino de la vida

Para traer los hombres y suministros que se necesitaban tan desesperadamente, los soviéticos tenían dos alternativas: traerlos por aire o sobre el enorme lago Ladoga.

Aunque la fuerza aérea del Ejército Rojo pudo traer un pequeño número de suministros y personal, la *Luftwaffe* (la fuerza aérea alemana) controló los cielos durante la mayor parte del sitio, y los alemanes, como los soviéticos, habían rodeado la ciudad con cañones antiaéreos, y los aviones que tenían los soviéticos se necesitaban desesperadamente en el frente de batalla. Eso dejó el lago.

El lago Ladoga cubre casi 7.000 millas cuadradas y tiene poco menos de 140 millas de largo de norte a sur. Los transbordadores corren sobre él cuando no está congelado. Cuando el lago se congela, el hielo puede tener un grosor de 1,5 metros, lo que es lo suficientemente grueso como para que sea cruzado por camiones grandes e incluso una pequeña vía férrea.

Los que han visto la película *Enemigo al asecho* han sido testigos de las escenas de civiles siendo sacados de Stalingrado y soldados y suministros siendo transportados por el río Volga. Escenas similares se desarrollaron en el lago Ladoga. Durante el curso del sitio, 1,7 millones de personas fueron evacuadas.

Antes de que el hielo se congelara por completo, los barcos trajeron un suministro limitado de alimentos y otros suministros necesarios, pero no fue suficiente. Una ciudad del tamaño de Leningrado necesitaba *600 toneladas* de comida cada día. A finales de noviembre, el hielo se había congelado lo suficiente como para que los camiones pudieran pasar por encima, lo que trajo unas sesenta toneladas de harina, azúcar y grasas. Como ha leído, el invierno de 1941-1942 fue el peor, así que obviamente, esto no fue suficiente para sostener a la población dentro de la ciudad.

Con el paso del tiempo, los soviéticos hicieron un camino de hielo, un ejercicio de ingeniería, trabajo duro, diligencia y fortaleza. En el otoño de 1942, la gente lo llamaba "El camino de la vida". En el transcurso del sitio, más de cien camiones atravesaron el hielo, a veces llevándose a sus conductores, aunque los conductores del Ejército Rojo se convirtieron en expertos en conducir estando de pie con un pie fuera del camión y una mano en el volante. Los camiones continuaron pasando por encima del hielo hasta que este comenzaba a derretirse demasiado, y en ocasiones, tenían agua y fango hasta las puertas de los vehículos. En diciembre de 1942, los camiones traían un promedio de 700 toneladas de suministros al día. Estas incluían materias primas para las fábricas de armas de Leningrado, que continuaron produciendo armas e incluso tanques durante la guerra. Sorprendentemente, las fábricas de Leningrado fueron capaces de exportar tanques y otras armas durante el sitio.

Por supuesto, era solo cuestión de tiempo antes de que los alemanes se enteraran del camino de hielo y comenzaran a bombardearlo. Ahora, el "Camino de la Vida" no era solo una ruta. Había al menos cuatro rutas principales para llegar a la ciudad, donde había que construir puertos y estaciones de recepción, ya que la original en Mga había caído en manos alemanas. A lo largo de las rutas del "Camino de la Vida", los soviéticos habían instalado cantidades masivas de cañones antiaéreos, emplazamientos de ametralladoras y otras estructuras defensivas. También se construyeron estaciones de calentamiento, garajes, cuarteles y cocinas.

Durante el curso del sitio, los suministros traídos a la ciudad aumentaron casi todos los meses, con algunas fluctuaciones. En la primavera del primer año, el "Camino de la Vida" traía suficiente comida para mantener la ciudad viva. Aunque hubo tiempos difíciles, mucha hambre y muchas muertes en la ciudad durante el siguiente año y medio, los esfuerzos de los que estaban en el camino de hielo mantenían la ciudad viva.

Por supuesto, tanto los alemanes como los finlandeses querían interrumpir los suministros que venían por el lago. Cuando el clima era más cálido y no había hielo, los alemanes y los finlandeses trajeron el escuadrón italiano de lanchas a motor, el XII Escuadrón MAS (12 Escuadrón de buques de asalto), para coordinar las operaciones acuáticas contra los transbordadores que traían gente y suministros dentro y fuera de la ciudad. En pocas palabras, los esfuerzos de los alemanes y sus aliados para interrumpir el flujo de suministros fueron prácticamente nulos, ya que los soviéticos habían designado demasiados aviones y cañoneras para proteger los transbordadores.

Capítulo 9 – Stalin vuelve a sus antiguos métodos

Como leyó previamente, el sitio fue finalmente roto por la operación soviética Iskra a finales de enero de 1944. Para entonces, más de un millón de personas habían muerto dentro de la ciudad o por defenderla. Otro millón había sido sacado de la ciudad durante ese tiempo, con refuerzos adicionales. Para el mundo, y especialmente para la Unión Soviética, Leningrado se convirtió en un grito de guerra. Incluso los alemanes tuvieron que admitir un respeto a regañadientes por los soviéticos en Leningrado y sus alrededores: alguna propaganda nazi durante el sitio a Berlín en 1945 en realidad dijo que si los leningradenses podían hacerlo, los berlineses ciertamente también.

Durante la guerra, Josef Stalin, que había sido responsable de la muerte de millones de personas antes de 1941, permitió que los antiguos símbolos militares rusos anteriormente suprimidos, como las trenzas doradas y los estandartes de las unidades, volvieran a dar al pueblo un sentimiento de orgullo nacional (más que de comunista a medias). También quitó parte de la presión sobre la Iglesia ortodoxa rusa y permitió a la gente rendir culto sin miedo durante la guerra. Después de los primeros meses de la guerra, cuando se hizo evidente, incluso para él, que no era un estratega militar, permitió a sus generales mucha más libertad de acción en la planificación.

Cuando se rompió el sitio de Leningrado, un enorme cañoneo celebró el evento. La prensa y los funcionarios alabaron al pueblo y a la defensa de Leningrado como ejemplos del ingenio, las agallas y la innovación soviéticas. Esto duró hasta casi el final de la guerra.

Cuando esto ocurrió, la gente empezó a hablar del horror de Leningrado y de la mala planificación que había permitido que la hambruna se estableciera durante los primeros días del sitio. Hablaron de la hambruna, la corrupción y el soborno que ocurrieron. Hablaron además, de los funcionarios que comían mientras el pueblo pasaba hambre y de la ineficiente burocracia. De hecho, en los diarios de la época, los burócratas soviéticos eran mencionados y vilipendiados incluso más que los alemanes.

También hablaron de los buenos líderes y de los muchos generales y soldados que habían sacrificado tanto para mantener la ciudad viva. No se mencionó mucho a Stalin, al menos no tanto como a él le hubiera gustado.

Aunque ya era el más paranoico de los hombres, Stalin entró en una nueva fase después de la guerra. El recuento oficial de muertes del sitio se estimaba en unos 600.000 soldados y civiles, aunque todos sabían que era mucho más. El canibalismo no existía, como ya se había mencionado, y cualquier mención de él era suprimida y/o castigada. Los líderes populares fueron removidos de sus posiciones en la ciudad y enviados a gobernar pueblos del Lejano Oriente soviético, o fueron acusados de crímenes que no cometieron y enviados al Gulag. Dos mil miembros del Partido Comunista fueron purgados; fueron removidos del partido, encarcelados o enviados a Siberia. Stalin, por supuesto, fue elogiado por la prensa y los medios, y se le atribuyó el mérito de mantener viva a Leningrado.

Cuando Stalin murió en 1953, las cosas empezaron a cambiar lentamente. En 1956, el Primer Ministro Jrushchov hizo su famoso discurso criticando a Stalin y su "culto a la personalidad". Sin embargo, cuando salió más información sobre Leningrado, solo las partes consideradas aceptables por el Partido Comunista fueron realmente difundidas al público. Después de todo, un millón de muertes y los relatos sobre el canibalismo no lo hacían ver bien. Como se mencionó, no fue sino hasta la década de 1990 que esta información se dio a conocer ampliamente. Desafortunadamente, la mayoría de la gente que había sobrevivido al sitio no pudo ni siquiera hablar de ello con franqueza hasta cincuenta años después.

Hoy en día, un enorme monumento al aire libre, el cementerio y el museo honran a los muertos de Leningrado y los sacrificios realizados para mantener la ciudad viva.

Ilustración 17: El cementerio conmemorativo de Piskaryovskoe honra a los muertos de Leningrado. Cerca de 500.000 civiles y soldados están enterrados aquí

Conclusión

El sitio de Leningrado duró 872 días, pero se conoce en la historia como los "900 días". Solo hay un reducido número de supervivientes del sitio hoy en día, pero son honrados cada año por los desfiles en Rusia que marcan el final de la Segunda Guerra Mundial en Europa.

Aunque el sitio fue solo una de las muchas y costosas batallas de la guerra, una que ni siquiera fue un "punto de inflexión", como la batalla de Moscú (1941), Stalingrado (1942-1943) y Kursk (1943), el sitio de Leningrado simbolizaba más que la lucha por la supervivencia de una sola ciudad: representaba la lucha de todo un país contra un enemigo empeñado en exterminar a su gente y su cultura.

Después de que la guerra terminó y después de la muerte de Stalin en 1953, la respuesta del gobierno a otros tiempos difíciles a menudo incluía exhortaciones para que el pueblo soviético "mostrara el espíritu de Leningrado", en otras palabras, apretara los dientes, y soportara cualquier dificultad que se le presentara y ganara al final.

Mientras se escribe esto en el verano de 2020, con una pandemia que barre el globo y más de medio millón de muertos en todo el mundo a causa de ella, tal vez sería bueno que recordáramos la lucha a vida o muerte de la ciudad de Leningrado, donde un millón de personas murieron en situaciones mucho peores que las que enfrentamos hoy en día.

Cuarta Parte: Operación Barbarroja

Una Guía Fascinante de los Primeros Meses de la Guerra entre Hitler y la Unión Soviética entre 1941-1945

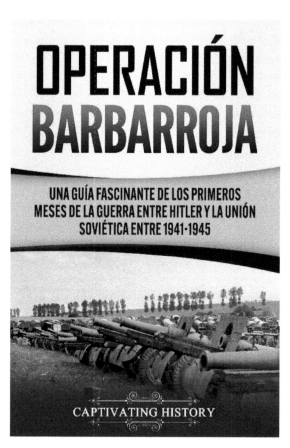

Introducción

El 22 de junio de 1941, la Alemania nazi lanzó la Operación Barbarroja, la invasión de la Unión Soviética. En el tiempo transcurrido desde el fin de la guerra, el mundo se ha familiarizado con el número de muertes sufridas por la Unión Soviética (también conocida como la URSS) durante el conflicto: veinte millones. Y eso probablemente sea bajo, dado el tamaño del país, la realización del censo en ese momento y el daño causado a la burocracia del país. Piense en ello: veinte millones de personas. Esa es una cifra que es casi imposible de entender. Casi todas las familias del país perdieron a alguien. El día festivo más famoso y grande de la Unión Soviética, ahora las naciones de Rusia, Ucrania y Bielorrusia (las antiguas repúblicas soviéticas que fueron más afectadas por la guerra) es el 8 de mayo, "Día de la Victoria", que celebra la victoria de la URSS sobre los nazis. Alemania en lo que se llamó la Gran Guerra Patria, honrando a los héroes y recordando a los perdidos.

Geoffrey Roberts, un historiador británico de la Unión Soviética en la Segunda Guerra Mundial, en su trabajo, *Las Guerras de Stalin: de la Guerra Mundial a la Guerra Fría*, 1939-1953 (2006), intentó contabilizar las pérdidas en términos de infraestructura, convirtiéndolas en todas las más marcado. Durante la invasión y ocupación nazi, la Unión Soviética perdió un estimado:

70.000 ciudades, pueblos y aldeas soviéticas

32.000 fábricas

6.000 hospitales

82.000 escuelas

43.000 bibliotecas

El historiador Jacob Pauwels y otros descubrieron que la URSS no recuperó los niveles económicos de antes de la guerra hasta principios y mediados de la década de 1960.

Adolf Hitler invadió la Unión Soviética con más de tres millones de hombres. Los soviéticos tenían poco menos de ese número en la sección occidental de su país para enfrentarlos, así como millones más en otros lugares, que era algo con lo que Hitler no contaba y subestimaría enormemente.

La lucha entre la Unión Soviética y la Alemania nazi fue uno de los conflictos más grandes y mortíferos de todos los tiempos, una guerra de eliminación entre naciones totalitarias liderada por dos de los líderes más despiadados de la historia del mundo

Capítulo 1 -Nazis y Comunistas

En *Mein Kampf* (*Mi lucha*), el testamento político y la "autobiografía" de Hitler (entre comillas porque gran parte de lo que está escrito sobre su vida está exagerado o inventado, especialmente la afirmación de su pobreza; su padre era un pez gordo en una pequeña ciudad con una sirvienta, una pensión, un uniforme y respeto), el futuro dictador de Alemania declaró repetidamente su creencia de que el destino de la nación alemana era expandirse hacia el este.

Alemania, después de la Primera Guerra Mundial e incluso hoy, tiene aproximadamente el tamaño de los estados estadounidenses de Washington y Oregón juntos. La población de esos dos estados combinados es de aproximadamente doce millones de personas. La población de Alemania en el momento de la Segunda Guerra Mundial era de setenta millones (hoy son ochenta millones). Hitler no fue la única persona de habla alemana que creía que Alemania necesitaba asegurar el *Lebensraum* (espacio vital") para prosperar y sobrevivir en una Europa abarrotada con enemigos por todos lados. De hecho, junto con el antisemitismo vicioso incluido dentro de *Mein Kampf,* la idea sobre el Lebensraum es la más mencionada y elaborada.

En los años previos a la guerra, muchos de aquellos en otras naciones que habían leído el libro de Hitler y lo vieron claramente por lo que le dijera repetidamente a cualquiera que estuviera dispuesto a escuchar que Hitler tenía la intención de comenzar una guerra de expansión en el este, que podría evolucionar hacia otra guerra mundial. El comandante entre esta gente era una de las principales figuras políticas de Gran Bretaña y su futuro líder, Winston Churchill.

En los años previos a la guerra mundial muchos europeos (especialmente los de las naciones más grandes y poderosas de Francia, el Reino Unido, Austria-Hungría, Alemania y Rusia) tenían la creencia de que para prosperar sus naciones necesitaban ganar o conservar territorios. e imperios coloniales. Aunque gran parte de este imperialismo de finales del siglo XIX estaba respaldado por una corriente subterránea de superioridad racial, sus objetivos eran ganancias económicas y el poder y el prestigio que acompañaban a un gran imperio.

Sin embargo, Alemania, antes de la Primera Guerra Mundial, tenía una minoría considerable de políticos, escritores, filósofos y periodistas que estaban comenzando a gravitar hacia una visión de Alemania y los pueblos germánicos (que incluían a los británicos, escandinavos, holandeses, etc.) como una raza "superior", destacando tanto su poder económico como militar junto con su enorme influencia cultural. Esta "superioridad germánica" se extendería a los demás pueblos de Europa, especialmente a las naciones eslavas del este.

Hitler, junto con muchos alemanes, austriacos y otros europeos, no era el único que sostenía estas creencias; existían también en los Estados Unidos y Canadá. En los años entre la Primera Guerra Mundial y la Segunda Guerra Mundial, estas ideas se combinarían con nuevos avances en la ciencia para dar a luz la nueva "ciencia" de la eugenesia, la idea de que sería posible eliminar por métodos médicos enfermedades hereditarias y de otro tipo, como la discapacidad intelectual, la epilepsia, el alcoholismo, etc. En sus orígenes, el campo de la eugenesia incluía profesionales médicos educados y filósofos que creían que sería posible "criar" tales enfermedades y alentar la procreación de individuos que se creía que eran más inteligentes, mejores buscando, más en forma y saludables. Una vez que se combinó con la idea de que los pueblos germánicos del norte de Europa eran superiores, la eugenesia comenzó a entrar en una nueva y peligrosa fase cuando Hitler llegó al poder.

(Cabe señalar que en la década de 1920 e incluso después de la Segunda Guerra Mundial, Estados Unidos, Canadá y Suecia llevaron a cabo esterilizaciones forzadas de gente considerada "indeseable". Estos procedimientos comenzaron antes de que Hitler tomara el poder en Alemania y continuarían después de su derrota).

Además, en gran parte de Europa (en realidad en este momento más en Europa del Este y Rusia que en Occidente), esta idea de superioridad racial se combinaría con el antisemitismo, que había sido el flagelo de la población judía desde que los romanos forzaron los judíos de Israel, siglos antes, formaron un nuevo y peligroso conjunto de ideas, incluida la idea de que se podía criar una "raza superior" y se podían eliminar las razas "inferiores".

El suceso catastrófico que empujaría a muchos alemanes y austriacos, hacia el antisemitismo, incluido obviamente el de Hitler, fue particularmente virulento, fue la Primera Guerra Mundial. La derrota alemana en la Primera Guerra Mundial conmocionaría a la población, y merece algo de atención porque predijo lo que estaba por venir, especialmente su gravedad.

Fueron muchos los factores que llevaron a la derrota de Alemania en la Primera Guerra Mundial. Entre ellos estaba el poder de las naciones que se enfrentarían a ellos: Francia, Gran Bretaña, Rusia, Italia y, desde 1917 en adelante, Estados Unidos.

Alemania y, en menor medida, Austria, su aliado, pudieron evitar que sus enemigos invadieran su territorio al final de la guerra, pero aquellos en Alemania con un conocimiento íntimo de la situación sabían que era solo una cuestión de tiempo. antes de que sucediera. Sus enemigos eran demasiado poderosos, y con la entrada de Estados Unidos en la guerra, cada semana los aliados se estaban volviendo más poderosos.

Los dos hombres a cargo de los esfuerzos bélicos alemanes en 1918 fueron los mariscales de campo Paul von Hindenburg y Erich Ludendorff. Sabiendo que la guerra estaba perdida, deliberadamente se acercaron al principal partido de oposición en Alemania, el Partido Socialdemócrata (un partido democrático con algunos aspectos socialistas en su plataforma) tratando de acudir a los Aliados para negociar la paz. Sabían que los aliados no aceptarían una oferta de paz de los militares alemanes, pero sí de conocidos opositores a la guerra.

Esto era cierto, parcialmente, ya que el motivo principal de los mariscales de campo era sacarle la responsabilidad de la derrota / rendición al Ejército Imperial Alemán y a los políticos, especialmente a los políticos de izquierda. En esto, tuvieron éxito. Los diplomáticos socialdemócratas negociaron una tregua con los aliados, que eventualmente, e inevitablemente, se convirtió en una rendición alemana.

Otro factor que causó un enorme impacto en gran parte de la sociedad alemana fue que, durante la guerra, y hasta cierto punto antes, la prensa alemana estuvo estrictamente controlada por el gobierno. Simplemente hablando, durante cuatro años en los periódicos de todos los días se le decía a la población alemana que estaban ganando la guerra y que la victoria estaba "a la vuelta de la esquina". Esto fue especialmente cierto en la primavera de 1918, cuando el mariscal de campo Ludendorff lanzó su ofensiva de primavera, que fue diseñada para sacar a Francia y Gran Bretaña de la guerra antes de que todo el peso de la mano de obra y los recursos estadounidenses se pudieran ejercer sobre Alemania.

A principios de 1933, Hitler llegó al poder en Alemania y lanzó un plan audaz, pero cuidadoso, para recuperar los territorios perdidos de Alemania y rearmar las fuerzas armadas, lo que violaría el Tratado de Versalles. Uno de sus primeros asuntos fue proscribir todos los partidos de la oposición y encarcelar o ejecutar a los miembros del Partido Comunista de Alemania, el partido comunista más grande fuera de la URSS en ese momento.

Irónicamente, mientras hacía esto, Hitler también estaba llegando a acuerdos con Stalin y los soviéticos para entrenar en secreto a elementos de las futuras fuerzas armadas alemanas en la Unión Soviética. Había sido comenzado en secreto por el ejército alemán antes que Hitler, pero él continuó y amplió el programa, obviamente con el acuerdo de Stalin.

A pesar de ser enemigos ideológicos, tanto Hitler como Stalin eran pragmáticos. Hitler suministró piezas de maquinarias y otros bienes a Stalin y, a cambio, consiguió un lugar para reconstruir el ejército alemán en secreto. Stalin pretendía poner en juego una serie de maquinaciones que pondrían a Hitler en contra de Francia y Gran Bretaña en lugar de contra su país, lo que permitiría a la URSS armar un ejército con el que defenderse de una Alemania resurgente. En gran parte, Stalin creía que Alemania y la Unión Soviética lucharían entre sí; solo esperaba poder controlar el momento del conflicto.

Hitler iniciaría su programa para reafirmar el poder de Alemania en 1936. Primero, remilitarizando la Renania. Luego anexando Austria en 1938. Más tarde ese año y a principios de 1939, manipulando a los franceses y británicos para que abandonaran Checoslovaquia en aras de la paz y también se hizo cargo de esa nación. Formó alianzas con Hungría y Rumania, así como con la Italia de Benito Mussolini y el Japón del emperador Hirohito. Muy pronto, Stalin se dio cuenta de que Hitler y sus aliados lo tenían rodeado.

Cuando Hitler amenazara y engatusara a los aliados occidentales sobre Checoslovaquia, Stalin estaba realmente dispuesto a enfrentar a Alemania, pero solo si Gran Bretaña y Francia mostraban alguna determinación. Cuando no lo hicieron, llegó a creer que no solo no serían capaces de resistir a Hitler, sino que también sería mejor que llegara a un acuerdo con el líder nazi antes de que fuera demasiado tarde.

Mientras Alemania ejercía presión sobre Polonia, que fue el primer paso en el deseo de Hitler de expandirse hacia el este, los soviéticos y los alemanes empezaron a enviar sondeos diplomáticos. Hitler quería invadir Polonia sin provocar una guerra con la URSS, ya que no creía que Alemania estuviera lista para enfrentarse a la Unión Soviética. Stalin quería reafirmar el control ruso sobre Polonia y ganar una zona de amortiguación entre él y Hitler.

Un acuerdo sería beneficioso para ambos, por lo que el 23 de agosto de 1939 las dos potencias totalitarias firmaron un pacto de no agresión. El Pacto Ribbentrop-Molotov (llamado así por los ministros de Relaciones Exteriores de Alemania y la URSS, respectivamente) declaraba abiertamente que Hitler y Stalin no irían a la guerra entre ellos. También anunciaba una variedad de acuerdos comerciales y protocolos diplomáticos. Esos fueron solo los anuncios abiertos. En secreto, Stalin y Hitler acordaron dividirse Polonia entre ellos como lo habían hecho durante siglos Alemania, (o más bien, el estado de habla alemana de Prusia) y Rusia. También le dejaba a Stalin las manos libres para tomar el control de los estados bálticos y parte de Rumania, y el pacto le aseguraba a Stalin que Hitler no interferiría, si la URSS atacaba a Finlandia, con quien Stalin tenía problemas fronterizos.

En la superficie, parecía que Stalin sacaría lo mejor del trato, pero lo que realmente quería Hitler era una gran parte de Polonia y una garantía de que la Unión Soviética no lo atacaría cuando se volviera para hacer la guerra a Francia, cuya planificación ya estaba en marcha.

Hitler atacó Polonia el 1 de septiembre de 1939. En cuatro semanas, los alemanes estaban en la capital polaca de Varsovia. Stalin envió al Ejército Rojo el 17 de septiembre. A finales de mes, Polonia dejaba de existir y las tropas alemanas y soviéticas hicieron grandes demostraciones de felicitarse mutuamente a lo largo de la línea de detención acordada. Muy rápidamente, las piezas de maquinaria y los productos industriales alemanes comenzaron a viajar hacia el este al mismo tiempo que las materias primas rusas fluían hacia Alemania.

Ilustración 1: Oficiales Alemanes y Soviéticos se encuentran en Polonia, septiembre de 1939

En noviembre, Stalin ordenó al Ejército Rojo que atacara Finlandia. Quería una zona búfer más grande entre la frontera finlandesa y la "segunda ciudad" soviética y hogar de la revolución bolchevique, Leningrado (hoy San Petersburgo). A Stalin le preocupaba que en algún momento en el futuro, Hitler se aliara con los finlandeses, quienes tenían una larga historia de antagonismo con los rusos.

Aunque Stalin finalmente consiguió lo que quería, ya que los finlandeses se vieron obligados a ceder una parte sustancial de territorio a los soviéticos, la campaña del Ejército Rojo en Finlandia, aunque breve, resultó costosa tanto en dinero como en vidas humanas. Eventualmente, el peso de los soviéticos se hizo evidente, pero los finlandeses habían superado al Ejército Rojo en casi todos los sentidos hasta que se agotaron demasiado y se vieron obligados a negociar.

Las Purgas del Ejército Rojo de la Década de 1930

La creencia común es que Hitler y muchos otros veían al Ejército Rojo como incompetente en su campaña finlandesa. Esto es cierto, en gran medida, y ayudó a Hitler a tomar la decisión de invadir la URSS en 1941. Sin embargo, muchos en Alemania y en todo el mundo veían solo lo que querían ver: un Ejército Rojo brutal y mal dirigido que confiaba en los números para ganar. Sin embargo, hacia el final de la guerra de Invierno contra los finlandeses, los soviéticos hicieron un alto y se reorganizaron, reentrenándose y reemplazando a la mayor parte de los líderes incompetentes con personal más capaz. Esta capacidad de doblarse y no romperse, junto con una adaptabilidad sorprendente, ocurriría en la última parte de la guerra de los soviéticos con Hitler. Pero, aunque los soviéticos pudieron reorganizarse lo suficiente como para derrotar a Finlandia, sus fuerzas aún sufrían de algunas flagrantes debilidades.

En primer lugar, a principios de 1937, Stalin inició una serie de purgas para consolidar su ya inmenso poder. Aunque muchos segmentos de la sociedad soviética sufrieron, es la purga del Ejército Rojo lo que nos ocupa aquí.

Existe un debate entre historiadores sobre por qué Stalin inició las purgas. Algunos creen que fue simplemente su paranoia, porque si surgiera una amenaza a su poder (que no hay evidencia de que hubiera sería entre los oficiales del Ejército Rojo. Otros creen que Stalin y sus allegados pensaban que muchos de los oficiales del Ejército Rojo, particularmente los que fueron promovidos después de la Revolución Bolchevique, no estaban tan dedicados a los ideales comunistas como deberían haberlo estado. Entre la dirección del partido, existía la creencia de que las fuerzas armadas no necesitaban gastar mucho dinero en entrenar una tonelada de oficiales, ya que el "celo revolucionario" triunfaría en el campo de batalla.

El hombre a cargo del Ejército Rojo en 1937 era el popular Mijaíl Tujachevski, quien dirigiera tropas en la Revolución Bolchevique y en la guerra civil rusa y que estaba intentando modernizar el Ejército Rojo para alinearlo con las ideas modernas. Algunos creen que Stalin estaba celoso de la popularidad de Tujachevski y deseaba eliminarlo a él y a sus aliados, ya que eran posibles rivales.

En 1937, comenzó la purga de Stalin del Ejército Rojo. De 80.000 oficiales, 37.000 fueron asesinados directamente, enviados a campos de trabajo siberianos a morir o permanecer encarcelados. Solo sobreviviría un pequeño número; algunos fueron reintegrados más tarde cuando Stalin tuvo claro que se necesitaban oficiales experimentados para hacer frente a la invasión de Hitler. El número de víctimas varía, ya que los registros fueron destruidos, alterados u ocultos por el régimen durante la guerra y después, lo que dificulta obtener números exactos.

La purga fue peor en las capas superiores, pero se abrió camino hasta el nivel de compañía. En la cima, fueron ejecutados tres de los cinco mariscales de la Unión Soviética. Y la lista continúa: trece de quince generales del ejército, ocho de nueve almirantes, casi el 90 por ciento de los comandantes de cuerpo, el 82 por ciento de todos los generales de división, y esto solo en la parte superior de la escala. Los coroneles, los mayores y los capitanes también fueron destituidos, aunque a un ritmo menor.

Para empeorar las cosas, Stalin expulsó a los comisarios políticos adscritos a las fuerzas armadas. Incluso antes de la purga, los comisarios hicieron casi imposible el funcionamiento eficiente de un ejército moderno. Hasta el nivel de compañía, los comandantes tenían una sombra política que se aseguraba de que sus comandos estuvieran lo suficientemente en línea con las ideas del Partido Comunista. Esto significaba que el tiempo reservado para una formación importante tenía que utilizarse para adoctrinar a los hombres en el pensamiento estalinista y las enseñanzas comunistas. Los comisarios también se aseguraron de que los comandantes siguieran las órdenes, especialmente las que incluían cargas masivas u otras tácticas suicidas, en la creencia de que el "celo" les haría ganaría el día. Los oficiales que tenían la costumbre de oponerse a sus comisarios corrían el riesgo de ser sancionados, despedidos o muertos.

Con el fin de asegurar la lealtad completa entre los futuros comisarios, de 1937 a 1938, se eliminó el escalón superior de comisarios políticos (los que estaban adscritos al estado mayor de los mariscales y generales). Como en el resto del ejército, estas remociones o despidos generalmente significaban una muerte lenta en el Gulag, el sistema soviético de campos de concentración / trabajo.

En 1939, cuando se firmó el Pacto Molotov-Ribbentrop, la gran mayoría de los oficiales del Ejército Rojo no se atrevieron a desviarse de las instrucciones dadas desde arriba. En el caso de que no se dieran instrucciones, los oficiales no se atreverían a tomar el asunto en sus propias manos y averiguar qué era lo mejor que podían hacer: estaban paralizados por el miedo.

Es posible que Stalin comenzara a darse cuenta del daño que estas purgas habían causado cuando el Ejército Rojo sufriera una humillación tras otra en la guerra contra Finlandia. A pesar de una ventaja de tres a uno en las tropas (el Ejército Rojo en total superaba en número a los finlandeses en diez a uno o más), los finlandeses carecían de artillería pesada seria, y la posesión de miles de tanques por parte de los soviéticos en comparación con los solo 32 de los finlandeses, El Ejército Rojo luchó, en parte debido a su dependencia de lanzar oleadas tras oleadas de hombres contra los finlandeses sin tener en cuenta las bajas.

Como se mencionó anteriormente, Stalin y sus generales finalmente se dieron cuenta de que las cosas debían cambiar, y en el último mes de la guerra, el entrenamiento y las nuevas tácticas permitieron a los soviéticos avanzar y obligar a los finlandeses a sentarse a la mesa de negociaciones.

Flexibilidad del Ejército Alemán

En contraste con el sistema soviético, el ejército alemán bajo Hitler fue sorprendentemente flexible. Antes de la unificación de Alemania, los pueblos de los distintos estados de habla alemana tenían sus propias fuerzas militares, pero la más poderosa era la de Prusia, el estado de Alemania oriental, que se convertiría en el núcleo alrededor del cual se construyó el Imperio alemán en 1871.

El ejército prusiano, aunque pequeño, fue uno de los primeros ejércitos profesionales permanentes modernos. La mayoría de las demás naciones europeas tenían un pequeño grupo de oficiales y una guardia nacional, que a menudo funcionaba como fuerza policial. Sin embargo, en tiempos de guerra, había que reclutar, organizar y entrenar tropas. La mayoría de las veces, recibirían mucha menos capacitación de la necesaria.

Por el contrario, a principios del siglo XVIII, los reyes prusianos organizaron un ejército profesional cuyo único propósito era la defensa del reino. Aunque comparativamente pequeño, el ejército prusiano rotaba hombres dentro y fuera del ejército, por lo que incluso aquellos que no estaban oficialmente en las filas tenían suficiente entrenamiento para actuar en el campo de batalla si surgía la necesidad de inmediato. Esto significó que, en términos generales, el ejército prusiano pudo prepararse y moverse para atacar o defenderse mucho más rápido que sus rivales. Este sistema se mantuvo vigente cuando naciera Alemania en 1871.

El entrenamiento prusiano, y luego alemán, fue notoriamente estricto y difícil, y aunque los reclutas eran entrenados para obedecer órdenes instantáneamente, también había un tipo de flexibilidad inherente al sistema prusiano / alemán que no estaba presente en otras naciones. La parte superior de la cadena de mando establecía metas y horarios, pero a medida que las órdenes se filtraban a través del sistema, cada grupo sucesivo de comandantes podía actuar con flexibilidad para lograr esas metas.

Así, por ejemplo, los mariscales de campo en la cima podrían decidir cuándo comenzaría una ofensiva, su asignación de fuerzas, el calendario, movimientos generales de los ejércitos y sus respectivos objetivos / responsabilidades. En la escala inferior, los comandantes de grupos de ejércitos y los ejércitos y divisiones dentro de ese grupo recibirían asignaciones, pero dependía de los comandantes cómo lograr sus objetivos. Esto se mantenía en la compañía, el pelotón e incluso al nivel de escuadrón en ocasiones. A esta flexibilidad, que permitió descubrir técnicas innovadoras con mucha más frecuencia que en otros ejércitos, se agregaría la idea de que cada oficial de abajo se entrenaba para el trabajo que estaba por encima de él. Entonces, los comandantes de división entrenaban como comandantes de ejército, los comandantes de regimiento como comandantes de división, etc. Incluso los sargentos estaban familiarizados con el trabajo de teniente. Esto significaba qué si el oficial arriba de ellos caía, el suboficial podría ser ascendido rápidamente, permitiendo que la batalla avanzara sin tantas complicaciones.

Irónicamente, durante el curso de la Segunda Guerra Mundial, a medida que cambiaba el rumbo de la guerra, fueron los alemanes quienes se volvieron menos flexibles (al menos a nivel de división y más) y los soviéticos quienes se volvieron más flexibles e innovadores.

Equilibrio de Fuerzas

En 1942, Adolf Hitler fue grabado en secreto en una conversación con el mariscal de campo finlandés Carl Gustaf Emil Mannerheim. Los dos se habían reunido para el cumpleaños de Mannerheim y para discutir el progreso de la guerra, en la que Finlandia había entrado del lado de Alemania en 1941. De una manera sorprendentemente franca y conversacional, Hitler habla sobre los resultados de la Operación Barbarroja y le dice a Mannerheim que él y su aparato de inteligencia habían subestimado enormemente el tamaño de las fuerzas armadas soviéticas y el poderío industrial que ayudó a crearlas.

Sentado en un vagón de tren en Finlandia, Hitler le dijo a Mannerheim que, entre otras cosas, "Si alguien me hubiera dicho que cualquier país podría comenzar una guerra con 35.000 tanques, entonces le habría dicho: '¡Está loco!'. Si uno de mis generales hubiera dicho que cualquier nación tenía 35.000 tanques, le habría dicho: 'Usted, mi buen señor, lo ve todo dos o diez veces más grande. Está loco, está viendo fantasmas'".

Hitler también admite que su ejército no fue armado para el invierno y que había puesto sus esperanzas en una rápida victoria. Sin embargo, a pesar de todo esto, Hitler continúa diciendo que incluso si hubiera sabido sobre el tamaño del Ejército Rojo y su base industrial, habría atacado de todos modos en función del desempeño del Ejército Rojo en la guerra de Invierno con Finlandia y en su creencia de que eventualmente se vería involucrado en una guerra con la URSS, una guerra en la que deseaba atacar primero.

Lo que Hitler no sabía era el alcance del gasto militar soviético. Aunque la URSS era pobre en comparación con los países más ricos de Europa occidental, a finales de los años veinte y treinta, había gastado una parte cada vez mayor de su presupuesto nacional en defensa. De 1927 a 1928, Stalin había gastado alrededor del 10 por ciento del presupuesto de la nación en el ejército. Este porcentaje aumentó cada año hasta el estallido de la guerra, que comenzó con Finlandia en 1939. A modo de comparación, en 1933, los soviéticos gastaron el 16 por ciento del presupuesto en gastos de defensa; mientras que, en 1938, representaba más del 43 por ciento del presupuesto.

Lo que sigue es un análisis básico y general del equilibrio de fuerzas de los soviéticos y la *Wehrmacht* (Fuerzas Armadas Alemanas) cuando la Operación Barbarroja comenzara el 22 de junio de 1941 en la frontera soviética.

En la frontera de 1.800 millas de largo, Hitler tenía 153 (+/- 5) divisiones que equivalían a 3.5 millones de hombres. Además de esos hombres, había diecinueve divisiones Panzer (tanques), que suman alrededor de 6.000 tanques y otros vehículos blindados.

Siete mil piezas de artillería de diferentes tamaños tronaron sobre el paisaje esa mañana, junto con más de 7.000 morteros de diferentes tamaños. Estos iban acompañados de entre 3.000 y 5.000 aviones. La fuerza alemana se complementaba con unas treinta formaciones finlandesas, italianas, rumanas y húngaras, totalizando unas treinta divisiones de fuerza y eficacia muy variadas. Esta fue la fuerza de invasión más grande en la historia mundial, es decir, hasta que los soviéticos pasaron a la ofensiva a fines de 1942 y principios de 1943.

Oponerse a los alemanes era una gran masa de infantería soviética, pero su efectividad variaba ampliamente. Los soviéticos tenían aproximadamente entre 2,5 y 2,9 millones de hombres en el frente esa mañana y en los próximos días. Los soviéticos tenían 11.000 tanques en la parte occidental del país y en Polonia, superando en número a los alemanes en dos o tres a uno, según las fuentes de información. Los aviones, incluidos los cazas, bombarderos, de reconocimiento y transporte, contaban entre 8.000 y 10.000, pero eran en gran parte obsoletos. Los soviéticos poseían una asombrosa variedad de artillería, como lo harían durante la guerra. En la zona de primera línea, tenían aproximadamente 33,000 armas, pero desafortunadamente, carecían de los vehículos necesarios para remolcarlos. En la batalla móvil que se avecinaba, estas armas a menudo eran capturadas o destruidas por el Ejército Rojo para evitar que fueran utilizadas por los alemanes en rápido movimiento.

Lo que puede sorprender a algunos de ustedes que lean esto es la fuerza de las fuerzas blindadas soviéticas. El Ejército Rojo poseía una asombrosa cantidad de tanques al comienzo de la guerra, y algunos de ellos eran bastante buenos; de hecho, dos modelos, en particular, fueron quizás los mejores del mundo durante un corto tiempo. Discutiremos el T-34 y la serie KV en breve, pero en su mayor parte, el número de las fuerzas blindadas soviéticas se vio incrementado por una enorme cantidad de vehículos blindados y tanques obsoletos y algo experimentales.

El BT-10 era un automóvil ligeramente blindado diseñado como vehículo de reconocimiento / exploración y para control urbano / de multitudes, cuya armadura tenía un poco más de media pulgada en su punto más grueso. Aunque montaba un cañón de 45 mm, que era de un calibre pesado para su chasis, el vehículo era inútil en el campo de batalla a menos que fuera contra infantería sin escolta y sin armas antitanque.

Luego vino una serie de tanques ligeros y medianos, la mayoría de los cuales habían sido diseñados a mediados de la década de 1930. Se construyeron y utilizaron miles de T-27 y T-28 en la invasión soviética del este de Polonia. Allí, demostrarían ser algo efectivos, ya que la mayoría de las unidades polacas de calidad se habían trasladado al oeste para luchar contra los nazis. Sin embargo, en la guerra de Invierno contra los finlandeses, se descubrió que los tanques soviéticos eran vulnerables al fuego antitanque y los cócteles Molotov, bombas líquidas inflamables utilizadas por los finlandeses para compensar su falta de cañones antitanques. No ayudó que los soviéticos pensaran que sus tanques serían perfectos para luchar en la guerra contra los finlandeses. Cerca del comienzo de la Segunda Guerra Mundial, los soviéticos blindaron estos tanques, lo que ayudó hasta cierto punto. Otro factor que engañó a los soviéticos haciéndoles creer que sus tanques eran capaces fue su victoria sobre los japoneses en Mongolia, donde los japoneses provocaron un "incidente" que condujo a una gran batalla en Jaljin Gol. Sin embargo, esto fue engañoso porque, entre todos los principales combatientes de la Segunda Guerra Mundial, los tanques japoneses fueron los peores.

También estaba el "acorazado terrestre" T-35, que estaba más en línea con el pensamiento de la Primera Guerra Mundial que con el de la Segunda Guerra Mundial. El T-35 era una máquina enorme con múltiples torretas y una tripulación de once personas. Su arma más pesada era un buen modelo 76.2 combinado con una gran cantidad de ametralladoras y dos cañones de 45 mm. Su velocidad máxima, que rara vez se podía utilizar por el uso de combustible, era de 19 millas por hora. El tanque tenía casi 32 pies de largo y pesaba 44 toneladas, lo que lo hacía propenso a hundirse en el lodo y casi imposible cruzar la mayoría de los puentes primitivos en el campo soviético. Existen muchas imágenes de soldados alemanes examinando esta rareza en el campo de batalla después de haber sido noqueados o abandonados.

Ilustración 2: Soldados alemanes posan en el T-35, otoño de 1941

Los soviéticos también habían comprado varios tanques británicos antes de la guerra, pero la mayoría de ellos ya estaban obsoletos cuando comenzara la Segunda Guerra Mundial.

Sin embargo, a partir de 1940 el Ejército Rojo comenzó a producir dos excelentes modelos de tanques. Estos fueron el Klimenty Voroshilov (llamado así por el mariscal soviético del mismo nombre) 1 y 2. El KV-2 el más conocido de los dos, con su perfil enorme y su torreta de aspecto extraño y fuertemente blindada, pero el KV-1 era una bestia en sí misma y demostraría ser un desafío para los alemanes cuando lo encontraron en el campo de batalla.

El KV-1 lucía un blindaje frontal de 90 mm con lados de 75 mm y un blindaje trasero de 70 mm; en otras palabras, era un tanque bien protegido. Llevaba un excelente cañón principal de 76,2 mm, que era más pesado que todos los cañones de tanques alemanes en el momento de la Operación Barbarroja, y de tres a cuatro ametralladoras de 7,62 mm. Sus orugas eran más anchas que la de los tanques soviéticos anteriores, lo que le permitiría, y al más famoso T-34, operar en barro y nieve con mucho más éxito que otros tanques soviéticos y alemanes. La altura del KV-1 era de un poco más de dos metros y medio, o cuatro metros si se incluye la torreta.

El KV-2 tenía casi cinco metros de altura, incluida su torreta, pero su torreta y blindaje frontal eran (o se acercaban) a 110 mm / 4,3 pulgadas. Su cañón principal era un cañón de artillería de 152 mm / 5,9 pulgadas (su objetivo principal era la artillería móvil). Sin embargo, su principal debilidad era su falta de velocidad, aunque su armadura lo compensaba un poco.

Ambas versiones de los tanques KV demostraron ser un shock para los alemanes y finlandeses en el campo, y muchos informes y diarios del campo de batalla alemanes, como el que se muestra a continuación, provienen de un soldado de la 1.ª División Panzer en el segundo día de la invasión, están llenos de relatos de cuánto daño podrían sufrir estos vehículos.

Nuestras compañías abrieron fuego desde 700 m (765 yardas). Nos acercamos más y más ... Pronto estábamos a solo 50-100 m (55-110 yardas) el uno del otro. Se abrió un compromiso fantástico, sin ningún progreso alemán. Los tanques soviéticos continuaron su avance y nuestros proyectiles perforantes simplemente rebotaban. Los tanques soviéticos resistieron el fuego a quemarropa de nuestros cañones de 50 mm (1,97 pulgadas) y 75 mm (2,95 pulgadas). Un KV-2 fue alcanzado más de 70 veces y no penetró ni una sola bala. Unos pocos tanques soviéticos fueron inmovilizados y finalmente destruidos cuando logramos disparar a sus orugas, y luego utilizamos artillería para martillarlos a corta distancia. Luego fue atacado a quemarropa con cargas de mochila.

Hasta que los alemanes comenzaron a desplegar sus cañones antiaéreos de 88 mm como arma antitanque, lo mejor que podían esperar los artilleros alemanes era un golpe de suerte en un área defectuosa del blindaje o inutilizar el tanque golpeando sus orugas.

En situaciones de combate cuerpo a cuerpo, las cargas de la mochila (como se mencionó anteriormente) pueden inutilizar el tanque, pero eso requiere un valor extraordinario.

Por último, los soviéticos desarrollaron el innovador T-34. Al ver el éxito de los tanques alemanes más livianos en Polonia, Francia y los Países Bajos en 1940, los soviéticos llevaron a la línea de producción planes que ya estaban en la mesa de dibujo. El resultado fue el T-34/40. "T" por "tanque", "34" por el año en que el diseñador Mijaíl Koshkin desarrollara su idea para el tanque y "40" por el año en que entrara en producción. Las versiones posteriores se llamaron T-34/76 y 85, pero no fueron de los soviéticos; este era un nombre alemán para tanques con esos tamaños de armas.

Honestamente, el T-34 no era un gran tanque. Fue muy bueno, y fue muy bueno en casi todo. Tenía velocidades de 53 km / 33 mph. Su cañón era un cañón de 76 mm de alta velocidad, capaz de penetrar todos los tanques alemanes en 1941 a distancia. Sus vías anchas le permitían moverse bien en suelo fangoso o húmedo, y no era demasiado pesado para la mayoría de los puentes serios. Su motor diésel era simple, confiable (lo que no eran los de los KV) y fácil de reparar. El perfil del tanque no era demasiado alto y, lo mejor de todo, usaba armadura de fundición en la mayoría de los lugares en contraposición a la armadura remachada que se usaba en la mayoría de los tanques en la mayoría de los países de esa época.

La armadura fundida significaba que grandes secciones de la armadura del tanque estaban hechas de una sola pieza. Donde las piezas se unían, se soldaban juntas en lugar de remacharlas, lo que las hacía mucho más fuertes. Además, los remaches tenían la desagradable costumbre de soltarse con los disparos de las balas antitanque, convirtiéndolos en grandes trozos de metralla que volaban dentro del tanque, incluso si el proyectil no lo penetraba.

La armadura en sí estaba inclinada, lo que fue otra innovación. Esto significó que se le dio fuerza adicional a la armadura, ya que una ronda tendría que penetrar más en la armadura inclinada, que tenía el mismo grosor que la armadura no inclinada. La inclinación también significaba que los proyectiles antitanque a menudo se desviaban hacia arriba en lugar de penetrar en el tanque. Aunque el blindaje del T-34 no era tan grueso como el de la serie KV, los tanques alemanes de principios de la Segunda Guerra Mundial y los cañones antitanques a menudo no podían penetrar el casco exterior del T-34, especialmente a distancia. Los alemanes examinaron cuidadosamente los T-34 capturados y, como resultado, y con algunas modificaciones, se desarrolló el Panzer Mark V Panther.

Tanques alemanes

En los años entre la Primera Guerra Mundial y la Segunda Guerra Mundial, los alemanes también habían estado trabajando en nuevos diseños de tanques. Aunque el Tratado de Versalles prohibía a Alemania poseer cualquier dispositivo bélico excepto vehículos blindados ligeramente protegidos para tareas de control de disturbios / multitudes, algunos generales y otros oficiales, tanto los que estaban en servicio activo como los obligados a la vida civil por el tratado, trabajaban constantemente para el día en que Alemania fuera capaz de rearmarse.

Para 1929/30, cuando la Gran Depresión estaba a la vanguardia de las mentes de las grandes potencias de Occidente, y después de que había pasado más de una década desde la Primera Guerra Mundial, la observación aliada de las fuerzas armadas alemanas se había vuelto laxa. Muchos en Gran Bretaña y Estados Unidos (y, en menor grado, Francia) habían llegado a creer que los términos del Tratado de Versalles pesaban demasiado sobre Alemania. Además, en un momento en que el capitalismo parecía estar amenazado, los aliados eran muy conscientes de que Stalin y sus aliados comunistas en Europa estaban esperando el momento de tomar el poder. Como Alemania era la única nación capaz de enfrentarse a la Unión Soviética en esa zona del mundo, muchos británicos y estadounidenses comenzaron a ver un ejército alemán renovado como un baluarte contra el comunismo, por lo que a menudo miraron para otro lado cuando los alemanes comienzan a planear rearmarse.

Curiosamente, gran parte de su planificación se llevaría a cabo lejos de las miradas indiscretas de los aliados: tuvo lugar en la Unión Soviética, Sin embargo, estas bases de entrenamiento secretas se centraban más en entrenar pilotos y desarrollar una fuerza aérea, algo que preocupaba a los británicos y estadounidenses, ya que los cazas y bombarderos no se veían obstaculizados por el mar como tanques y ametralladoras.

La planificación e ingeniería de tanques alemanes se llevó a cabo en tableros de dibujo privados en todo el país. Un pequeño número de tropas alemanas practicaron la guerra de tanques con recortes de madera contrachapada y cartón que llevaban mientras corrían por los campos de entrenamiento. Las cámaras de los noticiarios occidentales se burlaban de esto, pero muchos de los hombres que corrían se convertirían en los mismos comandantes de tanques que fueron la punta de lanza de las tácticas de la guerra relámpago, que abrumaron a la mayor parte de Europa en 1939 y 1940. A pesar de su apariencia cómica, este entrenamiento contribuyó en gran medida a aprender un nuevo tipo de guerra de tanques en la que el tanque se convirtió en su propia arma devastadora, avanzando profundamente detrás de las líneas enemigas en grandes y poderosas columnas blindadas en lugar de pequeños grupos de apoyo de infantería donde su potencia de fuego y maniobrabilidad estaban efectivamente reducidos.

Cuando los alemanes invadieron la URSS en junio de 1941, lo hicieron con unos 6.000 vehículos blindados. La mayor parte de los tanques alemanes eran Panzer Mark Is y II, ambos obsoletos incluso antes de que comenzara la guerra en Polonia en 1939. El Mark I era más un vehículo blindado con torretas que un tanque, aunque tenía bandas de rodadura. Su blindaje era delgado y remachado, y estaba armado con solo dos ametralladoras de 7,92 mm, que estaban montadas en la torreta. No tenía cañones de ningún tipo. El vehículo sirvió para sofocar insurrecciones civiles ligeramente armadas, y eso fue todo. Su armadura más gruesa tenía media pulgada de grosor, y eso estaba justo en el frente. El tanque era susceptible incluso a los cañones antitanque de menor calibre. A medida que avanzaba la guerra, los miles de Mark I se modificaron gradualmente; a muchos de ellos se les quitaron las torretas y su chasis podía llevar una variedad de cañones como "cazacarros" y artillería móvil.

El Panzer Mark II fue una ligera mejora. Los observadores militares alemanes y los agentes de inteligencia en otros países, particularmente Francia, informaron que muchos de los tanques que estaban viendo eran significativamente mejores que los alemanes. Los alemanes comenzaron un curso intensivo para construir mejores tanques, pero como solución provisional, construyeron el Mark II, que fue fabricado por las mismas fábricas que fabricaron el Mark I. La diferencia más significativa entre los dos tanques fue el de 20 mm / 2 cm. armas de fuego que llevaba el Mark II a diferencia de las ametralladoras del Mark I. El Mark II también tenía una ametralladora de 7,92 mm montada en el casco para la defensa contra la infantería. El tanque podría ser fácilmente destruido por la mayoría de los cañones antitanques aliados.

Mientras los Mark Is y II se abrían paso por Polonia, los ingenieros alemanes estaban ocupados diseñando un tanque actualizado para la *Wehrmacht.* Este fue el Mark III, que se convirtió en el caballo de batalla del ejército alemán, pasando por una serie de modificaciones (principalmente aumentos en la protección de la armadura y cañones más grandes y más largos) durante todo el conflicto. En 1943 se construyeron un total de casi 6.000 variantes del Mark III, y muchos de los supervivientes cumplieron funciones en varios países de Europa del Este después de la guerra.

Entonces, si los tanques alemanes en realidad no eran tan buenos como muchos de los tanques aliados que enfrentaron, particularmente al comienzo de la guerra, ¿por qué consideramos a los alemanes los maestros de la guerra blindada durante la Segunda Guerra Mundial? Bueno, la guerra es más que un simple equipamiento: también se trata de entrenamiento, liderazgo, disciplina y tácticas.

Pero ¿cuáles fueron las tácticas que permitieron a los alemanes sorprender y abrumar a sus enemigos en los dos primeros años de la guerra? Desglosado en su forma más básica, la guerra relámpago consistía en una variedad de elementos que trabajaban juntos. En primer lugar, se trataría de encontrar los puntos débiles en las defensas del enemigo. Los puntos fuertes se evitarían, maniobrarían o simplemente se mantendrían en su lugar mediante un ataque de finta. Entonces, una fuerte columna blindada, trabajando en estrecha conjunción con ataques aéreos concentrados masivos, atravesaría los puntos débiles del frente enemigo, penetrando por la retaguardia para cortar suministros, interrumpir la comunicación y sembrar confusión. La infantería alemana atravesaría el agujero abierto por los tanques y el apoyo aéreo para limpiar y rodear a las unidades enemigas que aún estaban en el frente.

En muchas ocasiones, especialmente en los campos más abiertos de Polonia y Rusia, las formaciones de tanques seguían conduciendo hasta que alcanzaban sus objetivos o estuvieran en peligro de estar superando a sus trenes de suministros.

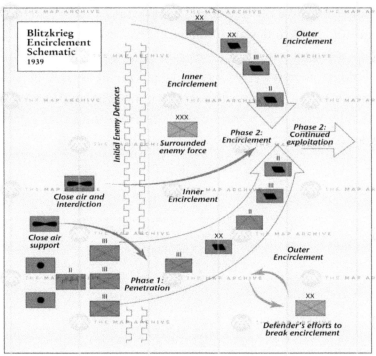

Ilustración 3: Diagrama del avance teórico de tipo blitzkrieg de la Segunda Guerra Mundial
(cortesía de El Archivo de Mapas)

Las tácticas alemanas también exigían el uso del poder aéreo actuando en estrecha coordinación con las unidades blindadas y de infantería en tierra. Esto requería un alto nivel de habilidad que los soviéticos no poseían en este momento. A la fuerza del ataque alemán se sumaba su completa superioridad en el aire. Aunque los soviéticos poseían muchos más aviones que los nazis, la gran mayoría eran obsoletos cuando comenzara la guerra, y muchos de ellos estaban en mal estado. Más adelante en la guerra, los soviéticos desplegaron varios cazas y bombarderos en picado decentes (especialmente el famoso bombardero en picada Ilyushin Il-2, que fue el flagelo de las formaciones de tanques alemanes más adelante en la guerra), pero casi hasta el día en que terminó la guerra, las muertes alemanas de aviones soviéticos fueron mucho, mucho más altas que la destrucción soviética de aviones alemanes.

Los soviéticos habían visto las tácticas alemanas en acción en Polonia en 1939 y en Occidente en el verano de 1940, pero en el verano de 1941, todavía no tenían un contraataque efectivo a las tácticas alemanas en el campo de batalla. Esperaban que sus tropas en Polonia fueran capaces de contenerlos al menos el tiempo suficiente para la movilización completa del Ejército Rojo y que el peso del equipo y la mano de obra soviéticos pudieran aplastar a los alemanes.

Capítulo 2 – Invasión

En la noche del 21 de junio de 1941, un soldado alemán llamado Alfred Liskow, que había sido miembro del Partido Comunista Alemán antes de Hitler, nadó a través del río Bug en Polonia y desertó a los soviéticos. Les advirtió que el ejército alemán tenía órdenes de atacar a los soviéticos a la mañana siguiente. La advertencia no fue escuchada, aunque unas semanas más tarde, Liskow supuestamente transmitió propaganda al pueblo soviético de que muchos alemanes no querían una pelea con la Unión Soviética. Su destino no está claro, aunque probablemente fue ejecutado por orden de Stalin en 1942.

Stalin hizo caso omiso de muchas advertencias sobre las intenciones de Hitler. Stalin ordenó que los vuelos de aviones alemanes, que eran claramente aviones de reconocimiento, no fueran molestados por Stalin, ya que no quería provocar un "incidente", ya que creía que el Ejército Rojo no estaba preparado para una pelea. Su personal de inteligencia militar le advirtió que un ataque era inminente, y también lo hicieron muchos de sus generales, que claramente estaban tomando la vida en sus manos para hacerlo. Incluso Winston Churchill, que estaba al tanto de gran parte del pensamiento y las acciones de Alemania a través de sus servicios de inteligencia y descifrado de códigos, advirtió a los soviéticos que se avecinaba una invasión, y pronto. Stalin ignoró a

Churchill, creyendo que el inglés estaba intentando provocarlo para que atacara a Alemania y quitara la presión a Gran Bretaña.

Pero quizás lo más significativo es que Stalin ignoró los informes de uno de sus agentes en Japón, Richard Sorge, que estaba al tanto de la información de los círculos diplomáticos en Tokio. Sorge informó a finales de mayo que creía que Hitler atacaría la URSS a finales de junio. Aprendió esto de un oficial alemán en Tokio con el que se había hecho amigo. Sorge también se estaba acostando con la esposa del oficial alemán y ella le proporcionó información adicional. Toda esta información la envió a Moscú, que fue ignorada. Afortunadamente para los soviéticos, Stalin le creyó a Sorge a finales de 1941 cuando Sorge informó a Moscú que Japón no tenía intención de atacar a la URSS y que, en cambio, iría a la guerra con Estados Unidos, lo que le permitió a Stalin traer cantidades masivas de hombres y materiales al oeste del Lejano Oriente ruso. luchar contra los nazis a las puertas de Moscú.

Sorge, entre otros espías y oficiales de inteligencia, Churchill y Alfred Liskow tenían razón: el 21 de junio, los comandantes alemanes recibieron el mensaje de que el Unternehmen (Emprendimiento / Operación) Barbarroja comenzaría a la mañana siguiente. La operación lleva el nombre del emperador del Sacro Imperio Romano Germánico medieval Friedrich Barbarroja (Federico I, "Barba Roja"), quien, según la leyenda, no está muerto, sino dormido, listo para despertar y llevar a Alemania a la grandeza en su hora de necesidad.

Justo después de las 3 a.m., miles de cañones alemanes abrieron fuego a lo largo de un frente de 1,800 millas de largo, que, en ese momento era, el bombardeo de artillería más grande de la historia, aunque sería superado muchas veces durante la guerra. Tres millones de soldados alemanes y sus aliados cruzaron las fronteras de Polonia, los estados bálticos, Ucrania y la frontera norte de Finlandia. Aunque las unidades soviéticas habían recibido una alerta dos horas antes, las noticias eran lentas, si es que llegaba allí, y prácticamente ninguna de las formaciones del Ejército Rojo en el frente estaba lista para el ataque alemán.

Los aviones de combate alemanes atacaron las bases aéreas soviéticas cerca de la línea del frente, destruyendo gran parte de las fuerzas aéreas soviéticas en tierra. Los bombarderos alemanes atacaron objetivos a lo largo de la frontera y en el interior de la URSS, alcanzando objetivos tan lejanos como los suburbios de Leningrado y Odesa en Ucrania.

En Moscú, Josef Stalin quedó completamente destruido por la noticia del ataque alemán. Para un hombre tan paranoico como el líder soviético, parece que creía que Hitler no atacaría, al menos no en el futuro previsible. Stalin entró en una profunda depresión, que se prolongó durante varios días, y en un momento pensó que podría ser arrestado por su policía secreta y / o militares por subestimar la amenaza que representaba Hitler. Esa mañana, el ministro de Relaciones Exteriores soviético, Viacheslav Mólotov, Político, salió al aire e intentó unir al pueblo soviético, ya que Stalin era incapaz de hablar. Stalin no salió al aire hasta el 3 de julio, que fue cuando anunció el inicio de la Gran Guerra Patria. También comenzó lentamente a abrir iglesias y a traer de vuelta símbolos militares previamente prohibidos (como la trenza de oro) y otras tradiciones antiguas en un esfuerzo por unir a la gente y hacer que la guerra se centre menos en el comunismo y más en la supervivencia nacional.

En cierto modo, Stalin tenía razón. La Segunda Guerra Mundial en la Unión Soviética, así como en Polonia, fue la guerra más salvaje que el mundo había visto desde las invasiones mongolas de los siglos XIII y XIV. Hitler les dijo a quienes estaban en su círculo íntimo que la guerra contra la Unión Soviética sería una "guerra de aniquilación", eliminando no solo el sistema comunista (que, entre otras cosas, defendía la unidad de todas las clases trabajadoras, independientemente de la raza), sino también toda la población de la Unión Soviética, especialmente los judíos, los cuales se estimaban en cinco millones. El pueblo eslavo de la Unión Soviética debía morir de hambre o trabajar hasta morir en beneficio de los alemanes. Aquellos a quienes se les permitía existir debían ser deliberadamente ignorantes y apenas vivos para evitar levantamientos.

Inmediatamente después de las tropas invasoras, las jerarquías de la Schutzstaffel (SS) y las unidades policiales llamadas *Einsatzgruppen* o "grupos de acción especial" se desplegaron para rodear y / o matar judíos, funcionarios del Partido Comunista, la intelectualidad (escritores, maestros, periodistas, etc.), y otros considerados un peligro por los nazis. Por supuesto, la comunidad judía era el objetivo principal, y un año antes de que se organizaran los primeros campos de exterminio, los *Einsatzgruppen* (grupo de asalto) mataron aproximadamente 1,5 millones de personas en lo que se ha denominado recientemente el "Holocausto a balazos".

En solo unas semanas, los alemanes habían penetrado cientos de millas en la Unión Soviética. Polonia y los estados bálticos de Letonia, Lituania y Estonia fueron tomados en días, y el 2 de julio, los alemanes estaban en la Línea de Stalin, una línea de defensa en las afueras de Leningrado. Hitler, Joseph Goebbels, Heinrich Himmler y otros en la cadena de mando nazi estaban, dada la magnitud de los éxitos alemanes en el verano de 1941, exultantes y prepararon planes para la colonización alemana de la Unión Soviética desde Arcángel en el extremo norte hasta el montes Urales hasta el mar Caspio.

De hecho, en las primeras semanas, parecía que el Ejército Rojo sería eliminado en el campo, hecho prisionero o se desintegraría. Enormes bolsones de tropas soviéticas se vieron rodeadas en lo que los historiadores han denominado "las grandes batallas de cerco de 1941". La guerra relámpago funcionó asombrosamente bien, al igual que lo hizo en Occidente.

En batallas tanto grandes como pequeñas, las unidades soviéticas fueron rodeadas y destruidas. Aunque la teoría militar convencional dice que un atacante debería tener al menos una ventaja de dos a uno, el atacante tiene la ventaja de decidir dónde atacar, y de acuerdo con las tácticas de la guerra relámpago, los alemanes, en general, empujaron sus puntas de lanza blindadas contra áreas de las líneas soviéticas que estaban menos defendidas, tenían huecos en las líneas o estaban tripuladas por tropas menos capaces, menos equipadas o mal entrenadas, o alguna combinación de las tres. Dos puntas de las fuerzas alemanas se encontrarían después de penetrar millas detrás de las tropas soviéticas de primera línea, completando un cerco de las fuerzas del Ejército Rojo. A veces, se produciría un doble envolvimiento, o un movimiento de pinza, en el que elementos de las fuerzas alemanas continuarían avanzando, con la esperanza de atrapar a las unidades soviéticas de refuerzo en otro cerco.

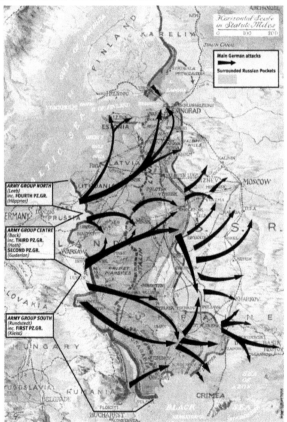

Ilustración 4: Avances alemanes en diciembre de 1941

Como puede ver en el mapa de arriba, estos cercos ocurrieron tanto a pequeña como a gran escala. Si observa el empuje del "Grupo de Ejércitos Centrales" de Alemania, verá una serie de flechas a cientos de millas de distancia que se unen después de penetrar profundamente en territorio soviético. En una escala más pequeña, esto sucedió cientos de veces.

Inicialmente, los soviéticos no solo se vieron obstaculizados por las tácticas y el poder de los alemanes, especialmente en el aire, sino también por las instrucciones que recibían de Moscú. Debido a las purgas, los oficiales soviéticos se resistían a tomar la iniciativa: si tomaban las decisiones equivocadas, podrían terminar ante un pelotón de fusilamiento. A veces, las instrucciones que recibían los comandantes del campo de batalla estaban tan desconectadas o desactualizadas que eran irrelevantes para lo que estaban enfrentando los comandantes. Los retrasos causados por las interrupciones alemanas de las comunicaciones soviéticas, la vacilación por parte de los soldados soviéticos a lo largo de la cadena de mando para transmitir malas noticias y la indecisión en la escala superior hicieron casi imposible una respuesta coordinada del Ejército Rojo.

En las primeras horas de la invasión, Stalin emitió una orden para que las tropas soviéticas contraatacaran siempre que fuera posible, y eso fue esencialmente lo más importante de la orden: no se dieron detalles ni hubo coordinación entre las unidades. A los comandantes se les ordenó simplemente atacar a todos los alemanes que pudieran con las tropas que tuvieran. Sabiendo que un pelotón de fusilamiento estaba prácticamente asegurado para cualquiera que desobedeciera las órdenes, se produjeron cientos de infructuosos y fatales ataques soviéticos. Estas batallas fueron más parecidas un combate de boxeo en el que uno de los concursantes es el campeón de peso pesado mientras que el otro es un tipo de la calle.

El pánico se extendió por todo el país. Las personas cercanas a las líneas del frente intentaron huir, pero en muchas ocasiones se encontraron rodeadas por las tropas del Ejército Rojo a quien se suponía debían defenderlas. Columnas llenas de miles de personas fueron bombardeadas por la Fuerza Aérea Alemana, la *Luftwaffe*.

En la parte sur del frente, en Ucrania, los alemanes a menudo eran recibidos como libertadores. Muchos ucranianos mayores recordaban la ocupación alemana de la Primera Guerra Mundial, en la que los alemanes actuaron con moderación e incluso respeto. Otros en el país tenían un odio profundo y permanente hacia Stalin y el sistema soviético, que había reprimido sin piedad el nacionalismo ucraniano durante y después de la guerra civil rusa, que tuvo lugar entre 1918 y 1921. Peor aún, Stalin había privado deliberadamente a Ucrania de alimentos durante el años de 1932 y 1933, lo que resultó en una hambruna provocada por el hombre que solo fue ayudada por un desastre natural, que mató al menos a un millón de personas en Ucrania, la mayoría de ellos de etnia ucraniana. Por supuesto, cientos de miles de ucranianos lucharon contra la invasión alemana, pero en todo el país, las turbas recibieron a las tropas alemanas invasoras con los tradicionales obsequios de bienvenida (pan y sal) y las adornaron con flores.

Esta bienvenida por parte de los ucranianos alentó a los nazis a creer que era solo una cuestión de tiempo antes de que el sistema soviético, bajo presión del exterior y con suerte desde dentro, se derrumbara pronto. Sin embargo, si Hitler hubiera optado por mirar más profundamente, especialmente a medida que junio se desvanecía a finales de julio y agosto, podría haber reconocido que esta pelea iba a ser más difícil de lo que imaginaba.

Primero, cualquier buena voluntad que existiera en Ucrania, así como en los estados bálticos, donde el odio a Rusia era profundo, pronto desapareció cuando los nazis demostraron ser, bueno lo que eran, nazis. Para el otoño de 1941, los núcleos de la resistencia organizada habían comenzado a crecer y, para 1942, estaba bien organizada y cada vez más equipada, por no mencionar que era muy numerosa.

En segundo lugar, los alemanes, aunque habían infligido inmensas bajas a los soviéticos, también estaban sufriendo enormes pérdidas y, a diferencia de los soviéticos, no podían permitírselo. Y no solo aumentaron sus pérdidas, sino que los suministros también comenzaron a escasear. Los alemanes no planearon una guerra prolongada y sus recursos de petróleo, metales y otras cosas necesarias para un conflicto prolongado comenzaron a agotarse. Esto solo empeoraría con el tiempo. Y, por supuesto, las distancias involucradas también dificultaron que los alemanes llevasen suministros a sus tropas de primera línea, especialmente con la llegada del mal tiempo y el creciente número de partisanos a medida que avanzaba la guerra.

En tercer lugar, la resistencia soviética comenzó a endurecerse a medida que pasaban los meses. Los diarios llevados por los soldados alemanes sobre el terreno hablan de la resistencia fanática de algunas tropas soviéticas, que aumentó a medida que los alemanes se adentraban en el país, ya que los soviéticos comenzaron a darse cuenta cada vez más de que esta guerra no era solo de conquista, sino también de aniquilación.

A medida que el verano se convirtió en otoño y luego el otoño en invierno, el Ejército Rojo comenzó a mostrarse más capaz. Parte se debió al clima, pero con el paso del tiempo (y especialmente en la segunda mitad de la guerra), Stalin se dio cuenta inteligentemente de que no era el genio militar que pensaba que era el 21 de junio de 1941. Allí donde Hitler tomó cada vez más el control de sus generales, Stalin les dio más libertad de acción. Esto significó que las tropas soviéticas en muchas circunstancias, pero no en todas, podían retirarse para luchar otro día y que sus comandantes de campo tenían más voz en dónde y cuándo atacar y retirarse, así como en la asignación de tropas y suministros. Como veremos, las tropas soviéticas del Lejano Oriente mejor entrenadas llegaron cerca de Moscú a fines de noviembre / principios de diciembre de 1941, una vez que Stalin se dio cuenta de que los japoneses estaban atacando a través del Pacífico. Además, los soviéticos comenzaron un régimen de entrenamiento más moderno, especialmente entre sus generales y comandantes de nivel medio, dándoles instrucción sobre ataques con armas combinadas. En la segunda mitad de 1943, los soviéticos eran los propios dueños de la blitzkrieg.

Por último, aunque tomó algún tiempo antes de que pudiera tener efecto, tanto Gran Bretaña como Estados Unidos comenzaron a enviar cantidades masivas de apoyo militar y otras ayudas a la Unión Soviética. Aunque la mayoría de los tanques y aviones soviéticos se fabricaron en casa, los aliados occidentales enviaron decenas de miles de camiones, rifles, ametralladoras, suministros de alimentos, rodamientos de bolas y piezas de fábrica a la URSS, incluso mientras luchaban contra los propios alemanes. Tanto el primer ministro británico Winston Churchill como el presidente estadounidense Franklin Delano Roosevelt sabían qué si la Unión Soviética era derrotada o llegaba a un acuerdo con Hitler, la guerra en Europa Occidental terminaría o, al menos, la victoria se retrasaría mucho y tendría un costo mucho mayor.

Capítulo 3 - Todo parece perdido

En los meses previos a la Operación Barbarroja, Hitler y muchas de las principales figuras de su estado mayor debatieron cuál sería el objetivo principal de la operación. Mucha gente tiene una visión de Hitler como un loco delirante, despotricando y amenazando a sus generales hasta que se sale con la suya. Este fue ciertamente el caso muchas veces en la última parte de la guerra. Sin embargo, en la primera parte del conflicto, era más probable que escuchara y debatiera con sus oficiales, y esto es lo que sucedió en el período previo a la invasión de Rusia.

La Segunda Guerra Mundial engendró toda una industria: una historia alternativa. Se han escrito páginas y páginas sobre "cómo y si Hitler pudo haber ganado la Segunda Guerra Mundial", y muchas de ellas se centran en sus acciones, o en la falta de ellas, en la Unión Soviética y, sin duda, lo que sigue aquí será debatido por aquellos que las leyeron.

Hablando en términos muy generales, el plan de Hitler era sacar a los soviéticos de la guerra capturando lo que él creía que era la parte más importante del país: el sur. Allí, Ucrania suministraba la mayoría de los cereales y otros productos alimenticios a la población de la URSS. También contenía grandes suministros de carbón. Más al este en el sur estaban los campos petroleros del Cáucaso, que eran algunos de los más ricos del mundo, especialmente los de Bakú, y si había un recurso clave del que carecía la maquinaria de guerra alemana, era el petróleo.

Hitler también creía que un ataque al norte liberaría a las naciones bálticas del comunismo, y que esta liberación, llevada a su máxima extensión, llegaría al puerto de Múrmansk, donde la Unión Soviética tenía su puerto occidental. Tomar Múrmansk ayudaría a cortar cualquier posible suministro traído de Gran Bretaña o de otros lugares. La captura de Leningrado también desanimaría a los soviéticos, ya que era el "hogar" de su revolución. Quizás lo más importante es que Hitler y algunos de sus partidarios en el ejército creían que el factor más importante sería la destrucción del Ejército Rojo en el campo, preferiblemente en las vastas llanuras entre Polonia y Moscú.

Sin embargo, muchos de los principales generales de Hitler, especialmente el general Erich Marcks, creían que la mejor estrategia sería utilizar la mayor parte de la fuerza alemana y llegar hasta Moscú, "cortando la cabeza de la serpiente", como dijo uno de ellos. Con su capital tomada y sus ejércitos desmoralizados en el campo, los soviéticos pedirían la paz o se derrumbarían.

Los Balcanes

Antes de que Hitler y sus generales pudieran probar o refutar las teorías de los demás, se enfrentaron a una situación que los desorientó por completo. El plan de Hitler era invadir la URSS a mediados de mayo. Esto les daría a las fuerzas alemanas quizás seis meses de buen tiempo antes de que comenzara el invierno ruso. Estaban confiados (se podría decir demasiado confiados) de que podrían lograr sus objetivos en ese tiempo y, a pesar del retraso que se describe a continuación, continuaron creyendo que la Operación Barbarroja terminaría antes de que llegara lo peor del mal tiempo.

En octubre de 1940, Benito Mussolini, el dictador fascista de Italia y aliado de Hitler, invadió Grecia sin decirle a Hitler sus planes. Mussolini estaba seguro de que sus ejércitos estarían en Atenas en un corto período de tiempo, y luego podría presumir de otro agregado a su "Nuevo Imperio romano" de Albania, Libia, Etiopía y una pequeña franja del sur de Francia que Hitler le había dado como regalo después de la derrota de ese país. Los planes de Mussolini salieron completamente mal, con los griegos no solo montando una fuerte defensa, sino también contraatacando y haciendo retroceder a los italianos a Albania, donde comenzara su ataque.

Pronto, Hitler tuvo claro que tendría que rescatar a su amigo italiano para que los británicos no usaran Grecia como base de operaciones contra su propio flanco sur, por lo que Alemania estaría enviando tropas a Grecia lo más rápido posible.

Pero para que las tropas alemanas pudieran llegar a Grecia, necesitaban pasar por Yugoslavia. El regente de Yugoslavia, el príncipe Pablo, que ocupaba el trono hasta que el futuro rey Pedro II llegara a la mayoría de edad, era proalemán y estaba dispuesto a dejar pasar las tropas alemanas por el país. Las fuerzas antialemanas, alarmadas por esta pérdida de soberanía nacional y la posibilidad de que las tropas alemanas no se fueran, dieron un golpe de estado y colocaron en el trono a Pedro II, que era pro-Aliado en su punto de vista. Pedro II y sus generales rechazaron el paso de las tropas de Hitler unos días antes de su movimiento planeado hacia el sur.

Entonces, el 6 de abril de 1940, Hitler y Mussolini invadieron Yugoslavia desde el sur y el norte, y aunque lucharon duro, los yugoslavos fueron desbordados en dos semanas. Las tropas alemanas se trasladaron al sur al mismo tiempo y conquistaron Grecia el 30 de abril. Luego siguió una campaña de un mes para tomar la gran isla de Creta, ya a principios de junio, toda Grecia estaba bajo el control del Eje.

Aunque las operaciones en los Balcanes fueron relativamente rápidas, retrasaron la invasión de Hitler a la Unión Soviética en unas seis semanas. Muchos historiadores han argumentado que estas seis semanas fueron cruciales para permitir que los soviéticos se reagruparan en el otoño y para cuando comenzara el invierno ruso, ya que los alemanes solo se acercaron a Moscú a fines de octubre / principios de noviembre de 1941. Sin embargo, algunos creen que, en el largo plazo, incluso si los alemanes hubieran capturado Moscú, los soviéticos habrían luchado, habiendo trasladado ya la mayoría de sus plantas industriales a los Urales en una de las hazañas de reorganización más asombrosas de la historia moderna. Por orden de Stalin, prácticamente todas las piezas y máquinas vitales de las fábricas, sin mencionar los suministros y la mano de obra, fueron retiradas antes de que llegaran los alemanes y se trasladaran cientos de millas al este, fuera del alcance de los bombarderos alemanes. Lo que no se podía mover simplemente fue destruido.

De vuelta a Rusia

La primera parte de la Gran Guerra Patria fue una serie de grandes batallas de cerco libradas en las llanuras occidentales de Rusia y Ucrania. Este tipo de acciones se libraron a lo largo de la primera campaña alemana, y se llevaron a cabo varias de estas batallas más grandes, en las que participaron cientos de miles de hombres (y, a veces, en el caso del Ejército Rojo, fueron tomados como prisioneros).

La primera gran batalla de la Operación Barbarroja tuvo lugar en la región cerca de la ciudad polaca de Bialistok y la ciudad soviética de Minsk, que estaban separadas por unas 215 millas. La batalla comenzó el primer día de la invasión, el 22 de junio, y duró hasta el 9 de julio. La *Wehrmacht* alemana utilizó la guerra relámpago y las tácticas de envolvimiento descritas anteriormente para rodear, matar y capturar a una gran cantidad de tropas soviéticas, que quedaron atrapadas en el área por las columnas alemanas que se movían rápidamente y las tenían rodeadas antes de que se dieran cuenta. Como resultado, casi medio millón de soldados soviéticos murieron, fueron capturados o heridos, 5.000 vehículos destruidos y casi 2.000 aviones destruidos, la mayoría en tierra. Esta primera gran batalla de la invasión nazi hizo que muchos en Alemania creyeran que sus pensamientos de una victoria rápida y relativamente fácil se harían realidad. En comparación con las pérdidas soviéticas, los alemanes perdieron quizás 15.000, incluyendo muertos, heridos y desaparecidos.

Hacia el sur, tuvo lugar otra batalla de cercamiento, que comenzó el 15 de julio y finalizó el 8 de agosto, cerca de la ciudad de Umán, Ucrania, que condujo a la ciudad más importante de Ucrania, Kiev (la actual capital de Ucrania). Allí, tres grupos del ejército alemán, con un total estimado de 400.000 hombres y 600 tanques, superaron a tres grupos del ejército soviético que totalizaron 300.000 hombres, matando o capturando dos tercios de la fuerza soviética.

Los alemanes continuaron avanzando hacia el este, y entre el 8 de julio y el final del mes, se enfrentaron al Ejército Rojo en una batalla masiva cerca de la ciudad de Minsk (hoy capital de Bielorrusia). Casi un millón de hombres de ambos lados participaron en la batalla, cada uno con aproximadamente el mismo número de tanques y armas, pero una vez más, los soviéticos fueron superados y rodeados. Las pérdidas soviéticas fueron asombrosas: más de 300.000 muertos o capturados, con 5.000 tanques y 2.000 aviones destruidos.

A medida que avanzaba el verano, los alemanes estaban eufóricos y asombrados. No podían creer su buena suerte de ganar batalla tras batalla y destruir o capturar tantas tropas soviéticas. Pero ¿cuántas tropas soviéticas había? A medida que el verano se acercaba, las estimaciones alemanas de la fuerza soviética demostraron ser erróneas una y otra vez. Justo cuando los alemanes pensaban que los rusos se habían terminado, aparecían nuevas unidades en el frente.

Es más, a pesar de que algunas de estas unidades apenas tenían entrenamiento, y muchas fueron puestas en la línea del frente con pocas balas para sus armas o incluso sin armas (se les dijo que obtuvieran una, de los muertos en el campo), La resistencia soviética pareció endurecerse cuanto más hacia el este se dirigían los nazis. A veces, era fanática, con oleadas de soldados soviéticos que simplemente cargaban en masa contra las formaciones alemanas. Por supuesto, muchas veces estos soldados no tenían otra opción; los comisarios políticos y las tropas los habrían matado si se hubieran retirado, pero a los alemanes les parecía que la lucha se estaba volviendo más dura cuanto más se adentraban en Rusia. Sin duda, muchas tropas soviéticas tomaron la otra ruta y simplemente se rindieron, de hecho, cientos de miles. Esto nos lleva a otro hecho espantoso de la Segunda Guerra Mundial. De los millones de soldados soviéticos hechos prisioneros por los alemanes durante la Segunda Guerra Mundial, especialmente al principio, a muchos simplemente los metieron en corrales y los dejaron morir de exposición, sed, hambre y enfermedades, que abundan cuando las personas se ven obligadas a amontonarse en condiciones insalubres. Cientos de miles simplemente fueron fusilados. Millones se enviaron a territorio controlado por los alemanes. Algunos de ellos fueron enviados a Alemania y otros lugares para trabajar en campos de trabajos forzados. Muchos otros fueron enviados a los campos de concentración que estaban surgiendo por toda Polonia. Las primeras personas que fueron gaseadas en Auschwitz fueron en realidad prisioneros de guerra soviéticos. Lo que hace que esta situación sea aún más trágica es el hecho de que los que sobrevivieron a los nazis a menudo fueron enviados a los Gulags soviético después de la guerra, ya que Stalin los veía como posibles espías occidentales y / o traidores por haber sido capturados. Muchos murieron en los campos soviéticos después de sobrevivir a los terrores de los nazis.

Ilustración 5: Masas de prisioneros de guerra soviéticos capturadas en una de las batallas de cercamiento durante las primeras semanas de Barbarroja. La mayoría de los prisioneros de guerra soviéticos no sobrevivirían

A medida que se acercaban a la capital soviética de Moscú y a la ciudad ucraniana de Kiev, los alemanes lucharon contra el Ejército Rojo en dos batallas gigantes de cercamiento más una en Smolensk, ubicada en los accesos a Moscú, durante la mayor parte de julio y la otra en la propia Kiev desde 23 de agosto al 26 de septiembre.

En Smolensk, 430.000 alemanes se enfrentaron a más de medio millón de soviéticos. La batalla tuvo lugar en un área de cientos de millas cuadradas, con acciones de empuje y contraataque durante todo el mes de julio. Incluso incluyó salvajes combates casa por casa en ciudades de toda la zona, especialmente en la propia Smolensk. En toda la zona se produjeron atrocidades en ambos bandos, aunque los alemanes atacaron no solo a los soldados del Ejército Rojo, sino también a civiles y, por supuesto, a la gran población judía que vivía en la zona.

Smolensk resultó en otra derrota soviética, con casi 200.000 muertos, otro cuarto de millón de heridos y más de 300.000 capturados. Además, se destruyeron entre 1.500 y 3.000 vehículos blindados de todo tipo y casi 1.000 aviones. Los alemanes perdieron mucho menos, unos 30.000 muertos y 100.000 heridos, pero, a diferencia de los soviéticos, no podían permitirse esas pérdidas semana tras semana. Y el número de alemanes muertos iba a aumentar con el paso del tiempo.

Al comienzo del conflicto, Hitler había ordenado a sus generales que se concentraran en el sur, donde se encontraban la mayoría de los recursos de la URSS. A medida que avanzaba el verano, sus generales lo convencieron de cambiar el enfoque del ataque alemán hacia el centro, pero después de la batalla de Smolensk, Hitler volvió a ordenar un cambio, convencido de que los rusos estaban en sus últimas etapas y pondrían más énfasis en sobre el ahorro de sus recursos, especialmente el carbón y el petróleo.

Desde finales de agosto hasta finales de septiembre, la mayor de las batallas de cercamiento de la Operación Barbarroja se libró cerca de Kiev. Allí, medio millón de tropas alemanas, húngaras, rumanas e italianas libraron una batalla cada vez más difícil contra el Ejército Rojo. Los soviéticos inicialmente tenían alrededor de 600.000 hombres en el área, pero enviaron más tropas a la batalla a medida que avanzaba septiembre. La batalla no tuvo lugar en la ciudad, sino en toda la parte noroeste de Ucrania, que abarca miles de millas cuadradas.

Uno de los efectos desmoralizadores para los soldados alemanes fue el paisaje. Viniendo de un país densamente poblado que tenía muchas características geográficas diferentes, las interminables llanuras de la Unión Soviética comenzaron a afectarlos. Para muchos, era como estar en el mar o, más exactamente, en "un mar de hierba", sin nada más que colinas onduladas y algún que otro árbol o choza para romper el paisaje. Es más, los soviéticos siguieron luchando, atrayéndolos cada vez más hacia este paisaje extraño.

Durante la Primera Batalla de Kiev los soviéticos perdieron cientos de miles de hombres, que fueron asesinados o capturados. Pero las bajas alemanas comenzaron a aumentar, ya que tenían más de 125.000 muertos, heridos o desaparecidos. A lo largo de las batallas en Ucrania, el *Einsatzgruppen* nazi, así como el ejército alemán, cometieron atrocidades tras atrocidades, la más infame de las cuales fue la matanza de judíos en Babi Yar, en las afueras de Kiev. Murieron más de 30.000 personas (hoy, el sitio es un monumento dentro de los límites de la ciudad). Desde que terminara la guerra, se han encontrado literalmente miles de lugares de ejecución en toda Ucrania. Si está interesado en aprender más sobre este tema, consulte la bibliografía para obtener un título excelente sobre este tema.

En el norte, donde el país era más boscoso y accidentado para que los tanques lo atravesaran, los alemanes avanzaron hasta las puertas de Leningrado. Sus aliados finlandeses acordaron ayudar a los alemanes inmovilizando a las fuerzas soviéticas en el istmo de Carelia, muchas partes del mismo habían sido finlandesas hasta 1940, pero no ayudaron en el asedio de Leningrado. Sin embargo, lucharon con los soviéticos al norte en Karelia, donde todavía vivían muchos de etnia finlandesa. El asedio de Leningrado de 900 días se discutirá en un próximo volumen de *Historia Cautivadora*.

Una vez que terminara la Primera Batalla de Kyiv (Kiev), Hitler volvió a trasladar la mayor parte de sus fuerzas al norte para tomar Moscú, pero entre el desplazamiento inicial hacia el sur y el regreso, se perdió mucho tiempo. Desde principios de octubre hasta enero de 1942, la batalla se desarrolló frente a la capital soviética. Las tropas de exploración alemanas en un momento al despertarse pudieron ver las torres del Kremlin, pero eso es todo lo que lograron los alemanes.

Aconsejado por su espía Richard Sorge que en septiembre Japón atacaría el oeste (y esta vez creyéndole, al menos parcialmente), Stalin comenzó a mover sus enormes ejércitos del Lejano Oriente hacia el oeste para defender la capital. El 7 de diciembre de 1941, Japón atacó a los EE. UU. En Pearl Harbor, confirmando los informes de Sorge, y los soviéticos aumentaron el número de tropas enviadas al oeste, al tiempo que habían estado reclutando y entrenando a millones de más hombres.

A partir de octubre, el clima se volvió decisivamente contra los alemanes. En otoño y primavera, el oeste de Rusia y Ucrania están sujetos a lluvias que convierten el campo (y los muchos caminos de tierra de la época) en lodazales. Los movimientos de tropas y tanques se ralentizaron o se detuvieron por completo. Cuando el otoño comenzó a convertirse en invierno, las carreteras comenzaron a congelarse, lo que permitió que los tanques alemanes pudieran avanzar nuevamente.

Sin embargo, había quedado muy en claro que los alemanes estaban mal preparados para una guerra de invierno. Como dijo Winston Churchill en un discurso durante la guerra, "hay nieve, hay escarcha y todo eso. Hitler se olvidó del invierno ruso. Debe haber estado muy mal asesorado". Las tropas alemanas enfrentaron temperaturas bajo cero mientras vestían ropa de verano. Los alemanes en su país comenzaron a pensar que algo andaba mal cuando se les pidió que donaran ropa de invierno, incluso pieles de mujer, a los soldados en Rusia.

Mientras tanto, los suministros alemanes disminuyeron. La gasolina se estaba agotando y el clima y los crecientes ataques de partidistas empeoraron la situación. Los tanques y otras maquinarias tenían que mantenerse inactivas todo el tiempo, o de lo contrario se congelarían. El congelamiento eliminó a miles de soldados de las líneas del frente, a veces incluso enterrándolos en tumbas poco profundas.

Y luego, el 5 de diciembre de 1941, los soviéticos contraatacaron. Masas de soldados soviéticos salieron de la niebla sobre los tanques T-34 que ni siquiera estaban pintados porque eran necesarios de *inmediato* en el frente. Tuvieron éxito en hacer retroceder a los alemanes a cientos de millas de la capital soviética hasta que los alemanes pudieron montar una contraofensiva y estabilizar la línea del frente. Pero el peligro para la capital soviética había pasado y Moscú no volvería a verse amenazada.

Conclusión

La Operación Barbarroja fue solo la primera fase del plan de Hitler para conquistar la Unión Soviética. Desde un punto de vista estrictamente militar, la operación fue un éxito. Millones de tropas soviéticas habían sido asesinadas y capturadas y se habían confiscado decenas de miles de millas cuadradas de territorio soviético.

Pero, como Hitler admitió ante el mariscal de campo finlandés Mannerheim en 1942, él y sus generales habían subestimado seriamente la capacidad soviética para hacer la guerra. Habían ignorado las plantas industriales construidas por Stalin antes de la guerra y no esperaban que los soviéticos pudieran evacuar gran parte de esa industria a los Urales, que las ponía fuera del alcance de sus bombarderos. También subestimaron la voluntad del pueblo soviético de trabajar por la victoria.

Dada la facilidad con la que Hitler ganó las primeras batallas de la campaña, es fácil ver cómo se reforzaron sus ideas sobre las pobres habilidades militares soviéticas, pero a medida que los soviéticos eran derrotados en los primeros meses de la guerra, también estaban aprendiendo y eran incompetentes. los oficiales estaban siendo reemplazados por los líderes que llevarían al Ejército Rojo a Berlín en 1945.

Y finalmente, aunque los soviéticos perdieron muchos más hombres ante los alemanes que al revés, la mayoría de los soldados alemanes supervivientes le habrían dicho que lo último que habrían cuestionado durante la guerra hubiera sido el coraje de los soldados del Ejército Rojo.

Quinta Parte: Stalingrado

Una guía fascinante de la batalla de Stalingrado y su impacto en la Segunda Guerra Mundial

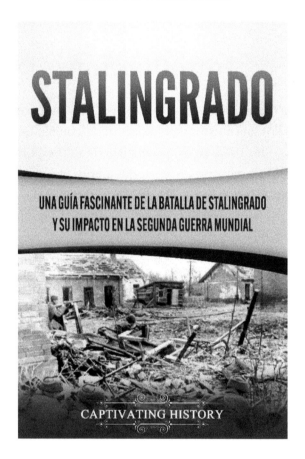

Introducción

La batalla de Stalingrado es conocida como el "punto de inflexión" de la Segunda Guerra Mundial. Antes de la batalla, que tuvo lugar desde agosto de 1942 hasta principios de febrero de 1943, los alemanes salieron victoriosos en todas partes, a pesar de algunos reveses localizados (por ejemplo, en Moscú en 1941). Después de Stalingrado, los alemanes fueron constantemente empujados hacia atrás, con algunos ejemplos notables como Kursk en el verano de 1943 y el Bulge en 1944.

Durante la Segunda Guerra Mundial, la Unión Soviética sufrió cerca de veinte millones de muertos. Para aquellos leyendo la guerra fue de alrededor de 415.000 y 483.000, respectivamente. En los aproximadamente seis meses de la batalla de Stalingrado, los alemanes, sus aliados húngaros, rumanos e italianos, y los soviéticos perdieron un estimado de un millón de hombres.

A medida que la batalla fue avanzando, los soldados alemanes le dieron a la batalla de Stalingrado un apodo: "Der Rattenkrieg", o "la guerra de las ratas". La lucha en Stalingrado tuvo lugar en las ruinas de una gran ciudad, así como abajo en las alcantarillas. Gran parte de la lucha fue un combate cuerpo a cuerpo, y en muchos casos, fue mano a mano. Los hombres morían por cientos de miles, como ratas sucias y salvajes.

Originalmente, Adolf Hitler quería que su 6º Ejército protegiera el flanco norte de sus ejércitos mientras se adentraban en los campos de petróleo y en las fértiles tierras de cultivo del Cáucaso, pero con el paso del tiempo, la batalla cobró vida propia. En la mente de Hitler, la ciudad que llevaba el nombre de Stalin se convirtió en un símbolo de la resistencia soviética y del propio líder soviético. Si los alemanes hubieran tomado la ciudad, quizás la Unión Soviética (URSS) finalmente hubiera caído, arrastrando a Stalin con ella.

Línea de tiempo

31 de julio de 1942: Hitler ordena a sus tropas que se muevan a Stalingrado.

Del 23 al 25 de agosto: Bombardeo inicial de la ciudad.

24 de agosto: Al norte de la ciudad, las tropas alemanas llegan al río Volga. Al inspeccionar la ciudad, el comandante de la 14$^{\underline{a}}$ División Panzer alemana dice que los alemanes no deben atacar la ciudad y establecer líneas defensivas más al oeste, ya que la ciudad es demasiado defendible. Él es ignorado.

25 de agosto: La lucha comienza en la ciudad misma.

13-25 de septiembre: La ciudad es dividida. Los alemanes están en el norte y el sur, y los soviéticos en el centro. Gradualmente serán empujados hacia atrás a un área de unos 200 metros del Volga, excepto por algunos focos de resistencia, como la Casa de Pavlov y las fábricas.

Entre septiembre y noviembre: Hay 700 ataques alemanes organizados a gran escala en la ciudad.

A finales de septiembre: El general Franz Halder, jefe del estado mayor del Alto Mando Alemán, expresa a Hitler sus dudas sobre la capacidad de los alemanes para ganar en Stalingrado. Expresa su preocupación por la fuerza soviética, las largas líneas de suministro, la disminución de las reservas de efectivos alemanes y la debilidad de sus aliados en las alas del frente de Stalingrado. Hitler lo destituye del mando, y es retirado por la fuerza.

7 de octubre: Los alemanes ocupan mucho, pero no todo, el complejo de la fábrica de tractores. El 62º Ejército Soviético bajo el mando de Vasily Chuikov se reduce a aproximadamente 700 hombres y son empujados hacia atrás a pocos metros del Volga. El noventa por ciento de la ciudad está en manos alemanas. A pesar de esto, los informes de la inteligencia soviética indican que la moral alemana es baja y su condición física pobre, mientras que la moral soviética parece estar creciendo, impulsada por la decidida defensa de la ciudad.

11 de noviembre: La última gran ofensiva alemana no logra tomar la ciudad.

13 de noviembre: Stalin aprueba la Operación Urano.

El 3 de noviembre, el soldado alemán Wilhelm Hoffman escribió en su diario: "En los últimos días, nuestro batallón ha tratado varias veces de atacar las posiciones rusas, sin éxito. En este sector, los rusos no dejarán que levante la cabeza. Ha habido varios casos de heridas autoinfligidas y falsas enfermedades entre los hombres".

El 10 de noviembre, mientras los rusos planeaban un gran ataque sorpresa, Hoffman escribió: "Una carta de Elsa de hoy. Todo el mundo nos espera en casa para la Navidad. En Alemania todos creen que ya tenemos Stalingrado. Qué equivocados están. Si pudieran ver lo que Stalingrado le ha hecho a nuestro ejército".

Ilustración 1: Un veterano alemán en plena campaña

Capítulo 1 - Antes de la batalla

Los ejércitos de Hitler invadieron la URSS el 22 de junio de 1941, iniciando la Operación Barbarroja. Tres millones de hombres, más de tres mil tanques y miles de aviones de combate cruzaron la frontera soviética en pocos días, y los alemanes hicieron retroceder al Ejército Rojo Soviético cientos de millas o más. El ataque fue una sorpresa total para Josef Stalin, el líder soviético, a pesar de las muchas advertencias que había recibido de sus oficiales militares, diplomáticos y espías.

Alemania y la Unión Soviética habían firmado un pacto de no agresión, conocido como el Pacto Molotov-Ribbentrop, en agosto de 1939. Este pacto dividía a Polonia entre ellos, daba luz verde a Stalin para anexar los estados bálticos sin la interferencia alemana, y permitía a Stalin hacer demandas a Finlandia sin tener que preocuparse por Hitler. Ambas partes también se beneficiaron del pacto de otras maneras. Alemania compraría enormes cantidades de materias primas y alimentos soviéticos; a cambio, los alemanes no tendrían que preocuparse por un conflicto soviético cuando se volviera a atacar a Europa Occidental. Los soviéticos, por otro lado, obtendrían divisas, maquinaria alemana, piezas para fábricas y otros bienes altamente refinados.

Stalin creía que Hitler acabaría atacando a la Unión Soviética, pero creía que el pacto lo paralizaría y tal vez lo impediría por completo con nuevas negociaciones. Los términos del pacto eran, en teoría, de diez años de duración, lo que, en opinión de Stalin, le daría el tiempo necesario para finalizar los enormes esfuerzos de modernización de la URSS, que había comenzado a principios de la década de 1930.

Además, Stalin creía en lo que Hitler había escrito en su libro, *Mein Kampf* (Mi lucha). Hitler pensaba que la razón por la que Alemania fue derrotada en la Primera Guerra Mundial era el hecho de que había emprendido una guerra en dos frentes, uno contra Francia y Gran Bretaña en el oeste y otro contra Rusia en el este. Otras partes del libro de Hitler enfatizaban la necesidad de que Alemania se expandiera en lo que Hitler consideraba "los espacios vacíos de Rusia". Stalin habría hecho bien en poner su énfasis en eso y en la irracionalidad de Hitler cuando se trataba de Rusia y el comunismo, que en la idea de que Hitler no se involucraría en dos frentes a la vez.

A finales de junio de 1940, Hitler había invadido con éxito Polonia, Noruega, Dinamarca, Bélgica, Holanda y Francia. Gran Bretaña parecía estar casi derrotada; sus ejércitos en la Europa continental habían sido expulsados a través del Canal de la Mancha. Hermann Göring, el segundo al mando de Hitler y jefe de la *Luftwaffe* (la fuerza aérea alemana), aseguró a Hitler que los británicos pronto pedirían los términos de la rendición o serían derrotados en la invasión que las fuerzas armadas alemanas habían estado planeando.

En el invierno de 1939/40, Stalin ordenó al Ejército Rojo atacar Finlandia después de que el gobierno finlandés rechazara las demandas de Stalin de entregar una parte considerable de sus tierras fronterizas con la URSS. Aunque las fuerzas de Stalin finalmente prevalecieron, con Finlandia obligada a entregar las tierras a la Unión Soviética, el desempeño del Ejército Rojo en el conflicto fue en gran medida pobre. Hitler, junto con la mayor parte del mundo, vio este desempeño inferior y determinó que el Ejército Rojo no era rival para sus victoriosas fuerzas armadas (conocidas en alemán como la *Wehrmacht*).

El Alto Mando Alemán había recibido la orden de planear una invasión a la URSS poco después de la derrota de Francia en junio de 1940. Durante los meses siguientes, los alemanes perfeccionaron su plan, que Hitler quería llevar a cabo en mayo de 1941. Sin embargo, algunos de sus generales estaban pesimistas sobre la operación propuesta; creían que la URSS era demasiado grande y demasiado fuerte para ser derrotada, especialmente mientras Gran Bretaña todavía estaba en la lucha. Le recordaron a Hitler los peligros de luchar en una guerra de dos frentes, algo que él mismo había atribuido a la derrota de Alemania en la Primera Guerra Mundial.

Otros miembros del Estado Mayor Alemán habían sido cautelosos y reservados con la idea de invadir la Unión Soviética, pero se entusiasmaron más después de la rápida derrota de Francia y la aparentemente pobre actuación del Ejército Rojo en la guerra de Invierno contra Finlandia. Un pequeño número estaba entusiasmado con la idea de una invasión desde el principio, creyendo, como Hitler, que la URSS se doblaría tan fácilmente como Francia y el resto de Europa.

Esto es a menudo visto como uno de los diez mayores errores militares de toda la historia. Pero en las primeras semanas de la Operación Barbarroja (que comenzó a finales de junio de 1941), parecía que Hitler podría tener razón. Enormes cantidades de prisioneros soviéticos fueron sacados de las batallas en las llanuras y colinas del oeste de Rusia. Además de los cientos de miles de prisioneros soviéticos tomados, cientos de miles más fueron asesinados. La *Wehrmacht* condujo cientos de millas hacia el este de Polonia, que había estado bajo el control de Stalin desde el Pacto Molotov-Ribbentrop de 1939, y la Unión Soviética.

Aunque las tácticas alemanas de *blitzkrieg* ("guerra relámpago") desconcertaron completamente a los soviéticos defensores, el Ejército Rojo no ayudó a su propia causa, ya que jugó directamente en manos alemanas. La guerra relámpago dependía de ataques altamente coordinados entre las fuerzas aéreas, terrestres (tanto blindadas como de infantería) y de artillería, tratando lo mejor que podían de aportar una fuerza abrumadora a los puntos débiles de las líneas soviéticas. Una vez que hacían un agujero en las líneas, la infantería acorazada y mecanizada se abría paso, moviéndose rápidamente a la retaguardia del enemigo para rodearlo, con el grueso de la infantería regular atacando las primeras líneas al mismo tiempo para mantener al enemigo en su sitio.

En lugar de coordinar sus ataques adecuadamente, los soviéticos atacaban y contraatacaban en todas partes, independientemente de que fuera estratégica o tácticamente correcto. La razón de esto tenía que ver con la naturaleza del régimen estalinista y la reacción de Stalin a la invasión de Hitler. A finales de la década de 1930, Josef Stalin había llevado a cabo una purga del Ejército Rojo, viendo enemigos por todas partes. Había hecho lo mismo poco antes con el Partido Comunista de la Unión Soviética y gran parte de la sociedad soviética. Su paranoia y deseo de control total resultó en el sistema más totalitario de la historia.

Una vez que Stalin estableció su incuestionable control del país, era libre de atacar al Ejército Rojo, la única institución que podría representar una amenaza para él. No existe ninguna evidencia real de que alguien del Ejército Rojo estuviera conspirando contra él, pero para Stalin, una mirada de desaprobación o una asociación no deseada era suficiente para meterse en problemas.

En 1937, la policía secreta de Stalin comenzó a purgar las filas de oficiales del ejército, diezmando los rangos más altos y arrestando a miles de oficiales de menor rango. Miles de hombres fueron asesinados en el acto. Muchos más fueron enviados a Siberia, donde la mayoría de ellos perecieron en el sistema de campos de trabajo conocido como el Gulag. Los que estaban en la lista de la policía secreta y no fueron arrestados, fueron forzados a jubilarse. Stalin se quedó con un ejército que no se atrevió a desafiar o cuestionar ninguno de los edictos, órdenes o "sugerencias" de Stalin. Esta fue una de las razones de la mala actuación del Ejército Rojo contra Finlandia en 1939/40.

El desastre en Finlandia le había mostrado a Stalin que el uso de ataques masivos de infantería por parte de los soviéticos era un método pobre para usar en la guerra moderna, y las reformas se estaban instituyendo lentamente. Sin embargo, para el 22 de junio de 1941, fecha de inicio de la Operación Barbarroja, estos no se habían filtrado a la mayoría del ejército.

Aparte de los problemas institucionales, la reacción de Stalin al ataque de Hitler fue una combinación de incredulidad, pánico y depresión. Inicialmente, el "Gran Líder" se negó a creer que las fuerzas de Hitler estaban realmente atacando. Luego, cuando se enfrentó a las pruebas, Stalin ordenó a prácticamente todas las unidades que se enfrentaban a los alemanes a atacar, independientemente de su situación. Esto significaba que las unidades desorganizadas, en retirada o rodeadas atacaban arbitrariamente sin ninguna preparación. Para ellos era mejor arriesgarse en el campo de batalla que la bala segura en la espalda, ya que la policía secreta de Stalin estaba aparentemente en todas partes (incluso con comandantes en el frente).

Después de dar vagas órdenes de "atacar", Stalin se fue a su retiro de vacaciones, o *dacha*, en el bosque, que estaba a millas de Moscú. Cuando un grupo de oficiales, incluyendo a su confiable Ministro de Relaciones Exteriores, Viacheslav Molotov, apareció en su casa, Stalin pareció "extraño y abatido", no como su habitual yo. Stalin pensó que habían ido a arrestarlo, porque cuando Molotov le dijo a Stalin que pensaban que un comité central encargado del esfuerzo de guerra debía formarse inmediatamente, Stalin preguntó: «¿Quién va a dirigir este comité?». Cuando Molotov respondió: «Usted», Stalin supo que estaba a salvo y comenzó a superar su depresión. Aun así, a pesar del "despertar" de Stalin, los soviéticos continuaron siendo empujados hacia atrás.

Sin embargo, a principios del otoño, la defensa del Ejército Rojo había empezado a endurecerse. Aunque fueron derrotados en enormes batallas alrededor de Smolensk y Vyazma, entre otros lugares, los alemanes descubrieron que cuanto más se acercaban a la capital soviética, Moscú, y a la "segunda ciudad" soviética, Leningrado, más dura era la resistencia soviética.

Los nazis también tuvieron algunas sacudidas bruscas en las primeras semanas de la invasión. Aunque el Ejército Rojo estaba perdiendo hombres en tropel (con hombres muertos en acción o hechos prisioneros), siempre parecía haber más de ellos. Además, los alemanes descubrieron que sus tanques eran inferiores a los más recientes tanques soviéticos, los famosos T-34 y KV-1. Sin embargo, estos tanques estaban entrando en producción cuando comenzó la guerra, por lo que su número era bajo. Los soviéticos tampoco sabían cómo usarlos correctamente, lanzándolos a la acción de forma desordenada y en ataques mal coordinados.

Por último, la geografía de la URSS comenzó a pasar lentamente factura a los alemanes. El país consiste en cientos y cientos de millas de llanuras, sin ningún árbol como punto de referencia. Era una tierra completamente extraña para las fuerzas invasoras. Y aunque comúnmente se piensa que el ejército alemán era una fuerza altamente mecanizada, este no era el caso. La mayoría de los soldados de infantería marchaban, y la mayoría de sus suministros venían en carros tirados por caballos. Esto fue perjudicial para el esfuerzo bélico alemán en la URSS, ya que el país tenía carreteras en mal estado y sistemas ferroviarios primitivos (y de diferente tamaño).

Aunque el invierno ruso es muy conocido por su dureza, los veranos en las llanuras también pueden ser devastadores. No había sombra, apenas agua (especialmente porque los soviéticos en retirada habían envenenado muchos pozos), polvo y marchas interminables ante el terror del combate. Después de un tiempo, la moral alemana comenzó a decaer. Esto sucedió lentamente al principio, ya que tuvieron algunas tremendas victorias para ayudar a animarlos, pero a medida que pasaban las semanas, el descontento crecía. Su única victoria final siempre parecía estar fuera de alcance, a pesar de las predicciones del Partido Nazi y del Führer de que la guerra terminaría pronto.

A principios de septiembre de 1941, los alemanes estaban a las puertas de Leningrado, pero no pudieron entrar en la ciudad. El Ejército Rojo, así como los civiles de Leningrado, habían preparado un cinturón de defensas demasiado fuerte para que los alemanes lo rompieran fácilmente. En cambio, los nazis rodearon la ciudad y comenzaron un asedio de casi 900 días, que se cobró más de un millón de vidas, la mayoría de ellas civiles.

En el sur del país, los alemanes, junto con sus aliados húngaros, italianos y rumanos, se adentraron profundamente en Ucrania, asediando Odessa (hoy Odesa) y avanzando hacia las costas del mar Negro y la península de Crimea.

En medio de la ofensiva alemana, su Centro de Grupos del Ejército, liderado por el Mariscal de Campo Fedor von Bock, se encontró a las puertas de Moscú a principios de diciembre. Algunas unidades informaron haber visto las cúpulas de la catedral de San Basilio en el Kremlin brillando al sol a lo lejos. Eso fue lo más cerca que pudieron llegar.

Incluso con el aparentemente interminable suministro de hombres a los que se enfrentaban los alemanes, los soviéticos tenían más hombres luchando en el Lejano Oriente soviético. Estaban allí para protegerse de un posible ataque japonés, ya que los soviéticos sospechaban que los japoneses se apoderarían de los recursos de Siberia, pero los espías y diplomáticos soviéticos informaron a Stalin que los japoneses tenían otros planes. Stalin, en una necesidad desesperada y ahora más creyente de sus servicios de inteligencia, ordenó el traslado de cientos de miles de hombres para atacar a los alemanes en Moscú, lo cual hicieron el 5 de diciembre de 1941, haciendo retroceder a los alemanes más de cien millas antes de ser detenidos.

A finales de enero de 1942, las líneas del frente en Rusia se habían estabilizado, y Hitler comenzó a planear una ofensiva de primavera/verano tan pronto como el clima lo permitiera.

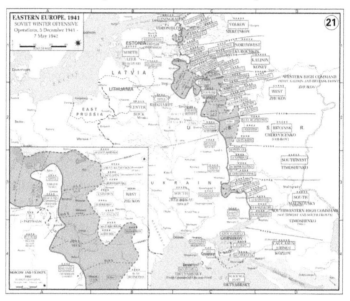

Ilustración 2: El frente general después de la ofensiva soviética en Moscú hasta la primavera de 1942

Capítulo 2 - Fall Blau ("Operación Azul")

Fall Blau era el nombre operativo del ataque planeado por Hitler al sur de Rusia, que incluía la península del Cáucaso, hogar de algunos de los campos petroleros más productivos del mundo en ese momento.

Los alemanes necesitaban el petróleo más que cualquier otro recurso natural. Sin él, no había una forma realista de ganar la guerra. Alemania no producía casi nada, y los campos rumanos en Ploesti y sus alrededores no eran suficientes para mantener en marcha la máquina de guerra alemana. Tanques, aviones, submarinos y otros vehículos de apoyo dependían del petróleo. Los alemanes habían almacenado grandes cantidades antes de la guerra, pero eso esencialmente se había desvanecido. Usaban más de lo que podían producir o importar, especialmente considerando el bloqueo que la Marina Real Británica tenía en las rutas comerciales oceánicas.

Hitler se enfrentó a un serio dilema a principios de la primavera de 1942. Ya no era lo suficientemente fuerte para atacar en todos los frentes como lo había sido en 1941, y los soviéticos (para su sorpresa) no fueron derrotados. Por lo tanto, para sacar a los soviéticos de la guerra, lo que permitiría a Hitler concentrarse en la derrota final del Reino Unido y de los Estados Unidos (con los que había declarado la guerra el 11 de diciembre de 1941), él y el Estado Mayor alemán tuvieron que idear un plan.

Un número considerable de generales alemanes animaron a Hitler a no pasar a la ofensiva en absoluto. Argumentaron que era mejor para Alemania construir sus defensas en el lugar en que se encontraban o incluso retirarse a una posición más defendible. También argumentaron que no solo las reservas alemanas de petróleo se estaban agotando rápidamente, sino que el número de hombres en edad de combate iba a empezar a disminuir muy pronto. Además, la *Luftwaffe*, que todavía controlaba los cielos sobre el campo de batalla, apenas compensaba sus pérdidas y perdía pilotos expertos casi a diario.

Algunos también argumentaron que el empuje alemán en el norte de África, que tenía el objetivo declarado de apoderarse del canal de Suez (añadiendo así miles de millas infestadas de submarinos a los barcos británicos que venían de Oriente Medio y la India con suministros) y potencialmente ganar el control de los campos de petróleo de Arabia, podría reforzarse con hombres de Rusia si el Führer decidía establecer líneas de defensa en el Frente Oriental.

Como es sabido, Hitler aceptó nada de esto. Estaba convencido de que los alemanes estaban a un solo empujón antes de que los soviéticos colapsaran o rogaran por la paz. Una vez hecho esto, Hitler establecería su imperio oriental a lo largo de los montes Urales y el río Volga. Más allá de esa extensión de territorio, al menos en su mente, no había nada más que espacio vacío, donde los rusos sobrevivientes irían a congelarse y morir de hambre.

La fuerza responsable de llevar a cabo la Operación Azul fue el Grupo del Ejército Sur. Este grupo del ejército fue originalmente comandado por el mariscal de campo Fedor von Bock, pero fue reemplazado por el mariscal de campo Maximilian von Weichs en julio, ya que Hitler creía que Bock no había llevado a cabo sus planes con la suficiente rapidez. Para cumplir el plan de Hitler, el

Grupo del Ejército Sur se dividió en dos grupos: Grupo de Ejército A y Grupo de Ejército B.

El Grupo A, comandado por el Mariscal de Campo Wilhelm List, tenía la tarea de tomar el Cáucaso y sus campos petroleros, la mayoría de los cuales estaban en la ciudad de Bakú, muy al sureste. Consistía en el 1er Ejército Panzer alemán, el 11º Ejército, el 17º Ejército y el 3º Ejército rumano.

Al Grupo B del Ejército se le encomendó originalmente la tarea de proteger el flanco del Grupo A del Ejército y cortar el comercio y el acceso a los recursos del río Volga en Stalingrado. Este grupo de ejército estaba compuesto por el 4º Ejército Panzer alemán, el 2º Ejército y el 6º Ejército, que era el mayor ejército de Hitler. El 8º Ejército italiano, el 4º rumano y el 2º húngaro también fueron adjuntados. El Grupo de Ejército B estaba comandado por Weichs después de que el Grupo de Ejército Sur se dividiera.

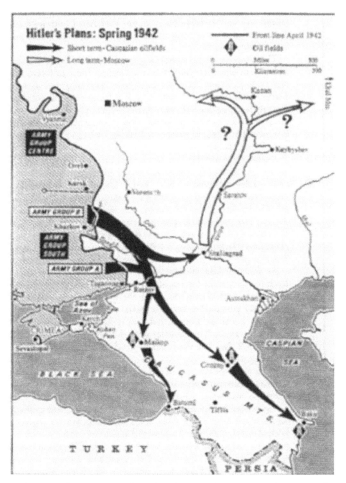

*Ilustración 3: El plan básico de la Operación Azul,
primavera de 1942*

Con el paso del tiempo, el objetivo principal del empuje alemán cambió de los campos de petróleo a Stalingrado. Para cuando la batalla comenzó en la ciudad, Stalingrado parecía ser como un gigantesco y malévolo agujero negro, atrayendo a los hombres a la muerte.

Aunque se suponía que el Cáucaso era el objetivo principal, el más fuerte y numeroso 6º Ejército se acercó a Stalingrado desde el principio. El 6º Ejército nunca había visto la derrota. Los hombres del 6º Ejército habían allanado el camino en Occidente, jugando un papel central en la derrota de Bélgica y Francia y expulsando a la Fuerza Expedicionaria Británica del continente. En las etapas iniciales de la Operación Barbarroja, habían hecho retroceder al Ejército Rojo e infligido derrotas decisivas en la batalla de Uman (mediados de julio a principios de agosto de 1941) y tomaron Kiev (de finales de agosto a finales de septiembre), una de las ciudades más importantes e históricas de la Unión Soviética. El 6º Ejército había hecho lo mismo con la importante ciudad ucraniana de Járkov durante una rápida y feroz batalla a finales de octubre. La fuerza alemana repelió un fuerte contraataque soviético allí en mayo de 1942, justo antes de que comenzara su camino hacia el Volga.

Así que, mientras el 6º Ejército se movía sobre Stalingrado, la moral estaba alta, a pesar de su relativamente desconocido y taciturno comandante, el general Friedrich Paulus. Paulus se convirtió en el comandante del 6º Ejército en enero de 1942, tomando el relevo del más experimentado y popular comandante Mariscal de Campo Walther von Reichenau. Reichenau había ascendido a comandante del Grupo del Ejército Sur en noviembre, y durante dos meses, el 6º Ejército no tuvo comandante. Cuando Paulus fue nombrado su jefe, muchos en el 6º Ejército, y el Ejército Alemán en general, se sorprendieron, ya que Paulus nunca había comandado una unidad más grande que un batallón en combate. Dos meses después de que Paulus tomara el mando del 6º Ejército, Reichenau murió por causas naturales, lo que afectó enormemente a los hombres y dejó a Paulus sin alguien familiarizado con la posición para consultar.

Como nota al margen, muchas historias de la Segunda Guerra Mundial, especialmente de antes de los 90, escriben el nombre de Paulus como "von Paulus". "Von" significa nobleza, lo que Paulus no era. También fue dado a veces a los hombres por los líderes de Alemania como señal de respeto y reconocimiento. Hitler nunca otorgó este honor a Paulus. Los historiadores a veces asumen que porque fue nombrado mariscal de campo, también obtuvo el título de "Von", pero no fue así.

Paulus fue un planificador muy respetado y mostró un sólido instinto estratégico. Como prácticamente todos los oficiales generales alemanes, Paulus había pasado un tiempo considerable en el Estado Mayor alemán, que era responsable de la mayor parte de la planificación de las campañas del Ejército Alemán (por supuesto, Hitler jugó un papel cada vez más importante a medida que la guerra avanzaba). Paulus había sido subjefe del Estado Mayor General después de liderar tropas en campañas en Polonia y en el Oeste. En ese puesto, jugó un gran papel en la planificación de la Operación Barbarroja. Paulus no era ajeno a la guerra en el Este, pero en un ejército que cada vez era más conocido en todo el mundo por sus pensadores apresurados y poco ortodoxos (como Rommel y Guderian, por nombrar solo dos), Paulus era considerado relativamente poco imaginativo y poco inspirador. Tampoco era muy apuesto. Era pequeño y de aspecto ligeramente demacrado; parecía más un jefe de camareros que un general que dirigía una de las fuerzas de combate más poderosas del mundo.

Aun así, Paulus era un planificador sólido, y se le consideraba un experto en logística, ya que entendía la cadena de suministro y cómo llevar hombres, equipos y provisiones a donde necesitaban estar, cuando necesitaban estar allí.

Así que, considerándolo todo, los hombres del 6º estaban muy animados cuando comenzó la Operación Azul. Aparte de su historial en combate, el 6º tenía un gran número de los equipos más modernos del ejército alemán, así como el apoyo de las poderosas fuerzas aéreas.

Al comienzo de la Operación Azul, las fuerzas del Eje (incluyendo el 6º Ejército, el 4º Ejército Panzer, y otras fuerzas alemanas y fuerzas aliadas varias) tenían 1,5 millones de hombres, casi 2.000 tanques y cañones de asalto, y un estimado de 1.600 a 2.100 aviones. Para poner esto en perspectiva (al menos en términos de números), en 2020, se espera que todo el Ejército de los EE. UU. incluya algo más de un millón de personal y algo más de 2.000 aviones de combate[1]. Como se puede ver, las fuerzas alemanas que se adentraron en el sur de la Unión Soviética eran formidables.

Sin embargo, tenían una serie de debilidades, la principal de las cuales era el suministro. No solo las líneas de suministro alemanas tenían ahora unos 1.000 kilómetros de longitud, sino que gran parte de ese suministro llegaba al 6° Ejército y llegaba a través de carros tirados por caballos. El transporte de suministros también se veía frenado por los ferrocarriles de la Unión Soviética, ya que eran de menor calibre (ancho) que el resto de Europa. Como resultado, la carga tenía que ser transferida. Los partisanos soviéticos también crecían en fuerza y organización, e interrumpían cada vez más el flujo de suministros a todas las fuerzas alemanas en la URSS.

Además de alimentos y municiones, esto significaba que los reemplazos tenían que viajar una distancia excepcional, así como las piezas de repuesto y el combustible. A medida que la campaña fue avanzando y el clima cambió, la logística de los suministros se convirtió en uno de los mayores problemas que enfrentaban los alemanes en Stalingrado.

Lo que empeoró aún más las cosas para los alemanes fue un completo lapsus de inteligencia con respecto a la fuerza soviética. Habían subestimado el poder de Stalin en 1941, pero debido a los factores mencionados anteriormente, pudieron derrotar al Ejército Rojo batalla tras batalla. En la batalla de Moscú, que comenzó en septiembre de 1941, los alemanes creyeron que los soviéticos estaban en las últimas, y entonces el Ejército Rojo atacó con una nueva fuerza de más de 250.000 hombres. Esto sucedió una y otra vez durante la guerra con la URSS.

En la primavera de 1942, la inteligencia alemana estimó que el total de aviones soviéticos era de poco más de 6.500. La realidad (y esto incluye algunos aviones obsoletos y de no combate) era que

---

[1] Globalfirepower.com

los soviéticos tenían más de 20.000. Los alemanes también creían que los soviéticos estaban más o menos a la par con ellos en cuanto a tanques, que eran unos 6.000. Una vez más, la realidad era muy diferente: eran casi 25.000 en todos los frentes. Por último, la artillería soviética era mucho más fuerte de lo que los alemanes creían, ya que pensaban que los rojos poseían casi 8.000 armas. Los soviéticos en realidad poseían más de 30.000. (Se fabricó artillería en cantidades increíbles en la URSS durante la guerra. En la batalla de Berlín en 1945, se estima que los soviéticos tenían un arma colocada cada diez yardas alrededor de la ciudad, lo que explica los lapsos de geografía y tácticas; este número no incluye los morteros y los famosos lanzacohetes "Katyusha").

En junio de 1942, Hitler se reunió con el mariscal finlandés Carl Gustaf Emil Mannerheim, su aliado, el día del septuagésimo quinto cumpleaños del finlandés, en un intento de persuadirle para que llevara las fuerzas finlandesas más adentro en la Unión Soviética, lo que Mannerheim se negó a hacer. Parte de su conversación fue grabada por un técnico de radiodifusión finlandés. En la conversación, Hitler admite que los alemanes subestimaron enormemente la fuerza soviética.

«Es evidente... evidente. Tienen el armamento más monstruoso que es humanamente concebible... así que... si alguien me hubiera dicho que un estado... si alguien me hubiera dicho que un estado puede alinearse con 35.000 tanques, le habría dicho "te has vuelto loco"».

Los totales mencionados anteriormente representaban la fuerza soviética a lo largo de todo el Frente Oriental en la primavera de 1942. Solo una parte de su poder se enfrentó a los Grupos A y B del Ejército Alemán durante la planeada ofensiva alemana de primavera.

Aunque la fuerza de la Unión Soviética era inmensa y crecía enormemente cada semana, el Ejército Rojo había sufrido pérdidas increíbles en el primer año de la guerra, y aunque los alemanes habían sido empujados o mantenidos en su lugar, seguían estando cerca de Moscú y en las afueras de Leningrado. Los generales soviéticos seguían dudando en tomar la iniciativa, aunque Stalin (que había empezado a darse cuenta de que no era el genio militar que creía ser) les estaba dando poco a poco más libertad de acción. Además, miles de pueblos y ciudades soviéticos habían sido destruidos y gran parte de sus zonas agrícolas más productivas estaban ocupadas. Y, por supuesto, estaban las terribles bajas civiles.

A medida que los alemanes avanzaban hacia el este, los soviéticos empezaron a trasladar la mayor parte de su capacidad productiva aún existente a la zona de los montes Urales, más allá del alcance de los bombarderos alemanes. En la primavera de 1942, muchas de estas fábricas estaban literalmente operando en campos abiertos con generadores. Pero cada día se hacían progresos, y en un tiempo relativamente corto las fábricas de los Urales producían cantidades irreales de armas, municiones y otras necesidades para la guerra. Los historiadores que se centran en la logística y la producción consideran que este esfuerzo soviético es uno de los más milagrosos de los tiempos modernos. Se logró, por supuesto, a un alto costo, tanto en dinero como en vidas.

Centrándonos en el frente sur, se estima que 1.700.000 soviéticos se enfrentaron a las fuerzas alemanas en la primavera y el verano de 1942, con posiblemente un millón en reserva en la retaguardia. Estos hombres estaban en varios estados de formación, organización, entrenamiento y equipamiento. Junto con los soldados había entre 3.000 y 3.800 tanques, más de 1.500 aviones de todo tipo y más de 16.000 cañones, morteros y lanzadores de cohetes.

El Ejército Rojo, en papel, era formidable, pero todavía estaban a la defensiva. Lo que empeoró las cosas fue otro error de la inteligencia soviética. Después de la batalla de Stalingrado, la inteligencia militar soviética mejoraría enormemente por varias razones, pero antes de la batalla, sufrió de falta de imaginación, indecisión para informar de las malas noticias a Stalin, y de recursos.

Los soviéticos estaban relativamente seguros de que los alemanes no serían capaces de montar la misma amplia ofensiva que la Operación Barbarroja; los nazis también habían sufrido grandes bajas, aunque no al nivel del Ejército Rojo. Por lo tanto, los generales de Stalin estaban seguros de que no tenían que temer una repetición de ese verano.

Sin embargo, el Estado Mayor Soviético (conocido por su acrónimo en ruso, "STAVKA") estaba en un dilema. Una de sus ciudades más importantes, Leningrado, estaba bajo asedio. La capital soviética, aunque no estaba bajo amenaza inmediata, era obviamente un objetivo potencial, y los alemanes estaban a solo 150 o 200 millas de Moscú. Perder cualquiera de esas ciudades podría ser catastrófico, por lo que los soviéticos reforzaron fuertemente ambas áreas.

En la guerra, como en el fútbol americano o incluso europeo, el equipo que posee el balón tiene una clara ventaja, al menos al principio, ya que saben a dónde van. Los defensores, en el fútbol y en la guerra, tienen que hacer sus mejores conjeturas y comprometerse. Si se comprometen incorrectamente, se puede causar un gran daño.

Y, en la primavera de 1942, los soviéticos adivinaron incorrectamente. Habían pasado gran parte del invierno tratando de averiguar dónde atacarían los alemanes cuando llegara el buen tiempo. Se reunieron y examinaron todo tipo de inteligencia, e intentaron ponerse en el lugar de los alemanes. La conclusión a la que llegó STAVKA fue que los alemanes harían un gran esfuerzo hacia Moscú. La capital había sido el objetivo del último esfuerzo alemán de 1941, y los hombres de STAVKA creían que volvería a serlo una vez que el clima mejorara.

Hitler había determinado relativamente temprano en 1942 que su principal esfuerzo sería en el sur, y así, sus generales y servicios de inteligencia hicieron todo lo posible para convencer a los rusos de que Moscú era el objetivo.

Quienes estén familiarizados con el esfuerzo angloamericano para engañar a los alemanes en la primavera de 1944 en cuanto a dónde podrían invadir Europa, sabrán que los Aliados crearon ejércitos falsos, documentos falsos (que "accidentalmente" dejaron que los alemanes poseyeran), comandantes falsos (más notablemente el general estadounidense George Patton, quien fue exhibido abiertamente haciendo discursos no muy sutiles acerca de cómo iba a derrotar a los alemanes cuando la invasión ocurriera), tráfico de radio falso en códigos que sabían que los alemanes habían descifrado, y mucho más.

El esfuerzo alemán en 1942 fue similar, si no tan grande y detallado. Se enviaron mensajes de radio al aire o en códigos que sabían que los soviéticos habían descifrado. A los sospechosos de ser espías soviéticos se les daba información falsa. Los documentos se dejaban "por descuido" en el campo de batalla, y se simulaban movimientos de tropas a lo largo del frente de Moscú, junto con grabaciones de tanques y camiones que se reproducían por altavoces.

Como resultado, los soviéticos movieron un número significativo de tropas a los alrededores de Moscú, donde los alemanes se habían atrincherado, reforzando sus posiciones defensivas. Una gran parte de la producción industrial soviética fue enviada a la zona de Moscú, y el foco del Estado Mayor Soviético fue la capital. Cuando el ataque alemán comenzó el 7 de mayo, Stalin y sus comandantes creyeron que era una finta para atraer al Ejército Rojo lejos de Moscú. No iban a "morder el anzuelo", aunque probablemente deberían haberlo hecho.

Capítulo 3 - Comienza la matanza

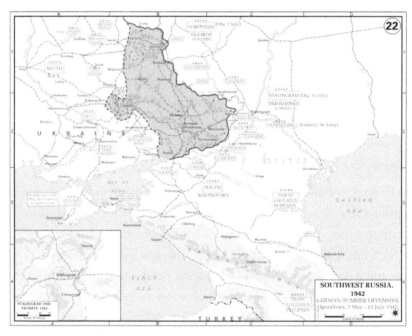

Ilustración 4: El punto de partida alemán es la línea de puntos azul. El área rosa es la que fue tomada a los soviéticos a finales de julio de 1942

Justo antes de que comenzara la Operación Azul, los soviéticos comenzaron su propio ataque, que fue diseñado para retrasar y desbaratar lo que creían que eran las intenciones de Alemania hacia Moscú. Muchos de sus generales, a los que ahora se les permitía expresar sus opiniones hasta cierto punto sin temor a ser arrestados, argumentaban que Stalin se equivocaba en su idea de que los alemanes podrían lanzar ataques importantes en dos frentes principales. Sin embargo, Stalin se adelantó y ordenó a sus fuerzas que lanzaran un ataque en la zona de las ciudades ucranias de Járkov (hoy más conocida por su ortografía ucrania "Kharkiv") e Izium. El ataque comenzó el 12 de mayo de 1942.

Este ataque fue lanzado directamente en el área donde los alemanes estaban acumulando fuerzas para la próxima Operación Azul. La ofensiva soviética tuvo lugar en un frente de unas 50 millas e incluyó más de 700.000 hombres y 1.000 tanques de varios tipos. Las fuerzas alemanas en el área eran unos 350.000 hombres con unos 500 tanques y casi 600 aviones. Las fuerzas aéreas soviéticas en la zona superaban en número a las alemanas, pero en este punto de la guerra, y casi hasta su final, los pilotos alemanes demostraron una habilidad y una eficacia considerablemente mayores que sus homólogos soviéticos.

El ataque tomó inicialmente a los alemanes por sorpresa, pero estos retrocedieron ordenados, y sus fuerzas en los extremos norte y sur del empuje soviético resistieron. Los alemanes también se retiraron en el centro, lo que creó un abultamiento masivo en las líneas, como se puede ver abajo.

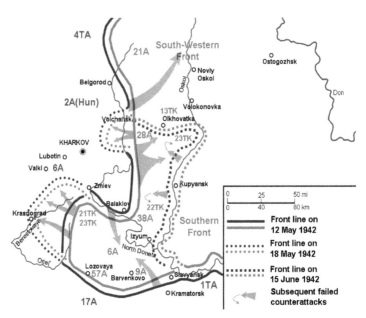

Ilustración 5: La segunda batalla de Kharkov/Bolsillo de Izium, mayo/junio de 1942

Este abultamiento permitió a los alemanes hacer lo que habían estado haciendo durante toda la guerra, tanto en el este como en el oeste: planificar, pensar y maniobrar mejor que su enemigo. El 17 y 18 de mayo, los alemanes comenzaron su contraataque, que se desarrolló como en los libros de texto, con una excelente coordinación entre la infantería, blindados, artillería y fuerzas aéreas.

Uno de los oficiales políticos soviéticos y observadores personales de Stalin en la zona era un hombre llamado Nikita Jruschov, que más tarde se convertiría en el primer ministro de la Unión Soviética a mediados de la década de 1950. A pesar de que los comandantes soviéticos locales pidieron permiso para retirarse para evitar ser rodeados por los nazis, Jruschov y el comandante general de la ofensiva del Ejército Rojo, el mariscal Semyon Timoshenko, le dijeron a Stalin que la situación podía ser contenida y que los alemanes podían ser derrotados. Estos hombres no podían estar más equivocados. Cuando comenzó la próxima batalla de Stalingrado, en la que Jruschov se convirtió en el oficial político de más alto rango de la ciudad, se aseguró de llevar a cabo todas las órdenes recibidas por Stalin a una "T", haciéndolo con un celo asesino, en parte para salvar su propio cuello.

Al final, la ofensiva soviética terminó en una catástrofe. Casi 300.000 hombres murieron, fueron heridos o capturados, y más de 1.000 tanques fueron destruidos, junto con igual número de aviones y enormes cantidades de armas. No solo las pérdidas fueron elevadas, sino que la ofensiva alemana destrozó la moral de las fuerzas soviéticas en la zona, quienes iniciaron una retirada desordenada y de pánico.

El comandante alemán en el hombro norte del abultamiento cerca de Járkov era el general Paulus, que había estado ocupado planeando la próxima ofensiva alemana. La respuesta alemana le dio a Paulus la oportunidad de liderar a sus hombres en la batalla y descubrir de qué era capaz su nuevo comando.

Comienza la Operación Azul

El 28 de junio de 1942, dos semanas después de que el ataque soviético fuera contenido y repelido, los alemanes comenzaron el *Fall Blau.*

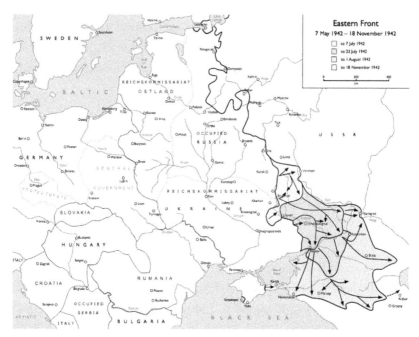

Ilustración 6: Ataques alemanes de julio a noviembre de 1942.
Mapa cortesía del usuario: Gdr - basado en: Overy, Richard (2019)
Segunda Guerra Mundial Mapa por Mapa, DK, pp. 148-150
ISBN: 9780241358719., CC BY-SA 3.0 wikipedia commons

Uno de los soldados de a pie que participó en la ofensiva alemana fue Wilhelm Hoffman del 267º Regimiento de Infantería de la 94ª División de Infantería, 6º Ejército. Hoffman es recordado por su diario personal, que fue descubierto después de la guerra. Es una de las pocas memorias sobrevivientes de las experiencias personales de un soldado alemán en la batalla de Stalingrado. Hoffman fue asesinado poco después de la Navidad de 1942 —sus efectos personales, incluyendo su diario, fueron enviados a casa.

Su diario comienza alegremente, reflejando la alta moral de los alemanes cuando comenzaron su campaña para derrotar a los soviéticos. En palabras de Hoffman, «tomar Stalingrado, y entonces la guerra habrá terminado para nosotros». El 29 de julio, Hoffman escribió: «el comandante de la compañía dice que las tropas rusas están completamente rotas y no pueden aguantar mucho más tiempo. Llegar al Volga y tomar Stalingrado no es tan difícil para nosotros. El Führer sabe dónde está el punto débil de los rusos. La victoria no está lejos».

Y así le pareció a muchos en el 6º Ejército Alemán. Bueno, quizás no para algunos de los veteranos más canosos, que habían estado luchando desde la invasión del año anterior. A ellos también se les había dicho que era probable que solo fuera cuestión de meses, incluso semanas, antes de que los soviéticos cedieran. Estos veteranos sabían que dos de los objetivos alemanes más importantes, Leningrado y Moscú, seguían en manos soviéticas, y aunque los soviéticos perdieron millones, parecían seguir poniendo hombres frescos en el campo. Y aunque el Ejército Rojo había estado mayormente en retirada, su defensa se estaba volviendo más terca y más hábil cada día. En Sebastopol en Crimea, los soviéticos resistieron un asedio alemán durante meses, y aunque caería justo antes del comienzo de la Operación Azul, la defensa rusa allí había sido fanática. Hubo incluso un incidente en el que comisarios políticos y otros oficiales detonaron cargas en las cavernas subterráneas de municiones, donde ellos y cientos de civiles y soldados estaban escondidos. Estas detonaciones mataron a casi todos, pero los soviéticos preferían que esto sucediera antes que ser tomados como prisioneros. Todo esto dio a los veteranos alemanes una pausa, pero aun así, habían tenido a los soviéticos en fuga durante la mayor parte del último año.

El 2 de agosto, Hoffman escribió: «¡Qué grandes espacios ocupan los soviéticos, qué ricos campos se tendrán aquí después de que la guerra termine! ...creo que el Führer llevará el asunto a un final exitoso». El 10 de agosto, escribió: «Nos leyeron las órdenes del Führer. Él espera nuestra victoria. Todos estamos convencidos de que no pueden detenernos».

A medida que los alemanes avanzaban, a veces 40 o más millas en un día, la confianza de Hitler aumentaba. El 17 de julio, los alemanes salieron victoriosos en una gran batalla en el río Chir cerca de Kalach, a unas noventa millas de Stalingrado. Esta victoria reforzó la creencia de Hitler de que los soviéticos estaban casi acabados, y cometió lo que algunos creen que fue un error fatal (el primero de muchos en Stalingrado): desmontó su debilitado, pero aún considerable 11º Ejército y envió partes de él al norte para ayudar en el asedio de Leningrado. En retrospectiva, estas fuerzas podrían haber sido usadas más efectivamente y tal vez más decisivamente en Stalingrado.

A medida que los alemanes avanzaban, el Ejército Rojo cedió ante ellos, retirándose sobre el ancho río Don donde se curva hacia el sur y en su punto más cercano a Stalingrado y el Volga. La retirada del río Don significaba que los soviéticos no tenían obstáculos naturales detrás de los cuales establecer una fuerte defensa. La siguiente posición verdaderamente defendible era la propia Stalingrado. Si los soviéticos se retiraban hacia el lado este del Volga, la guerra podría terminar, ya que los alemanes cortarían una de las principales líneas de vida de la URSS y serían libres de moverse al sur del Cáucaso sin temor a un ataque a su flanco norte.

Orden #227

Siendo así, Josef Stalin emitió una directiva: "Orden #227", a veces conocida como la orden "Ni un paso atrás". La directiva en sí nunca fue publicada ni distribuida públicamente. Stalin la leyó en la radio, y sus subordinados estaban muy al tanto de su contenido, entre las cuales estaba el establecimiento de batallones penales para cada agrupación del "frente". (En el sistema de mando soviético, el "frente", como el recién formado "Frente de Briansk" y el "Frente de Voronezh" en el área cercana a Stalingrado, eran equivalentes al "Grupo de Ejército" de Alemania). Estos batallones penales estarían formados por hombres que se consideraba que habían estado eludiendo su deber, eran irresponsables o habían cometido crímenes. Los batallones penales, en su mayoría, eran una sentencia de muerte, ya que estos hombres llevaban a cabo las tareas más peligrosas (como desactivar minas bajo fuego alemán), aunque Stalin les dio a estos hombres "una oportunidad de redimir por sangre sus crímenes contra la Madre Patria".

La orden #227 también estableció "destacamentos de bloqueo", que estarían formados por hombres de la policía secreta. Estas unidades estaban facultadas para disparar a los hombres que se retiraban sin órdenes o para acorralarlos para enviarlos a los batallones penales.

La orden también autorizaba el arresto inmediato de cualquier oficial –de cualquier grado– que ordenara retiradas no autorizadas o aceptara la retirada de sus unidades sin órdenes. La mayoría de estos hombres fueron llevados y fusilados, aunque algunos terminaron en los batallones penales, donde la mayoría murió.

En los primeros tres meses de la batalla en Stalingrado, los destacamentos de bloqueo fusilaron a unos 1.000 hombres y enviaron a casi 25.000 a los batallones penales. En octubre, las líneas del frente comenzaron a estabilizarse y los destacamentos de bloqueo se fueron retirando lentamente, aunque siguieron formando parte de las fuerzas armadas soviéticas hasta 1944.

Stalin reescribió la orden después de que sus generales hubieran presentado un documento muy estéril sin ningún sentimiento patriótico real. Aquí hay algunos ejemplos:

«Algunos estúpidos del frente se calman con la habladuría de que podemos retirarnos más al este, ya que tenemos mucho territorio, mucho terreno, mucha población y que siempre habrá mucho pan para nosotros. Quieren justificar el infame comportamiento en el frente. Pero tal discurso es una falsedad, útil solo para nuestros enemigos».

«Por lo tanto, es necesario eliminar la habladuría de que tenemos la capacidad de retirarnos sin cesar, que tenemos mucho territorio, que nuestro país es grande y rico, que hay una gran población, y que el pan siempre será abundante. Esa palabrería es falsa y parasitaria, nos debilita y beneficia al enemigo, si no dejamos de retroceder nos quedaremos sin pan, sin combustible, sin metal, sin materia prima, sin fábricas ni plantas, sin ferrocarriles. Esto nos lleva a la conclusión de que es hora de terminar de retirarnos. ¡Ni un paso atrás! Tal debería ser ahora nuestro principal lema».

Los historiadores argumentan el efecto de la orden, diciendo que en el momento de la batalla de Stalingrado, era evidente para casi todo el mundo que la retirada no era una opción y que la pérdida de la ciudad podría llevar a la pérdida del petróleo, el Volga y la guerra. Otros argumentan que la orden era necesaria después de todas las derrotas en el sur, así como los considerables reveses en otros lugares desde el comienzo de la guerra. Creen que se necesitaba una disciplina severa para detener el pánico.

Más tarde en la batalla, y en la guerra, los alemanes adoptaron el uso de unidades de bloqueo y ejecución sumaria. Los batallones penales habían sido un hecho en el ejército alemán durante algún tiempo.

23 de agosto de 1942

La *Luftwaffe* lanzó casi 2.000 salidas sobre Stalingrado (una "salida" es un vuelo individual —si un avión voló cinco salidas, voló cinco veces), empleando bombarderos medianos y de inmersión. Muchas de las bombas que cayeron sobre Stalingrado fueron incendiarias, y además de las explosiones de estos y otros artefactos, gran parte de la ciudad fue destruida en un día.

El humo de la ciudad se elevó dos millas en el aire y se podía ver a kilómetros de distancia. Fue un ataque devastador. La población de Stalingrado antes de la guerra era de unos 850.000 a 900.000 habitantes. El número de muertos dado para el bombardeo, que duró del 23 al 25 de agosto, oscila entre unos 900 y más de 40.000. Después de comparar incursiones similares en ciudades de tamaño similar a lo largo de la guerra y de examinar los documentos soviéticos después de la caída de la Unión Soviética, la mayoría de los investigadores cifraron el total entre 10.000 y 15.000 personas.

Cuando los alemanes terminaron de bombardear, Stalingrado estaba esencialmente "desaparecido". La mayoría de sus edificios más grandes eran ahora meras carcasas llenas de escombros. Las calles también desaparecieron, llenas de escombros de edificios caídos. Las áreas civiles más pobres en las afueras de la ciudad y en sus partes sureñas, que estaban mayormente compuestas de madera, desaparecieron. Algunos edificios permanecieron de pie, pero eran pocos y estaban muy dañados.

El centro de Stalingrado, que era considerado hermoso por muchos antes de la guerra, fue demolido. Algunas de sus fábricas sufrieron grandes daños, pero se las arreglaron para seguir produciendo, a veces sin techos o la mayoría de sus paredes.

El comando de la *Luftwaffe* creía que habían ganado la batalla antes de que empezara propiamente, y los soldados alemanes, al ver cómo oleadas de bombarderos sobrevolaban Stalingrado, se preguntaban cómo podía sobrevivir algo. Muchos esperaban que simplemente marchar a la ciudad y tomarla.

No podían estar más equivocados, ya que lo que la *Luftwaffe* hizo fue crear fortalezas —fortalezas de escombros. Los edificios derrumbados se las arreglaron para formar "autopistas" a través de los escombros, y a lo largo de la batalla, los soviéticos (y más tarde los alemanes) crearon más. Los escombros también proporcionaron puntos fuertes y búnkeres incorporados. El reconocimiento aéreo se hizo casi inútil. Los escombros también permitieron que los francotiradores desaparecieran entre las ruinas y atacaran repetidamente sin ser vistos. Los soviéticos habían estado entrenando a miles de francotiradores antes de que la guerra empezara, tanto hombres como mujeres, así que eran hábiles y peligrosos.

Famosamente, a pesar de todos los daños, una de las estatuas más reconocibles de Stalingrado, la de un grupo de niños pequeños jugando en una de las plazas principales de la ciudad, sobrevivió. Se puede abajo, con una foto de ella entonces y ahora.

Mucha gente cree que Stalin ordenó que no se evacuara a ningún civil de la ciudad antes de que comenzara la batalla, y que sus soldados lucharían más duro si los civiles se quedaban entre ellos. Esto no es cierto. Las evacuaciones civiles comenzaron el día después del primer bombardeo alemán. En los primeros días, más de 100.000 personas fueron enviadas al este sobre el Volga a una relativa seguridad. Más siguieron durante la primera parte de la batalla, cuando fue posible hacerlo.

Sin embargo, muchos se negaron a ir, permaneciendo voluntariamente en sus trabajos de fábrica y ayudando al ejército y a los médicos. Muchos de los que vivían en las afueras de la ciudad cayeron bajo control alemán. Algunas veces fueron tratados decentemente, y otras no. Muchas veces, simplemente fueron ignorados. Dentro de la ciudad, muchos se fueron a los sótanos que aún existían o vivían en las fábricas. Algunos incluso hicieron "casas" dentro de los escombros. Aun así, cuando la batalla terminó en febrero, la población civil de Stalingrado se estimaba entre 2.000 y 5.000 personas, muy lejos de lo que había tenido antes. El resto fueron evacuados o murieron.

Ilustración 7: Stalingrado en la primavera después de la batalla, 1943

Capítulo 4 - Soldados y generales

Ustedes ya han leído sobre el general alemán Friedrich Paulus. Paulus, junto con sus camaradas el mariscal de campo Erich von Manstein y el general Herman Hoth, son los nombres más reconocidos entre los alemanes en Stalingrado. Por supuesto, para los historiadores militares, muchos otros soldados alemanes son muy conocidos, ya que, aunque finalmente perdieron la batalla, los alemanes dentro de Stalingrado lucharon valientemente contra algunas adversidades.

A medida que los alemanes avanzaban hacia la ciudad, se enfrentaron a la resistencia de varias unidades soviéticas. Conduciendo hacia las afueras y el centro de la ciudad, se enfrentaron a dos ejércitos soviéticos: el 62º y el 64º. De julio a agosto de 1942, el general Vasily Chuikov comandó el 64º, y en agosto, el comando fue dado al general Mikhail Shumilov, quien comandó el ejército durante el resto de la batalla. Shumilov lucharía hasta el final de la guerra y recibiría distinciones en varias posiciones.

Hasta el 11 de septiembre, el 62º Ejército fue comandado por los generales Vladimir Kolpachy (julio a agosto de 1942) y Anton Lopatin (agosto a septiembre de 1942). Estos hombres fueron capaces y terminaron la guerra como "Héroes de la Unión Soviética", pero a medida que la batalla comenzó a desarrollarse en la ciudad, Stalin determinó que un tipo diferente de comandante debía hacerse cargo del 62º. Este hombre era el antiguo comandante del 64º Ejército: Vasily Chuikov.

Ilustración 8: Vasily Chuikov antes de Stalingrado

En los Estados Unidos, los generales Dwight D. Eisenhower, George S. Patton y Douglas MacArthur son considerados líderes heroicos durante la Segunda Guerra Mundial. En el Reino Unido, son los mariscales de campo Bernard Montgomery y Harold Alexander. En la Unión Soviética, el mariscal Georgy Zhukov, el mariscal Ivan Konev y el general (más tarde mariscal) Vasily Chuikov (con algunos otros) son venerados. Estos hombres, a través de su propia actuación y los esfuerzos añadidos de la máquina de propaganda soviética, se convirtieron en casi superhombres, y son considerados de la misma manera hoy en día.

Chuikov nació en 1900, cerca de Moscú. Murió en 1982 y está enterrado en el Mamáyev Kurgán, una colina que domina Stalingrado (ahora Volgogrado). Es uno de los sitios más famosos de la batalla de Stalingrado. Además de ser galardonado dos veces como "Héroe de la Unión Soviética" (el más alto honor de la URSS), Chuikov también recibió la Cruz por Servicio Distinguido de los Estados Unidos por sus acciones en Stalingrado.

En 1917, el año de la Revolución Bolchevique, Chuikov y su hermano se unieron a los Guardias Rojos revolucionarios. En 1918, se unió al Ejército Rojo propiamente dicho. Aunque el Ejército Rojo era nuevo, y muchos de sus comandantes eran bastante jóvenes, Chuikov, a la edad de dieciocho años, ascendió rápidamente a comandante de compañía adjunto en la guerra civil rusa, y al año siguiente, comandó un regimiento en Siberia.

Chuikov fue herido cuatro veces durante la guerra civil rusa. Una de estas heridas causó que su brazo izquierdo quedara parcialmente paralizado de por vida, y un fragmento permaneció en él hasta el final de sus días. De hecho, fue el causante de la infección que lo mató en 1982. Chuikov fue premiado dos veces con la "Orden del Estandarte Rojo" por su valentía.

En la década de 1920, Chuikov, junto con muchos otros oficiales soviéticos, sirvió como asesor del ejército chino (los nacionalistas). Allí, dirigió las fuerzas soviéticas en una gran batalla contra un poderoso señor de la guerra local en el norte de China por el control del Ferrocarril Soviético del Lejano Oriente. Durante el comienzo de la guerra de China con Japón en la década de 1930, Chuikov fue enviado de nuevo para ayudar a los chinos en su lucha contra los japoneses y para ayudar a garantizar que los chinos permanecieran en la guerra para evitar que Japón atacara a la URSS.

En 1939, Chuikov comandó el 4º Ejército en la invasión de Polonia por Stalin, así como el 9º Ejército en la guerra rusofinlandesa, ambos con distinción.

Como comandante del 64º Ejército, Chuikov había evitado un gran ataque alemán, lo que permitió al 62º Ejército evitar el cerco. Ya bien conocido por Stalin por ser un comandante hábil y particularmente duro, Chuikov recibió el mando del 62º Ejército y lo que quedaba del 1º Ejército de Tanques cuando estalló la lucha en Stalingrado propiamente dicha.

Desde el principio, Chuikov envió un mensaje a sus tropas. No habría más retirada. Le dijo personalmente a los "ojos y oídos" de Stalin en la ciudad, Nikita Khrushchev, que «o los mantengo fuera [a los alemanes], o muero en el intento». Esto no era solo para él, sino también para sus oficiales y hombres. Chuikov sabía lo terrible que era la situación en Stalingrado, no solo localmente sino para el esfuerzo de guerra en general. Con ese fin, hizo que un número significativo de oficiales y hombres fueran ejecutados por cobardía.

Al principio de la batalla, Chuikov vio una de sus principales tareas como agregar "columna vertebral" a las unidades del Ejército Rojo bajo su mando. Durante la última parte de la batalla, durante una entrevista dijo: «Para ser honesto, la mayoría de los comandantes de división no querían realmente morir en Stalingrado. En cuanto algo salía mal, empezaban a decir: "Permítame cruzar el Volga". Yo gritaba: "Todavía estoy aquí" y enviaba un telegrama: "¡Un paso atrás y te dispararé!"».

En un momento de la batalla, los soviéticos controlaban solo un 10 por ciento de la ciudad, y gran parte de eso estaba bajo el mando de Chuikov. Las instalaciones de almacenamiento de petróleo cercanas estaban por encima y alrededor de su búnker de mando. En algún momento, uno o más de ellos fueron incendiados, y el aceite en llamas se derramó colina abajo en las trincheras y búnkeres soviéticos. Chuikov permaneció obediente y valientemente en su búnker de mando, sin saber si estaba a punto de ser asado vivo. Las llamas ardían directamente sobre su cuartel general.

A Chuikov se le atribuye el desarrollo de la táctica que pudo haber evitado que los soviéticos perdieran la batalla. Conocido como "abrazar al enemigo", ordenó a sus hombres usar los edificios, escombros, túneles de alcantarillado y trincheras recién cavadas para estar lo más cerca posible del enemigo. Esto se hizo para mitigar la ventaja alemana (en la primera parte de la batalla, por lo menos) en tanques, cañones y aviones. Acercarse tanto a los alemanes significaba que los nazis a menudo no podían usar sus armas más pesadas por miedo a golpear a sus propios hombres. Stalingrado se convirtió en una batalla excepcionalmente brutal como resultado de esto, y las bajas fueron astronómicas.

Una de las principales tareas de Chuikov era mantener abierto el cruce del río Volga, ya que controlaba la orilla oeste del río. Así es como los refuerzos y suministros fueron llevados a la ciudad y como los heridos y los civiles fueron retirados. Debido a los esfuerzos de Chuikov, los soviéticos alimentaron la ciudad con suficientes refuerzos para mantener a los alemanes ocupados. Como probablemente se puede decir, Chuikov es considerado uno de los más grandes héroes de Stalingrado.

Soldados: El *Landser* alemán

El soldado alemán promedio de a pie en la marcha hacia Stalingrado en el verano de 1942 llevaba su propia arma, que, la mayoría de las veces, era el famoso Mauser K (por "karbine") .98 (para 1898, año en que se desarrolló el modelo). Algunos suboficiales, tenientes, capitanes y unidades especiales de asalto habrían estado equipados con lo que los soldados americanos llamaban el "Burp Gun", llamada así por el sonido que hacía. Esta era la Maschinenpistole ("pistola mecánica" o "subametralladora") 40 (para 1940), o la MP 40. A veces se la llama incorrectamente "Schmeisser", en honor a Hugo Schmeisser, que había desarrollado uno de los primeros subfusiles alemanes en 1918, pero el diseño de la MP 40 no incluía a Schmeisser.

Los alemanes también emplearon un gran número de ametralladoras pesadas y medianas, la más famosa es la MG 42, que a veces se llamaba "la sierra de zumbido de Hitler" por el aterrador sonido que hacía. El MG 42 era tan efectivo que versiones de él todavía se usan en muchas de las fuerzas armadas de hoy en día, particularmente en Europa. El más pequeño MG 34 fue igualmente efectivo.

Las llanuras del sur de Rusia son calurosas en verano y heladas en invierno. Los uniformes de los alemanes eran completamente inadecuados para el invierno, pero también se enfrentaban a problemas durante el verano. Para los hombres que se dirigían a Stalingrado, que en su mayoría lo hacían a pie, el sol era implacable, y las llanuras ofrecían muy poca sombra. No ayudaba el hecho de que hacía bastante calor en verano. Marchando en el calor a veces 90°F (32°C), el *Landser* (el apodo de un soldado de infantería alemán) llevaba una manta de lana y una sábana de tierra, su famoso (pero pesado) casco de "escarcha de carbón", y un cinturón completo de municiones. En su espalda tenía una mochila de cuero, que sostenía su pequeña pala. Una máscara de gas estaría alrededor de su cuello o enganchada a su cinturón. Como nota al margen, muchos soldados alemanes tiraron sus máscaras de gas, ya que el uso de gas durante la Segunda Guerra Mundial era prácticamente inexistente, aunque el humo y otros contaminantes, especialmente en el entorno ardiente y podrido de Stalingrado, a menudo estaban siempre presentes. En su mano o atado en otro lugar, tenía una bolsa de tela, donde llevaba calcetines de repuesto, ropa interior y artículos personales.

Los oficiales y suboficiales podían llevar una variedad de armas y sus municiones. Cuando los hombres se acercaban a la batalla, se les suministraban granadas, pero a menudo, llevaban una o dos en su cinturón. Un cuchillo de combate y una cantimplora colgaban del cinturón de municiones. Si el soldado era de los ingenieros, o si tenía una tarea especial, podía llevar una mina antipersona o antitanque, pero generalmente, estos y otros equipos, como la cocina de campo, se llevaban en carros tirados por caballos o a veces en vehículos. En total, el *Landser* llevaba entre cuarenta y cincuenta y cinco libras de equipo con él en la marcha.

Hasta finales de 1943 y principios de 1944, el soldado alemán fue quizás el soldado mejor preparado y mejor entrenado del mundo. Hacia el final de la guerra, el asombroso número de bajas acortó los tiempos de entrenamiento y aumentó el número de hombres que entraban en las fuerzas armadas. Estos hombres eran a menudo bastante jóvenes e inexpertos, disminuyendo la efectividad del ejército.

Ilustración 9: Equipo y uniforme típicos de un soldado alemán, 1942/43

Soldados: El "Iván" soviético

El soldado soviético era conocido como "Iván" tanto por sus enemigos como por sus aliados. Incluso dentro del Ejército Rojo, un soldado cuyo nombre no era conocido por su nueva compañía podría ser llamado brevemente "Iván" de la misma manera que un soldado estadounidense podría haber sido llamado "Joe". Iván es el equivalente ruso a "John", y era el nombre más común en la URSS y a menudo encabeza la lista de nombres de bebé en la Rusia y Ucrania de hoy. Cuando la guerra estalló en 1941, los alemanes habían vivido y habían sido adoctrinados con la propaganda nazi durante ocho años. Como resultado, vieron a este "Iván" como alguien primitivo, un bruto que se las arreglaba para sobrevivir en las estepas de Rusia. "Iván" era duro, y tenía que serlo, ya que su propio gobierno era su peor enemigo en tiempos de paz. A pesar de los logros de la Unión Soviética en los años 30, la URSS seguía siendo un país relativamente pobre, y tanto si se vivía en la ciudad como si se trabajaba en el campo, en las minas o en cualquier otro trabajo físico, uno tenía que ser duro.

Al comienzo de la guerra, cientos de miles de soviéticos se convirtieron en prisioneros de guerra. Además de ser mal dirigidos, superados y rebasados en sus maniobras, muchos hombres del Ejército Rojo se rindieron simplemente porque odiaban el régimen de Stalin, que pudo haber sido aún más represivo que el de Hitler. Sin embargo, muy pronto se dieron cuenta de que ser tomado prisionero por los nazis era una sentencia de muerte. Los fugitivos hablaron de palizas, disparos en masa, hambre y mucho más. Los refugiados civiles que huían de los nazis contaban las mismas historias. Esto ayudó a endurecer la determinación del Ejército Rojo.

En la época de Stalingrado y la Orden Nº 227, la mayoría de los "Ivanes" estaban listos para luchar a muerte y llevarse a tantos alemanes como fuera posible. En las peleas callejeras que estallaron en Stalingrado, "Iván" se convirtió esencialmente en un arma humana, una que los alemanes temían mucho.

La situación del soldado soviético dependía de muchas cosas. ¿Era un soldado veterano en una unidad establecida? ¿Era un veterano en una unidad que había sido golpeada o disuelta? ¿O era un nuevo recluta? Las respuestas a estas preguntas a menudo dictaban el equipo que uno recibía.

En muchos libros, documentales, e incluso en la película *Enemigo al acecho*, los soldados soviéticos fueron llevados al frente sin ningún tipo de armas. Esto fue cierto, y no solo en Stalingrado. También fue el caso en Leningrado en el invierno de 1941, así como en otros lugares en la primera mitad de la guerra en la URSS. A estos reclutas, algunos de ellos prácticamente sin entrenamiento alguno, se les dijo que se mantuvieran cerca del hombre que tenían por delante, quien *podría* tener un arma, y que la cogieran cuando este cayera. O siempre podían tomar una de un cadáver. El promedio de vida del recluta soviético durante los peores días de Stalingrado, que fueron los meses de agosto, septiembre y octubre de 1942, fue de *siete minutos* en el frente.

Se podía esperar que el soldado soviético decentemente equipado en Stalingrado llevara una manta de lana a la batalla. La manta se enrollaría y cubriría el pecho y la espalda y se ataría en los extremos. Usaba o llevaba su casco y a veces se le deslizaba un sombrero de la guarnición por el cinturón. También llevaba una camisa de lino áspero de manga larga bajo una chaqueta acolchada. Los pantalones de lana se usaban con las piernas del pantalón metidas en valenki, botas rusas de campesino de fieltro aplastado, que eran estupendas en invierno. Se usaban y llevaban paños para los pies, no calcetines. Eran largas tiras de lino u otro tipo de tela envueltas alrededor del pie hasta la pantorrilla bajo las botas. Muchas veces, los soldados soviéticos se conformaban con los zapatos de casa, aunque también se los quitaban a los camaradas o enemigos muertos. También se usaban botas de cuero al estilo de las botas de goma (como los alemanes), especialmente hacia el final de la guerra cuando los suministros eran más abundantes.

Los abrigos de lana pesados se entregaban en invierno cuando estaban disponibles. El soldado soviético estaba generalmente mejor preparado para el frío, pero no era impermeable a él, especialmente cuando no tenía el equipo adecuado. El congelarse era una amenaza tanto para los soviéticos como para los alemanes.

"Iván" podía llevar varias bolsas, atadas a su cinturón o quizás enrolladas en su manta. Estas podrían llevar una mitad de refugio (una mitad de una tienda de campaña para ser emparejada con la de otro soldado), una camisa extra, y otros artículos personales, así como su cantimplora, cuchillo y pala.

Ilustración 10: Este moderno recreador ruso lleva un uniforme y equipo preciso de la época soviética de la Segunda Guerra Mundial

"Iván" llevó dos versiones principales del robusto y preciso rifle Mosin-Nagant durante la guerra, que también era un excelente rifle de francotirador cuando estaba equipado con una mira. Solo los oficiales llevaban armas de fuego; esto no incluía a los suboficiales. "Iván" llevaba clips de repuesto para su rifle en sus amplios bolsillos o a veces en un cinturón de municiones, donde también podía deslizarse en una o dos granadas (para los que estaban familiarizados con el armamento de la Segunda Guerra Mundial, las granadas soviéticas se parecían al famoso "machacador de patatas" alemán).

Otro famoso símbolo de los soviéticos en la Segunda Guerra Mundial era el PPSh-41 (en ruso, *pistolet-pulemyot Shpagina* – "pistola mecánica Shpagin"). La PPSh-41, creada por Georgy Shpagin, fue llamada a veces *papasha* por el sonido de su acrónimo. En ruso, papasha significa "papá". La versión más reconocible de la ametralladora estaba equipada con un cargador de tambor de 71 rondas, aunque al final de la guerra, la mayoría de estas armas llevaban un cargador de caja de 35 rondas. El arma era fácil de producir en masa, y era lo suficientemente robusta y precisa. Los soldados alemanes apreciaban el arma, y a veces la recolectaban de pisos soviéticos tomados o trataban de quitársela a los enemigos en el campo de batalla.

Abajo, se puede ver el MP 40 en la parte superior y el PPSh en la inferior.

Durante la batalla de Stalingrado, los alemanes tuvieron verdaderos problemas con sus armas y vehículos congelándose. Los soviéticos, por otro lado, no lo tuvieron, por una razón muy inteligente. El aceite de los vehículos se espesa y se congela en el frío extremo, haciendo que el vehículo sea inútil. El único remedio para esto era mantener el vehículo funcionando todo el tiempo, algo que, especialmente para los alemanes, costaba mucho combustible. De la misma manera, los cañones, desde los más pequeños a los más grandes, necesitaban ser aceitados para funcionar sin problemas. Los alemanes frecuentemente encontraban sus armas y cañones congelados, sólidos e inútiles. Los soviéticos añadían pequeñas cantidades de gasolina al aceite de los vehículos y las armas, lo que evitaba que se congelaran. Este pequeño truco pudo haber salvado cientos de vidas soviéticas y arruinado cientos de vidas alemanas.

Capítulo 5 - Schlacht an der Wolga

En alemán, la palabra para lucha, batalla o combate es *Kampf*. A veces, sin embargo, se ve la palabra *Schlacht* refiriéndose a una batalla. *Schlacht* significa "matanza", y difícilmente se verá referirse a Stalingrado como algo más en ese lenguaje. No fue realmente una pelea o una batalla, pero definitivamente puede ser considerada una matanza, y no solo porque los alemanes perdieron. Stalingrado fue un lugar de matanza. En el espacio de unos seis meses, casi un millón de personas murieron, y otro millón fueron heridas o desaparecidas.

Ni siquiera en las películas de guerra más gráficas, uno no puede tener la sensación de lo que fue luchar o vivir en Stalingrado. Incluso en películas relativamente realistas, como la alemana *Stalingrado* (1993) o *Enemigo al acecho* (2001), uno no puede ver, oler u oír como lo que hicieron los hombres que lucharon allí.

Debido a que la lucha era tan intensa prácticamente todo el tiempo, la mayoría de los muertos en la batalla permanecieron en el lugar donde murieron o fueron destrozados. Los hombres que quedaron vivos tuvieron que navegar por calles, callejones y edificios cubiertos de órganos y miembros humanos. Los heridos en "tierra de nadie" quedaban entre los dos ejércitos, a menudo gritando a todo pulmón durante horas. Ninguno de los dos bandos estaba por encima de herir a un hombre y dejarlo en algún lugar como "cebo" para sus camaradas. Esto también se hacía con los prisioneros.

Los piojos estaban por todas partes, y en el invierno, enjambres de ellos aparecieron directamente en las axilas y entrepiernas de los soldados, donde hacía calor. Hacían que los soldados se sintieran miserables y ayudaban a propagar enfermedades.

La población de ratas también se multiplicó. Como muchos de sus padres tuvieron en las trincheras y en las tierras de nadie de la Primera Guerra Mundial, los soldados tuvieron que ver cómo sus camaradas muertos y moribundos eran devorados por ratas y a veces por jaurías de perros.

Ilustración 11: Los soviéticos abriéndose camino entre los escombros de la ciudad

La lucha en Stalingrado es recordada por varias cosas. Primero, fue el punto de inflexión en la guerra. A diferencia de tantos puntos cruciales de la historia, cuya importancia a veces solo se reconoce años después, ambos bandos parecían saber que esta batalla podría posiblemente decidir la guerra. En el excelente libro de Catherine Merridale sobre la vida de los soldados soviéticos durante la guerra, *La Guerra de Iván* (2007), cuenta cómo incluso las bases parecían saber que Stalingrado sería el punto de inflexión. Un hombre escribió a casa: «Sin excepción, todos estamos preocupados por Stalingrado. Si el enemigo logra tomarla, todos sufriremos». Otro dijo: «Te escribo desde un lugar histórico en un momento histórico».

En segundo lugar, la lucha, en gran medida, fue muy cercana y personal. Como Chuikov y otros comandantes soviéticos habían dicho a sus hombres que "abrazaran al enemigo" y no cedieran ni un centímetro de terreno, los edificios se convirtieron en campos de batalla en miniatura. A veces un bando sostenía un piso, mientras que el otro bando tomaba el de abajo, el de arriba o ambos. Los hombres llamaron a esto una "batalla de capas".

El ejemplo más famoso de tal batalla tuvo lugar en lo que se conoció como "La Casa de Pavlov". Hoy en día, solo una pared del edificio se encuentra en Stalingrado (ahora conocido como Volgogrado), y es un monumento venerado.

Ilustración 12: Los restos y el memorial de la casa de Pavlov hoy en día

Ilustración 13: Sargento Yakov Pavlov

El sargento Yakov Pavlov comandó el pelotón que tomó la casa, y la retuvieron durante sesenta días. La casa ocupaba una posición importante frente a las principales líneas soviéticas, y desde ella, los "Ivanes" del interior podían ver virtualmente 360 grados a su alrededor, ya que el edificio estaba situado en una zona con calles, plazas y avenidas anchas. Esto permitía a los hombres que estaban dentro, comunicar por radio al mando soviético los movimientos de las tropas alemanas de la zona. También usaban a veces a los corredores, quienes tenían que abrirse camino a través de las líneas alemanas.

Inicialmente, los alemanes trataron de expulsar a los soviéticos con tanques, pero pronto aprendieron que los Panzers eran muy vulnerables a los ataques desde arriba, donde sus armaduras eran las más delgadas. A principios de 1941, los soviéticos desarrollaron un rifle anti-tanque de un solo hombre, el PTRD-41. Esta arma resultó ser ineficaz en su mayor parte, pero era efectiva contra semiorugas o vehículos de mando ligeramente blindados. El rifle, que tenía un alcance de 1.000 yardas (914 m), demostró ser un rifle de francotirador algo útil, aunque su fuerte ruido y el polvo que lanzaba al aire hacían que la posición del francotirador se develara rápidamente. Contra tanques más pesados, era inútil, excepto cuando se disparaba desde arriba a través de la torreta de techo fino. Esto, combinado con cientos de "cócteles molotov" inflamables, hizo que los tanques alemanes se detuvieran en seco en numerosas ocasiones.

Como resultado, los alemanes tuvieron que enviar un ataque de infantería tras otro para capturar la casa de Pavlov. A veces, los alemanes se veían reducidos por el marcador al acercarse a la casa. Otras veces, lograron entrar, pero solo por un tiempo. Allí tuvo lugar la lucha que hizo tan notable la batalla de Stalingrado, como lo hizo una y otra vez durante meses. Los alemanes podían tomar un piso o incluso dos, solo para encontrarse con las granadas que les llovían desde arriba. La lucha cuerpo a cuerpo, un sello distintivo de Stalingrado, tuvo lugar regularmente, y la gente luchó con palas, cuchillos y picos afilados.

A veces durante los sesenta días, se enviaban refuerzos. A veces eran enviados de vuelta, con el resto de los hombres de la unidad de Pavlov diciéndoles que no se irían a menos que fuera en una bolsa. Aun así, el desgaste cobró su precio, y se enviaron más hombres. Cuando era posible, los hombres se escabullían entre las ruinas por la noche, llevando municiones, armas, comida y agua. Por supuesto, muchos hombres no lo lograron.

Después de dos meses de lucha, las principales líneas soviéticas pudieron avanzar y relevar a los hombres de Pavlov. El sargento Pavlov y muchos de los defensores fueron premiados varias veces por su defensa del edificio. El mismo Pavlov se convirtió en diputado del Sóviet Supremo de la República Rusa; murió en 1981. (Para ustedes, gamers de ahí fuera, el *Call of Duty* original presentaba algunos sitios del Frente Oriental. Uno de los mapas es "La Casa de Pavlov").

La tercera razón por la que la batalla de Stalingrado es tan bien recordada hoy en día es por los francotiradores que lucharon allí. Por supuesto, el francotirador más famoso de Stalingrado fue Vasily Zaitsev, cuya historia fue contada en el libro de William Gates, *Enemigo al acecho* (1974), y en la película de 2001 del mismo nombre.

La historia de Zaitsev se volvió tan monumental que es difícil discernir qué es realidad y qué es ficción. Según la línea oficial, las muertes de Zaitsev aumentaron diariamente y fueron promovidas en la propaganda soviética. Entre sus muertes y las de muchos otros francotiradores soviéticos en la ciudad, los alemanes perdían un número increíble de oficiales y señalistas. De lo que no se habla tanto es que los alemanes también tenían un número extraordinario de francotiradores en la ciudad, algunos de ellos muy buenos. Sin embargo, la historia que se ha transmitido a través del tiempo es que el Mayor Erwin König, el jefe de una "escuela de francotiradores alemanes", fue enviado a Stalingrado. Su único propósito era cazar y matar a Zaitsev. Según la historia oficial soviética, y el propio Zaitsev, después de días de perseguir su objetivo, el alemán fue asesinado por Zaitsev después de que vio el destello del catalejo de König bajo una pila de escombros. El único problema es que esto nunca sucedió.

¿Pero qué pasó? Zaitsev, un hijo de pastor de los montes Urales que protegió su rebaño disparando a los lobos, de hecho, mató a 225 soldados alemanes en Stalingrado, además de casi una docena más antes de la batalla. Sin embargo, como los soviéticos sabían que Stalingrado podría ser la batalla crucial de la guerra, se pusieron a adornar la historia de Zaitsev. Se convirtió en el "hombre común" soviético. Después de todo, la historia de Zaitsev era muy conocida; era solo el hijo de un pobre pastor. Pero incluso el más pobre de los rusos podía alcanzar la grandeza en la URSS en la lucha contra el fascismo.

Para hacer la historia más personal y dramática, la máquina de propaganda de la Unión Soviética se puso en marcha y creó la historia del Mayor König. No hay registros en los bien cuidados archivos alemanes que indiquen que alguna vez hubo un Mayor Erwin König —todo era ficción. ¿Pero por qué Zaitsev insistió en que era verdad? Hay tres razones probables. La primera es la más probable. En la Unión Soviética de Stalin, cuando te decían que hicieras algo, lo hacías. Segundo, Zaitsev comenzó a creer en la historia con el tiempo, lo cual es un fenómeno muy conocido. Tercero, disfrutó de la fama y la notoriedad que venía con ella.

En realidad no importa si la historia no es cierta. Lo que sí es cierto es que Zaitsev y los otros francotiradores soviéticos hicieron de la vida un infierno para los alemanes en Stalingrado. Y estos francotiradores no eran todos hombres. Durante la guerra, 800.000 mujeres soviéticas lucharon en el frente o en el aire, y muchas de ellas eran francotiradoras. Algunas de ellas eran muy buenas y tenían un total de muertes más alto que Vasily Zaitsev cuando la guerra terminó.

Zaitsev murió en 1991 a la edad de setenta y seis años. Fue enterrado en el Mamáyev Kurgán, junto con Chuikov y muchos otros héroes de la batalla.

Ilustración 14: El rifle de Zaitsev en el Museo de
la Batalla de Stalingrado hoy

Hay otra historia interesante que parece surgir. Esta historia es sobre un joven soviético que era un aprendiz de zapatero. Hay varias versiones de la misma. Se ve una en *Enemigo al acecho*, hay otra en la película alemana *"Stalingrado"* de 1993, y se puede encontrar más en la literatura. De cualquier manera, la historia termina de la misma manera. El joven zapatero, atrapado tras las líneas alemanas, repara las botas de los nazis. Los observa y escucha con sus conocimientos básicos de alemán. Entonces retroalimenta a los rusos, pero finalmente es descubierto y colgado (o disparado) por los alemanes. Probablemente hay algo de verdad en la historia en alguna parte.

Volviendo a la batalla en cuestión, Stalingrado es también conocida por las batallas que tuvieron lugar en las fábricas de la ciudad. Las tres fábricas más grandes fueron la fábrica de tractores de Stalingrado, la fábrica de Octubre Rojo y la fábrica de Barrikady. Cada una de estas fábricas, que eran más como gigantescos complejos de fábricas que un solo edificio, producían suministros de guerra vitales y lo hacían durante la batalla a menos que fueran capturadas. Para capturarlas, los alemanes llevaron unidades altamente entrenadas de ingenieros de asalto de otros frentes.

Luchar en los complejos de fábricas era como una guerra en sí misma. Solo en el complejo de la fábrica de tractores o cerca de él, se estima que 30.000 hombres murieron en tres meses. Piense en eso por un momento. En los diez años de la guerra de Vietnam, los Estados Unidos perdieron unos 58.000 hombres. Con las bajas de los tres edificios de la fábrica juntos, es probable que 100.000 personas perdieran la vida. Al igual que las batallas en las calles y edificios, estas luchas a veces involucraban a grupos de soviéticos a un lado del muro y a alemanes al otro.

Por último, para abastecer a los defensores de Stalingrado, los soviéticos solo tenían una opción: llevar suministros y hombres del otro lado del Volga, el río más grande de Europa. Para ello, tuvieron que realizar un gran número de ataques aéreos y de artillería contra los alemanes, que tuvieron un gran éxito. Los barcos que lograban llegar a la ciudad llevaban civiles, heridos y mensajes, entre otras cosas. A veces no conseguían volver al lugar donde habían empezado, pero a medida que la batalla avanzaba, las defensas aéreas soviéticas sobre el río crecían en fuerza, haciendo el viaje un poco más seguro antes de que el río se congelara en pleno invierno.

Capítulo 6 - Los alemanes son derrotados en su propio juego

Mientras el 6º Ejército luchaba en Stalingrado, la campaña alemana en el Cáucaso continuó. La lucha allí fue dura, pero no estuvo al mismo nivel que en Stalingrado. Los alemanes se dirigieron a la mitad de la península, a veces luchando en hermosas ciudades al estilo de Oriente Medio entre palmeras y naranjos, y otras veces luchando en la atmósfera implacable de las montañas nevadas del Cáucaso. Nunca llegaron a Bakú y sus ricos campos de petróleo. Aunque llegaron a algunos de los campos de petróleo más pequeños de la zona, encontraron el equipo destruido y los campos en llamas. Incluso si los alemanes hubieran tomado el área, podrían haber pasado meses o incluso años antes de que pudieran hacerla productiva de nuevo.

A finales de diciembre, los nazis sabían que estaban condenados si se quedaban donde estaban, ya que los soviéticos habían cambiado la situación de Hitler en el área de Stalingrado.

El 13 de noviembre de 1942, Stalin aprobó la Operación Urano. En el mito y la astrología rusa, Acuario era el signo dominante de Rusia. Los planetas dominantes de Acuario son Urano y Saturno, y fue a partir de esto que los soviéticos nombraron la operación que creían que infligiría un golpe mortal a los alemanes en Stalingrado.

La planificación del contraataque Urano había comenzado en septiembre, en un momento en que las cosas se veían muy mal para el Ejército Rojo. Pero el STAVKA se dio cuenta de varias cosas a su favor. En primer lugar, las líneas de suministro alemanas estaban seriamente sobrecargadas. Los rusos sabían cuánto suministro estaba siendo destruido o capturado por los partisanos en su camino a Stalingrado.

En segundo lugar, los prisioneros alemanes estaban cada vez en peor estado. Estos hombres esperaban una rápida victoria y en su lugar consiguieron una carnicería. A medida que el otoño avanzaba y el clima se volvía más frío, los soviéticos se dieron cuenta de que sus prisioneros estaban cada vez más delgados y enfermos. Una cosa que mucha gente no sabe de la campaña de Stalingrado es que los alemanes y sus aliados húngaros, rumanos e italianos sufrieron una epidemia de tularemia. La tularemia es una enfermedad transmitida por roedores, originaria de las estepas del sur de Rusia, Ucrania y Asia Central. La mayoría de las tropas soviéticas habían sido vacunadas contra ella, pero los alemanes no parecían saberlo hasta que fue demasiado tarde. La tularemia ataca muchas áreas del cuerpo, incluyendo los pulmones, los nódulos linfáticos, los ojos y la piel. Puede ser mortal si no se diagnostica y se trata a tiempo. La enfermedad, además de hacer que uno se sienta extremadamente incómodo (los síntomas incluyen picazón, escalofríos y fiebre), también provoca dolores de cabeza masivos y agotamiento. Muchos de los soldados infectados por la tularemia murieron.

En tercer lugar, los rusos sabían (como deberían saber los alemanes) que se acercaba el invierno. Aunque era su segundo invierno de la guerra, los alemanes estaban radicalmente mal preparados. Sin embargo, los soviéticos estaban preparados. En el invierno de 1942/43, las temperaturas llegaron a -40ºC. La ilustración de abajo, que fue hecha antes del final de la Primera

Guerra Mundial, muestra a un viejo "aliado" ruso, conocido por todos como el "Invierno Ruso" o "General Invierno".

Ilustración 15: El "Invierno ruso" barre a los enemigos de Rusia ante él

Cuarto, los soviéticos estaban al tanto del despliegue de las fuerzas del Eje en la ciudad y al norte y al sur de ella. En la misma Stalingrado, donde la lucha era más intensa, se veía a los alemanes luchando. Al norte y al sur, los húngaros y los rumanos (que a menudo tenían que ser separados por unidades de italianos y tropas alemanas de segunda clase debido a la enemistad entre ellos) mantenían la línea. Las tropas de estos dos países habían luchado a veces duramente, especialmente al principio de la guerra, cuando se apoderaron de tierras en el sur de Rusia y Ucrania, que les había prometido Hitler. Sin embargo, a medida que la guerra avanzaba, su moral y su voluntad de luchar disminuyeron. Además de esto, estaban equipados con armas anticuadas y prácticamente no tenían armas anti-tanque de ningún valor. Abajo, se puede ver imágenes de soldados húngaros (arriba) y rumanos (abajo).

Por último, los soviéticos sabían que tenían millones de hombres más en entrenamiento y en reserva, lo cual era algo que los alemanes no podían creer. Un millón de estos hombres fueron detallados para la próxima operación, un movimiento más estratégico que lanzarlos a la ciudad uno por uno.

La Operación Urano fue el producto de mucha planificación y mucho secreto. Solo dos hombres, Stalin y el jefe de personal del Ejército Rojo, el mariscal Boris Shaposhnikov, conocían todo el plan. Los comandantes de los distintos frentes solo conocían las partes relevantes del plan. Había tres frentes soviéticos principales: el "Frente de Stalingrado" al sur de la ciudad, comandado por el general Andrey Yeryomenko; el "Frente del Suroeste" al norte, comandado por el general Nikolai Vatutin; y el "Frente del Don" dentro y frente a Stalingrado, comandado por el general Konstantin Rokossovsky.

Durante dos semanas antes de que comenzara la contraofensiva soviética, todo el correo que entraba y salía de la zona se detuvo. Se estableció un falso tráfico de radio, permitiendo a los alemanes creer que los rusos estaban casi al final de la cuerda. Los estrictos toques de queda, junto con la disciplina de luz y sonido, fueron impuestos con dureza. La mayoría de los movimientos importantes se hacían solo de noche con luces tenues, si las había.

Durante semanas, los soviéticos habían estado llevando a cabo un cuidadoso acto de equilibrio en el mismo Stalingrado. Habían estado alimentando la ciudad con suficientes hombres para mantener a los alemanes ocupados y concentrados en su objetivo. Todo el tiempo, habían estado acumulando tropas a ambos lados de la metrópoli en ruinas. Aquellos de ustedes que estén familiarizados con la carrera posterior del gran boxeador Muhammad Ali reconocerán esto como una versión masiva del "Rope-a-Dope", un movimiento en el que Ali permitiría a su oponente cansarse mientras reservaba su propia fuerza para los últimos asaltos cuando asestaría un golpe de gracia, como con George Foreman en 1974.

Ambos frentes soviéticos atacantes tenían alrededor de medio millón de hombres. Casi 900 tanques se dividieron entre ellos, así como casi 14.000 cañones y 1.500 aviones. Frente a ellos había unos 250.000 alemanes (muchos de ellos dentro de la ciudad), tal vez 500 cañones, 400 aviones utilizables y un par de cientos de tanques utilizables de varios tipos. Las fuerzas rumanas, húngaras e italianas en los flancos sumaban unos 500.000 hombres, pero tanto las fuerzas alemanas como sus aliados sufrían de hambre, baja moral, mal equipamiento (especialmente en el caso de los aliados), y mal abastecimiento. Por el contrario, la moral soviética estaba muy alta y a punto de aumentar.

En las mañanas del 19 y 20 de noviembre, las fuerzas soviéticas contraatacaron primero en el norte. Luego, después de que la atención de los alemanes se hubiera desplazado hacia el norte, las fuerzas soviéticas del sur atacaron. El clima fue sombrío durante todo el mes de noviembre. Estaba muy por debajo del punto de congelación, y una niebla helada colgaba sobre el campo de batalla, haciendo difícil la visibilidad y la audición.

La propaganda soviética/rusa ha cultivado cuidadosamente una imagen de cientos de miles de soldados soviéticos vestidos de blanco en tanques T-34 de carrera, saliendo de la niebla para tomar a los alemanes y a sus aliados por completa sorpresa y sembrando el terror muy por detrás de las líneas del frente. En este caso, la propaganda es bastante precisa. Sumado al temor de los alemanes fue el lanzamiento de cientos de miles de cohetes Katyusha, que fueron disparados justo delante de los tanques de carga. Estas armas, llamadas "órgano de Stalin" por los alemanes por el espeluznante sonido que hacían, no eran muy precisas, pero podían descargar cientos de pequeños cohetes del tamaño de un proyectil de artillería para saturar un área pequeña, muchas veces destruyendo todo a su paso.

Uno de los alemanes que se enfrentó a los rusos fue Gunter Koschorrek, cuyas memorias se publicaron en 2011 *como Nieve Roja de Sangre: Las memorias de un soldado alemán en el frente oriental.* Escribió: «Wilke grita, "¡Los tanques están llegando! ¡En grandes cantidades! ¡En enjambres de ellos!" Sus últimas palabras son ahogadas por el ruido de las explosiones de los proyectiles que los tanques nos disparan. ¡Entonces yo también los veo! Primero, es como un muro de fuego avanzando sobre nosotros, luego una horda de escarabajos marrones se acerca lentamente a través de la estepa blanca... Así que esto es lo que los soviéticos han preparado: un colosal ataque de tanques».

En pocas horas, los aliados alemanes en los flancos, así como las pocas unidades alemanas allí, o entraron en pánico y huyeron, fueron asesinados, o fueron tomados como prisioneros. Los tanques soviéticos no dudaron en vengarse. A veces, conducían sobre una trinchera o fosa enemiga y luego mantenían una pista quieta mientras conducían la otra hacia adelante o hacia atrás. Esto tenía el efecto de hacer girar el tanque, que lo molía en la tierra, aplastando y moliendo a cualquiera que tuviera la desgracia de estar debajo. Las tropas alemanas en retirada que corrían por la estepa fueron atropelladas a propósito por cientos de personas. Ambos bandos emplearon esta aterradora táctica a medida que la batalla avanzaba.

Los soviéticos se adentraron más de lo que los alemanes jamás podrían haber imaginado. Cruzaron el río Don en Kalach, a unas setenta millas de Stalingrado. El 23 de noviembre, las dos puntas del ataque soviético se unieron en esa área. Los alemanes y sus aliados en Stalingrado y sus alrededores estaban rodeados, y las fuerzas alemanas más cercanas se encontraban a unas sesenta o setenta millas de distancia.

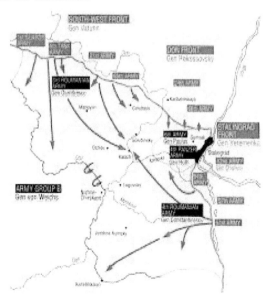

Ilustración 16: Operación Urano

Cuando Hitler y el Alto Mando Alemán oyeron la noticia, se mostraron incrédulos. ¿De dónde habían salido todos estos hombres? Aun así, los informes llegaron a raudales sobre la magnitud del revés. Casi de inmediato, muchos de los generales de Hitler, tanto en Alemania como en el campo, le recomendaron que ordenara a las fuerzas en Stalingrado que intentaran una fuga y que las fuerzas alemanas en el área del Don se inclinaran hacia ellos, lo que abriría una brecha en las fuerzas soviéticas para que los restos del 6º Ejército se retiraran. Hitler se negó. En su lugar, ordenó a Paulus que permaneciera en su lugar.

En Stalingrado, Paulus y su personal vacilaron entre pensar que podían aguantar hasta que se enviara una fuerza de socorro, pensando que podían escapar ellos mismos, y sintiéndose condenados. Por supuesto, con cada día que pasaba, el sentimiento de perdición aumentaba.

Cuando el alcance del contraataque soviético quedó perfectamente claro, Hitler ordenó a sus fuerzas en el Cáucaso que se retiraran, la mayoría de ellas ya lo estaban haciendo por su cuenta. Lo que quedaba de las fuerzas de Hitler en el Cáucaso no cruzó a Crimea hasta la primavera de 1943. Incluso en ese momento, cuando toda la realidad dictaba lo contrario, Hitler no permitió que sus tropas en Kerch cruzaran a la península de Crimea porque pensó que necesitaba un punto de apoyo allí para cuando sus tropas regresaran a la zona.

Stalingrado fue cuando Hitler realmente comenzó su descenso a la "irrealidad". Una y otra vez, ordenó a sus hombres que se quedaran en la ciudad, creyendo que su mejor general, Erich von Manstein, atravesaría las líneas rusas y ayudaría a Paulus a retomar la ciudad.

Los alemanes discutieron entre ellos hasta que comenzaron un ataque en la zona sur del frente soviético, esperando abrirse paso hacia la ciudad. Se ordenó a Paulus que se quedara en el lugar. Aunque muchos historiadores han dicho que la mejor opción era que las fuerzas de Paulus escaparan al sur para encontrarse con

Manstein, análisis más recientes indican que casi desde el principio, los hombres congelados y medio muertos de hambre de Paulus habrían perdido el 50 por ciento de sus fuerzas. Si Hitler hubiera ordenado inmediatamente una fuerza de socorro antes de que los soviéticos pudieran cavar en sus nuevas líneas, Paulus podría haber tenido una oportunidad. La Operación Tormenta de Invierno (*Unternehmen Wintergewitter*), el contraataque alemán, que incluía 13 divisiones (que en su mayoría tenían poca fuerza), unos 50.000 hombres y 250 tanques (incluyendo el nuevo "Tigre"), estaba más o menos condenada desde el principio. Sin embargo, la naturaleza concentrada de la operación y la experiencia de las tropas y comandantes alemanes les permitió penetrar unos cincuenta o sesenta kilómetros. Pero eso era lo más lejos que pudieron llegar. Después de ser sorprendidos por el esfuerzo alemán, los soviéticos reaccionaron con fuerza, y detuvieron el esfuerzo de ayuda alemán en seco el 13 de diciembre. La ofensiva solo había comenzado el 11.

Los casi 250.000 hombres alemanes que estaban dentro del cada vez más pequeño bolsillo de Stalingrado luchaban por sus vidas. Casi todos los días, la bolsa se hacía más pequeña. Los hombres comían ratas y lentamente morían de hambre y congelados. Después de que estaba claro que el esfuerzo de ayuda fallaría, Paulus pidió repetidamente a Hitler permiso para rendirse. Hitler se negó cada vez. Finalmente, cansado de las súplicas de Paulus, Hitler lo ascendió al rango de mariscal de campo, el rango más alto del ejército alemán. El Führer sabía que ningún mariscal de campo alemán se había rendido nunca. En su lugar, se quitarían la vida. Ese mensaje no se perdió en Paulus.

El jefe de la fuerza aérea de Hitler, Hermann Göring, prometió al Führer que entregaría las 300 toneladas de suministros necesarios para los hombres de Stalingrado diariamente. Nunca entregó más de 150 toneladas en un día. La mayoría de las veces, era mucho menos. El tiempo, los aviones soviéticos y los cañones antiaéreos destruyeron el resto.

Una vez que los aviones alemanes aterrizaban, evacuaban a los heridos o a los que "tiraban" del Partido Nazi. Las escenas en el último aeródromo controlado por los alemanes cuando los últimos aviones salían no podían ser más lamentables. Los guardias en las puertas disparaban a multitudes de hombres mientras intentaban entrar en los aviones. Algunos de los guardias fueron sacados de los aviones y asesinados. Los aviones estaban sobrecargados y a veces se estrellaban. Otros tenían hombres colgando de las alas, que luego caían a la muerte mientras sus camaradas los observaban. Todos en Stalingrado sabían que ser un prisionero soviético era prácticamente una sentencia de muerte.

El 22 de enero de 1943, Paulus dio la orden de que sus hombres se rindieran. Un grupo de "duros de matar" en la parte norte de la ciudad aguantó hasta el 3 de febrero. Incluso después de la rendición, las transmisiones alemanas en casa mostraron entrevistas con hombres "en el frente del Volga", pero estas fueron grabadas en Alemania con sonidos de combate editados en ellas. Para cuando la mayoría de los alemanes los escucharon, Stalingrado ya se había rendido.

Noventa y un mil alemanes fueron al cautiverio soviético. Diez años después de que la guerra terminara en 1945, los últimos alemanes en la URSS, alrededor de 5.000, fueron enviados a casa.

Ilustración 17: Arriba: Paulus, a la izquierda, y su equipo al rendirse. Se puede ver el edificio de su cuartel general al fondo. Abajo: Foto del edificio del Cuartel General hoy

Ilustración 18: Alemanes rindiéndose en Stalingrado

Ilustración 19: "¡La Madre Patria Llama!" en Mamáyev Kurgán. Esta es una de las estatuas independientes más altas del mundo, con 279 pies

Conclusión

Stalingrado era la "máxima marca de agua" del ejército alemán en la URSS. Después de Stalingrado, la guerra, no solo en Rusia sino en todas partes, fue decididamente contra Hitler. Solo hubo una vez después de la batalla que los alemanes pudieron lanzar una gran ofensiva en el Este. Esto fue en Kursk en julio de 1943. Sin embargo, esto también fue una derrota colosal.

Stalingrado cambió todo. La moral soviética se disparó, y la fuerza soviética aumentó, aunque habían sufrido bajas irreales. Los soviéticos también comenzaron a dominar las "nuevas" tácticas de la guerra móvil moderna que habían sido introducidas por los alemanes en 1939. En realidad, si bien los soviéticos se convirtieron en maestros de la guerra móvil y la sorpresa, los alemanes, guiados por la obstinada negativa de Hitler a ceder un centímetro de terreno, optaron por cavar. Esto dio lugar a que los alemanes fueran aislados y cortados una y otra vez, al igual que los soviéticos lo habían sido en las primeras etapas de la guerra.

Aunque muchos en Alemania necesitaban creer que la guerra aún podía ser ganada, la mayoría sabía que algo terrible había sucedido en el Volga. Esto se reforzó cuando los sobrevivientes de la batalla fueron evacuados antes del final de la Operación Urano y los últimos puentes aéreos. Ya convertido en un recluso, Hitler se retiró cada vez más lejos en su tierra de fantasía, dejando gran parte del esfuerzo bélico a su jefe de propaganda, Joseph Goebbels. Goebbels comenzó a dar discursos por todo el país, instando a un mayor esfuerzo del pueblo alemán. El eslogan que proclamó fue "¡Guerra total, guerra más corta!". En este punto, incluso los nazis sabían que los alemanes se estaban cansando del esfuerzo de guerra y de los millones de bajas. Y todo comenzó en Stalingrado.

Vea más libros escritos por Captivating History

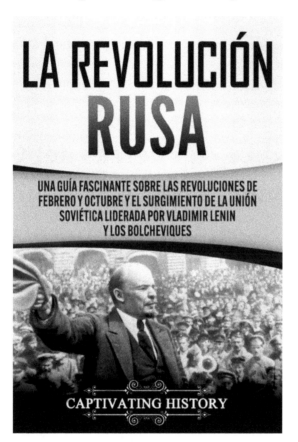

LA REVOLUCIÓN RUSA

UNA GUÍA FASCINANTE SOBRE LAS REVOLUCIONES DE FEBRERO Y OCTUBRE Y EL SURGIMIENTO DE LA UNIÓN SOVIÉTICA LIDERADA POR VLADIMIR LENIN Y LOS BOLCHEVIQUES

CAPTIVATING HISTORY

Apéndice A: Fuerzas del Grupo de Ejército Norte al comienzo de Barbarroja hasta julio/agosto de 1941

Grupo de Ejército Norte - 18º Ejército, 4º Grupo Panzer y 16º Ejército (desplegados de norte a sur), con 29 divisiones y aproximadamente 712.000 efectivos (total en el Ejército Alemán, Waffen SS, fuerzas terrestres de la Luftwaffe, fuerzas navales terrestres de artillería costera y tropas de ferrocarril). Aproximadamente 562.000 personas fueron asignadas a las unidades de combate desplegadas (D) (es decir, las unidades que figuran en la matriz de despliegue alemán para el Grupo del Ejército Norte).

• 7 cuarteles generales del cuerpo de infantería, 2 cuarteles generales del cuerpo panzer (motorizados), 1 cuartel general del área de la retaguardia del grupo del ejército, 20 divisiones de infantería, 3 divisiones panzer, 2 divisiones motorizadas, 1 división motorizada Waffen SS, y 3 divisiones de seguridad (pequeñas).

• 770 vehículos blindados de combate de todo tipo. Esto incluyó 619 tanques, tanques de comando y tanques de fuego. Sin embargo, solo 214 tanques y cañones de asalto tenían cañones de calibre 50-75mm, y solo 274 AFVs tenían cañones de calibre mayor a 45mm.

- 213 coches blindados de todo tipo (incluyendo coches de radio blindados) y 344 vehículos blindados semioruga (incluyendo APC y vehículos blindados de observación).

- 3.980 piezas de artillería (28-600 mm) (incluidos los cañones antitanque y excluidos los cañones costeros y ferroviarios y los sistemas de cohetes), 735 cañones AA (20-105 mm) (incluidos todos los cañones AA SP), y 3.409 morteros (50-81 mm).

- Aproximadamente 122.900 vehículos de motor (excluyendo los vehículos semioruga, los coches blindados y las motocicletas), y 2.259 vehículos de motor de semioruga (excluidos los de semioruga utilizados como cañones autopropulsados).

Apéndice B: Las fuerzas soviéticas, los primeros meses de Barbarroja hasta finales del otoño de 1941

Distrito Militar de Leningrado (Frente Norte desde el 24 de junio)

14º Ejército (zona de Múrmansk), 7º Ejército (zona de Carelia, Finlandia), 23º Ejército (zona de Leningrado), con 21 divisiones y 404.470 efectivos en total.

3 cuarteles generales del cuerpo de fusileros, 15 divisiones de fusileros, 2 cuarteles generales de cuerpos mecanizados, 4 divisiones de tanques y 2 divisiones mecanizadas.

1.857 carros de combate, 2.159 aviones de combate (incluidos 823 aviones navales VVS-VMF), 2.996 piezas de artillería (45-305 mm) (excluidos los cañones costeros y ferroviarios), 1.228 cañones AA (25-85 mm), 3.687 morteros (50-120 mm) y 28.759 vehículos de motor de todo tipo (pero excluidos los tractores de artillería).

Comandante: General-Teniente M.M. Popov.

Distrito Militar Especial del Báltico (Frente Noroeste desde el 22 de junio)

• 8º Ejército (Norte de Lituania), 11º Ejército (Sur de Lituania), 27º Ejército (zona de Pskov), con 26 divisiones y 369.702 efectivos en total.

• 7 cuarteles generales del cuerpo de fusileros, 19 divisiones de fusileros, 2 cuarteles generales de cuerpos mecanizados, 4 divisiones de tanques, 2 divisiones mecanizadas y 1 división de fusileros motorizados del NKVD.

• 1.551 tanques, 1.262 aviones de combate, 3.607 (45-305 mm) piezas de artillería (excluidos los cañones de costa y ferroviarios), 504 (25-85 mm) cañones AA, 2.969 (50-120 mm) morteros y 19.111 vehículos de motor de todo tipo (pero excluidos los tractores de artillería).

• Comandante: General-Coronel F.I. Kuznetsov.

*Información cortesía de "operationbarbarossa.net"

Bibliografía

Bullock, Alan. *Hitler y Stalin: Vidas Paralelas*. Nueva York: Vintage, 2019.

Dear, Ian y Michael R. Foot. *El Compañero de Oxford para la Segunda Guerra Mundial*. Nueva York: Oxford University Press, EE. UU., 2001.

Desbois, Padre P. *El Holocausto por Balas: El Viaje de Un Sacerdote Para Descubrir La Verdad Detrás del Asesinato de 1,5 Millones De Judíos*. Nueva York: St. Martin's Press, 2008.

Roberts, Cynthia A. "Planificación para la Guerra: el Ejército Rojo y la Catástrofe

de 1941". Estudios Europa-Asia 47, no. 8 (1995): 1293-326. Consultado el 6 de mayo de 2020. www.jstor.org/stable/153299.

"Ejército Rojo 1941> Armas de la Segunda Guerra Mundial". Armas de la Segunda Guerra Mundial. Última modificación el 27 de abril de 2019. https://ww2-weapons.com/red-army-1941/.

Bidlack, Richard (2013). *El bloqueo de Leningrado*. New Haven: Yale University Press.

Dear, Ian, and Michael R. Foot. THE OXFORD COMPANION TO WORLD WAR II. New York:

"Los nuevos hechos apuntan al horror del sitio nazi de Leningrado: La guerra: El bloqueo de 900 días se levantó hace 50 años. Los materiales de archivo confirman el canibalismo". Los Angeles

Times. Modificado por última vez el 27 de enero de 1994. https://www.latimes.com/archives/la-xpm-1994-01-27-mn-15973-story.html. Oxford University Press, USA, 2001.

Glantz, David M. LA BATALLA DE LENINGRADO. University Press of Kansas, 2002.

Operación Barbarroja | El completo análisis organizativo y estadístico. Accedido 22 de junio, 2020. https://www.operationbarbarossa.net/wp-content/uploads/2014/08/Ger-Fast-facts-VolIIB.pdf.

Salisbury, Harrison E. 900 DÍAS: EL SITIO DE LENINGRADO, 2007 ed. 1983.

"Siege of Leningrad". Military Wiki. Accedido 22 de junio, 2020. https://military.wikia.org/wiki/Siege_of_Leningrad

"Fuerzas Soviéticas: Operación Barbarroja, junio-julio de 1941". Operación Barbarroja | El completo análisis organizativo y estadístico. Accedido el 22 junio, 2020. https://www.operationbarbarossa.net/soviet-forces-operation-barbarossa-june-july-1941/#Leningrad%20Military%20District%20(Northern%20Front%20from%2024th%20June).

Clements, J. MANNERHEIM: PRESIDENT, SOLDIER, SPY. Haus Publishing, 2012.

Dear, I., y M. R. Foot. THE OXFORD COMPANION TO WORLD WAR II. Oxford: Oxford University Press, 1995.

Edwards, Robert. THE WINTER WAR: RUSSIA'S INVASION OF FINLAND, 1939-1940. New York: Simon & Schuster, 2009.

"HyperWar: The Soviet-Finnish War, 1939-1940 (USMA)." Accedido el 27 de abril de 2020.

Beevor, Antony. La Segunda Guerra Mundial. Londres: Hachette UK, 2012.

Beevor, Antony. "El papel de los soviéticos en la Segunda Guerra Mundial". Conferencia, https://www.youtube.com/watch?v=AZErCVlIDJg&hl=id&client=m v-google&gl=ID&fulldescription=1&app=desktop&persist_app=1, Hillsdale College, Michigan, 2017.

Berezhkov, Valentin M. *Al lado de Stalin: Sus memorias de intérprete de la Revolución de Octubre a la caída del Imperio del Dictador.* Birch Lane Press, 1994.

Bellamy, Chris. *Guerra absoluta: la Rusia soviética en la Segunda Guerra Mundial.* 2008

Clark, Lloyd. Kursk: *La mayor batalla. Londres:* Hachette UK, 2013.

Conquest, Robert. *El Gran Terror: Una reevaluación.* Oxford: Oxford University Press a pedido, 2008.

Higos, Orlando. *Los Susurradores: La vida privada en la Rusia de Stalin.* Londres: Penguin UK, 2008.

Fitzpatrick, Sheila. *El estalinismo cotidiano: La vida ordinaria en tiempos extraordinarios: La Rusia soviética en los años 30.* Nueva York: Oxford University Press, EE. UU., 2000.

Herman, Víctor. *Saliendo del hielo: Una vida inesperada.* 1979.

McSherry, James. *Stalin, Hitler y Europa: Los orígenes de la Segunda Guerra Mundial, 1933-1939.* 1968.

Merridale, Catherine. *La guerra de Iván: Vida y muerte en el Ejército Rojo, 1939-1945.* 2007.

Topitsch, Ernst. *La guerra de Stalin: Una nueva teoría radical de los orígenes de la Segunda Guerra Mundial.* Nueva York: St. Martin's Press, 1987.

Volkogonov, Dmitriĭ A. *Stalin: Triunfo y Tragedia.* Nueva York: Grove Weidenfeld, 1991.

Werth, Alexander. *Rusia en Guerra, 1941-1945: Una historia.* 2017.

Milton Keynes UK
Ingram Content Group UK Ltd.
UKHW022210070923
428269UK00003B/10

9 781637 162095